AGENCIA ele

Básico

Nueva edición

Manuela Gil-Toresano
José Amenós
Aurora Duque
Sonia Espiñeira
Inés Soria
Nuria de la Torre
Antonio Vañó

Español Lengua Extranjera

SGEL

AGENCIA ELE

NUEVA EDICIÓN

Las unidades de *Agencia ELE básico* constan de 10 páginas y 4 secciones.

AGENCIA ELE es un manual para la enseñanza-aprendizaje de español como lengua extranjera (ELE) de acuerdo con los principios y niveles del *Marco común europeo de referencia* (MCER).

AGENCIA ELE propone un aprendizaje centrado en la acción, con el que el estudiante adquiere sus competencias pragmática, lingüística y sociolingüística, formándose como agente social, hablante intercultural y aprendiente autónomo, tal y como el *Marco común europeo de referencia* y el *Plan curricular del Instituto Cervantes* describen.

Agencia ELE básico (A1-A2) consta de 20 unidades y un anexo con apartados de gramática y comunicación y de léxico de cada una de las unidades, además de la transcripción de las audiciones.

PORTADILLA

- Contiene el título.
- Nos presenta los objetivos de la unidad.
- Las imágenes anticipan las actividades de la sección Observa.

OBSERVA

- Diversas páginas de activación de conocimientos y preparación y sensibilización de los nuevos contenidos.
- La sección termina con un cómic, protagonizado por los periodistas de una agencia de noticias, llamada Agencia ELE. En sus diálogos encontramos muestras ilustrativas de los contenidos de la unidad.

3

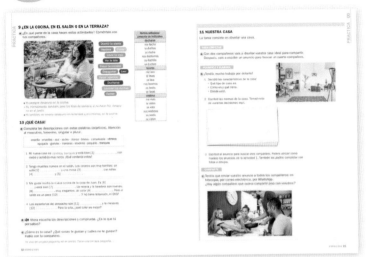

PRACTICA

- Actividades tanto para facilitar la comprensión de la gramática y el léxico, como para realizar prácticas significativas a través de las diferentes actividades de la lengua: comprensión, expresión e interacción.
- Cierra la sección una TAREA para ejercitar los conocimientos aprendidos.

4

AMPLÍA

En esta sección se presta atención al componente sociocultural y al desarrollo de estrategias de aprendizaje.

Anexos

GRAMÁTICA Y COMUNICACIÓN

LÉXICO

TRANSCRIPCIONES

CONTENIDOS

1

EN ESPAÑOL

En esta unidad vamos a aprender:

- A decir y preguntar el nombre, el teléfono y el correo electrónico.

- El alfabeto y los sonidos del español.

- Frases sencillas para hablar en español en la clase.

- Las palabras necesarias para trabajar con este libro.

I am ...
yo soy
(emphasis/contrast
not used often

— muy bien

H — silent

g — ch

1 ¡HOLA! SOY...

a Relaciona las fotos y los personajes de Agencia ELE y completa las frases.

1 *Me llamo Sergio y soy de Valencia.*

2 Me .... de Bilbao.

3 Me llamo Miquel y ....
....

4 Me .... Luis y ....

5 .... Málaga.

b Preséntate a tus compañeros.

Me llamo .... y soy de ....
Soy .... y soy de ....

2 DEL 0 AL 10

a Escribe los números.

| cuatro | ☐ | tres | ☐ | ocho | ☐ | seis | ☐ | siete | ☐ | cero | ☐ |
| diez | ☐ | uno | ☐ | cinco | ☐ | dos | ☐ | nueve | ☐ |

b 🔊 Escucha los números del 10 al 0 y comprueba.

3 EN ESPAÑOL

a Relaciona las palabras con las fotos. Escribe y compara tus respuestas con tus compañeros.

el teléfono	la mujer
el restaurante	la estación
la universidad	la guitarra
la plaza	la playa
la familia	el hotel

¿Qué significa "playa"?
¿Cómo se pronuncia "mujer"?

1 ....

2 ....

3 ....

4 ....

5 ....

6 ....

7 ....

8 ....

9 ....

10 ....

b 🔊 Escucha y comprueba.

c ¿Conoces más palabras en español? Escríbelas.

	singular	plural
masculino	el teléfono	los teléfonos
	el profesor	los profesores
femenino	la playa	las playas
	la mujer	las mujeres

4 LOS SONIDOS DEL ESPAÑOL: LAS VOCALES

a 🔊 Estas son las vocales del español. Escucha y repite.

a e i o u

b 🔊 Observa las fotos y escucha las palabras correspondientes.
Escribe las vocales (a, e, i, o, u) de esas palabras.

1 f _ _ s t _

2 m _ s _ _

3 _ _ t _ b _ s

4 _ _ r _ p _ _ r t _

5 c _ _ d _ d

6 f _ r m _ c _ _

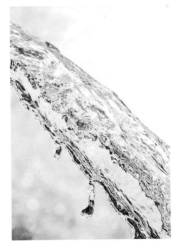

7 _ g _ _

8 _ p _ r t _ m _ n t _

9 f _ t b _ l

5 ME LLAMO PALOMA MARTÍN BURMANN

a 🔊 Paloma habla por teléfono. Escucha y lee.

6 ¿CÓMO TE LLAMAS?

a Completa la ficha de Paloma.

Nombre

Teléfono

Correo electrónico

> En español @ se dice "arroba" y . se dice "punto"

b Completa.

a se llama   b te llamas   c me llamo   d se llama

¿Cómo .... [tú]?

[yo] .... Paloma

[él] .... Sergio

[ella] .... Rocío

7 ABCD... ABECEDARIO

a Completa con los nombres de las letras.

> Abecedario: 27 letras

A a | B _ _ | C ce | D de | E e | F efe

G ge | H _ _ _ _ | I i | J _ _ _ _ | K ka | L ele | M eme

N ene | Ñ _ _ _ | O o | P pe | Q _ _ | R erre | S _ _ _ | T te | U u

V _ _ _ | W uve doble | X _ _ _ _ _ | Y _ | Z _ _ _ _

> Tienen nombre:
> ch → che
> ll → elle

b 🔊 Escucha y comprueba.

8 LOS SONIDOS DEL ESPAÑOL: LAS CONSONANTES

a 🔊 Escucha y observa. Luego, escribe ejemplos de cada serie.
Busca palabras en las actividades anteriores.

ca		za	
que	*queso*	ce	
qui	*Quito*	ci	
co		zo	*zoo*
cu		zu	*azul*

ga		ja	*Japón*
gue	*Miguel*	ge / je	*gente*
gui		gi / ji	*jirafa*
go	*negocio*	jo	*joven*
gu		ju	*Juan*

9 PAÍSES Y CIUDADES EN ESPAÑOL

a 🔊 ¿Cómo se pronuncian? Lee estos nombres de ciudades en español.
Después, escucha y comprueba.

LONDRES   MÁNCHESTER   NUEVA YORK   PEKÍN   LISBOA

ATENAS   FLORENCIA   GÉNOVA   RABAT   JERUSALÉN

MOSCÚ   EL CAIRO   ÁMSTERDAM   PARÍS   RÍO DE JANEIRO

b 🔊 Escucha el deletreo y copia los nombres de algunos países de las
ciudades anteriores.

1 ....
2 ....
3 ....
4 ....
5 ....

6 ....
7 ....
8 ....
9 ....
10 ....

c 🔊 Escucha de nuevo y comprueba.

d Juega con tus compañeros al "ahorcado" de países y capitales en
español.

■ La 'a'.   ■ La 'ce'.   ■ La 'erre'.
● Sí.   ● No.   ● No.

A _ _ _ A _

10 ¿CÓMO SE DICE EN ESPAÑOL?

a Paloma tiene una amiga inglesa de vacaciones en España. Lee y completa.

| a Con *b*. | b Bonito. | c *Closed*. |

b Relaciona las preguntas y las respuestas.

1 ¿Qué significa "abecedario"?   a Con hache: hache, o, ele, a.
2 ¿Cómo se dice *hello* en español?   b *Alphabet*.
3 ¿Cómo se escribe "hola"?   c Hola.

11 MI AGENDA DE CLASE

PARA EMPEZAR

a Observa.

ELABORA

b Trabaja en grupos de cuatro para completar la agenda de la clase.

- ¿Cómo te llamas?
- Me llamo Idrissa.
- ¿Cómo se escribe?
- I-de-erre-i-ese-ese-a. Con dos eses.
- ¿Teléfono?
- 723 45 67 80.
- ¿Correo electrónico?
- idriss@telenema.com: I-de-erre-i-ese-ese-a, arroba, te-e-ele-e-ene-e-eme-a, punto, com.

Mi agenda de la clase de español		
Nombre	Teléfono	Correo electrónico
Idrissa	723 45 67 80	idriss@telenema.com

12 FÚTBOL, TAPAS, MUSEOS...

a Observa las fotos y relaciónalas con las palabras.

1 la moda _____
2 la educación _____
3 el arte _____
4 la televisión _____
5 los negocios _____
6 el deporte _____
7 el cine _____
8 la naturaleza _____
9 la comida _____

b Selecciona tres fotos que tienen relación con tus intereses.

Mis intereses son el deporte, el cine y la moda.

13 INSTRUCCIONES

Completa las instrucciones que faltan.

lee	mira	completa
observa	piensa	marca
escucha	relaciona	escribe
pregunta	habla con	

piensa

1

h_ _ _ _   _ _ _

2

l_ _

3

p_ _ _ _ _ _ _

4

e_ _ _ _ _ _

5

Comple_

completa

6

o_ _ _ _ _ _

7

marca

8

relaciona

1	mira		a	el diálogo
2	lee		b	el texto
3	habla con		c	la foto
4	escucha		d	tu compañero
5	pregunta a		e	la profesora
6	escribe		f	los dibujos
7	observa		g	una lista de palabras

e_ _ _ _ _ _

9

10

m_ _ _

MUCHO GUSTO

2

En esta unidad vamos a aprender:

- Nombres de lenguas, profesiones y nacionalidades.
- Cómo saludar y presentarnos.
- A intercambiar información personal.
- A presentar a alguien.
- A identificarse.

Shakira

Jordi Cruz

Leo Messi

Salma Hayek

Mario Vargas Llosa

Yo hablo español.

1 YO HABLO ESPAÑOL

a Relaciona las fotos y las frases.

b Completa.

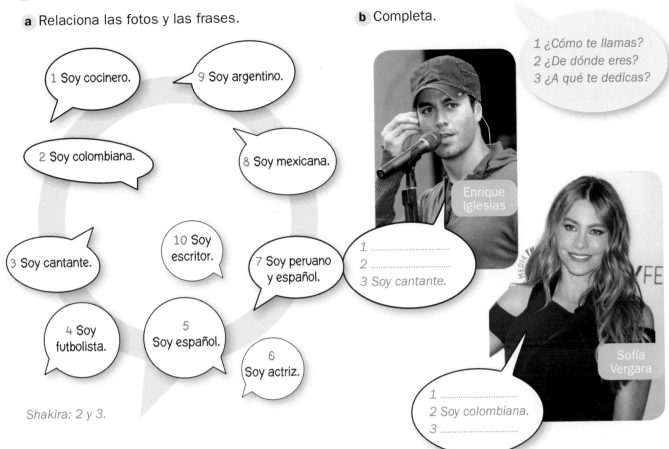

1 Soy cocinero.

9 Soy argentino.

2 Soy colombiana.

8 Soy mexicana.

3 Soy cantante.

10 Soy escritor.

7 Soy peruano y español.

4 Soy futbolista.

5 Soy español.

6 Soy actriz.

Shakira: 2 y 3.

1 ¿Cómo te llamas?
2 ¿De dónde eres?
3 ¿A qué te dedicas?

Enrique Iglesias

1 ....
2 ....
3 Soy cantante.

Sofía Vergara

1 ....
2 Soy colombiana.
3 ....

2 ¿QUÉ LENGUAS HABLAS?

a ¿Qué lenguas hablan en...?

Argentina   China   Marruecos   Francia   Brasil

Rusia   Estados Unidos   Alemania   Italia   Japón

japonés	inglés
chino	francés
español	árabe
portugués	italiano
alemán	ruso

En Argentina hablan español.

b ¿Qué lenguas hablas tú?

■ *Yo hablo alemán, inglés y un poco de español, ¿y tú?*
● *Yo, árabe y francés.*

¿Qué lenguas hablas?

Hablo español, alemán, inglés y un poco de francés.

3 ¿DE DÓNDE SON?

a Completa las tablas y compara con tus compañeros.

Una ciudad ...	
inglesa	
japonesa	
australiana	
rusa	
brasileña	
alemana	
marroquí	*Marrakech*
estadounidense	

Un personaje famoso	
inglés	
japonés	
australiano	
ruso	
brasileño	
alemán	
marroquí	*Hicham El Guerrouj*
estadounidense	

Marrakech

b Observa las formas de los adjetivos anteriores en femenino y en masculino y completa la tabla con un ejemplo:

grupo 1	masculino -o	femenino -a

grupo 2	masculino -consonante	femenino +a

grupo 3	masculino y femenino	

Hicham El Guerrouj

4 OCUPACIÓN

a ¿A qué se dedica? Relaciona la frase correspondiente con cada foto.

> Es arquitecta. Es camarero. Es profesora, trabaja en un colegio. Es dentista.

b ¿Y tú? ¿A qué te dedicas? ¿Y tu compañero?

Soy...

estudiante
profesor } de
médico
ingeniero
camarero
periodista
deportista
funcionario
empresario
administrativo

historia
ciencias
matemáticas
inglés

Trabajo en...

un banco
una tienda
una empresa de...
una escuela
una oficina
un colegio
un restaurante
un hotel

No trabajo, estoy en paro
jubilado

Observa las formas del femenino y del masculino de estos sustantivos:

el actor / la actriz
el profesor / la profesora
el arquitecto / la arquitecta
el camarero / la camarera
el / la periodista
el / la dentista
el / la cantante
el / la estudiante

5 MIS ALUMNOS

points out.

a 🔊 Escucha la conversación y señala los ocho alumnos de María.

- ☐ Dos científicas holandesas.
- ☐ Un médico chino.
- ☐ Un jubilado alemán.
- ☐ Dos estudiantes rusas.
- ☐ Un cantante francesa.
- ☐ Tres estudiantes chinos.
- ☐ Dos científicos alemanes.
- ☐ Una cantante rusa.
- ☐ Un médico de Senegal.
- ☐ Una jubilada belga.

table   adjectives

b Completa el cuadro con los adjetivos de nacionalidad que están en plural.

masculino	femenino
rusos, ...	...................., chinas
holandeses, ...	...................., alemanas
marroquíes, belgas	

6 INFORMACIÓN PERSONAL

items

Relaciona los elementos de las dos columnas.

1 Hola, yo me llamo Sergio, ¿y tú?
2 ¿Cómo te llamas?
3 ¿A qué te dedicas?
4 ¿De dónde eres?
5 ¿Qué lenguas hablas?
6 ¿Estás casada?

a Francés y un poco de árabe.
b Yo, Paloma.
c Pedro Ruiz Ramos.
d No, estoy soltera.
e Soy español, de Córdoba.
f Trabajo en un banco, soy administrativo.

Están solteros

Están casados

Están divorciados

7 MIS COMPAÑEROS DE CLASE

about

a Completa la tabla con la información sobre tus compañeros de clase.

NOMBRE	PROFESIÓN	NACIONALIDAD	ESTADO CIVIL	LENGUAS QUE HABLA

- ■ *John, ¿a qué te dedicas?*
- ● *Soy profesor de matemáticas.*
- ■ *¿Y dónde trabajas?*
- ● *Trabajo en una escuela.*
- ■ *¿Estás casado?*
- ● *No, estoy soltero.*
- ■ *¿Qué lenguas hablas?*
- ● *Inglés y un poco de español.*

b Completa las frases con información de tus compañeros.

1 .... y yo (no) hablamos .... [lenguas]
2 .... y yo (no) somos .... [nacionalidad / ciudad]
3 .... y yo (no) somos .... [profesión]
4 .... y yo (no) trabajamos en .... [lugar de trabajo]
5 .... y yo (no) estamos .... [estado civil]
6 .... y .... (no) hablan .... [lenguas]
7 .... y .... (no) son .... [nacionalidad / ciudad]
8 .... y .... (no) son .... [profesión]
9 .... y .... (no) trabajan en .... [lugar de trabajo]
10 .... y .... (no) están .... [estado civil]

c Observa las frases y los ejemplos anteriores y completa las formas de los verbos.

	ser	estar	trabajar	hablar
yo	soy	....	trabajo	....
tú	....	....	....	....
él/ella/usted	....	está	....	habla
nosotros/nosotras	....	....	....	....
vosotros/vosotras	sois	estáis	trabajáis	habláis
ellos/ellas/ustedes				

8 EL PRIMER DÍA DE TRABAJO DE PALOMA MARTÍN

🔊 Es el primer día de trabajo de Paloma Martín. Lee y escucha las conversaciones que mantiene con sus compañeros de trabajo.

This / these

9 ¡ENCANTADO!

a Completa con *este, esta o estos*.

or

Mira, *este* es Luis.

estos son Miquel y Sergio.

CARMEN

Encantado.

esta es Rocío.

MIQUEL

Demostrativos		
	masculino	femenino
singular	este	esta
plural	estos	estas

Hola, ¿qué tal?

¡Hola!

ROCÍO

SERGIO

Mucho gusto.

LUIS

b En grupos de tres, practicad las presentaciones.

10 IDENTIFICARSE

a Observa y luego completa con *soy, soy yo* o *eres*.

- ¿Paloma Martín, por favor?
- Sí, [1] ....
- Hola, [2] .... Carmen Jiménez, la directora de la agencia.

- Hola, ¿[3] .... Iñaki?
- Sí, ¿y tú [4] ....?
- [5]................. Paloma Martín, la nueva fotógrafa.

b 🔊 **13** Escucha y comprueba.

En casa del señor Cocco...

Buenos días, ¿el señor Cocco, por favor?

Sí, soy yo.

Hola, soy Sergio Montero de la Agencia ELE.

¡Ah, sí, ¡Hola!

Yo soy Paloma Martín.

11 EL SEÑOR COCCO

Vuelve a leer el cómic y completa la ficha del reportaje de Sergio y Paloma.

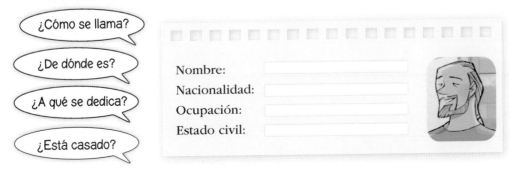

¿Cómo se llama?

¿De dónde es?

¿A qué se dedica?

¿Está casado?

Nombre:

Nacionalidad:

Ocupación:

Estado civil:

12 UN, UNA, UNOS, UNAS

Completa las frases con el artículo adecuado.

	masculino	femenino
singular	un	una
plural	unos	unas

1. Trabajo en .... escuela.
2. Miquel es .... compañero de la oficina.
3. Sergio y Paloma trabajan en .... agencia.
4. Mariela y Jorge Alberto son .... amigos colombianos.
5. Ellas son .... profesoras argentinas.

13 PERSONAJE MISTERIOSO

think   character

Este es un juego muy conocido. Piensa en un personaje. Tus compañeros te harán preguntas para adivinarlo. ¡Ojo! Tú solo puedes contestar *sí* o *no*.

- ■ *¿Es un hombre o una mujer?*
- ● *Un hombre.*
- ■ *¿Es actor?*
- ● *No.*
- ▼ *¿Es cantante?*
- ● *Sí.*
- ■ *¿Es español?*
- ● *Sí.*
- ▼ *¿Es Alejandro Sanz?*
- ● *¡¡Sí!!*

14 NUEVOS COMPAÑEROS

a Lee la siguiente conversación y completa la ficha.

- ■ *¿Cómo se llama tu estudiante?*
- ● *Se llama Laura.*
- ■ *¿De dónde es?*
- ● *Es inglesa.*
- ■ *¿A qué se dedica?*
- ● *Es profesora de pilates.*
- ■ *¿Qué lenguas habla?*
- ● *Inglés y un poco de francés.*
- ■ *¿Es tu novia?*
- ● *No, es una amiga. Ella está casada.*

Nombre: *Laura*
Nacionalidad:
Profesión:
Idiomas:
Estado civil:
Relación:

b Completa libremente la ficha de un nuevo estudiante. Después, presenta el nuevo estudiante a la clase.

¿Cómo se llama tu estudiante?

Nombre:
Nacionalidad:
Profesión:
Idiomas:
Estado civil:
Relación:

Para hablar de relación:

Es mi novio/-a
Es un / una amigo/-a
Es un / una compañero/-a de trabajo
Es un / una compañero/-a de clase
Es mi jefe/-a

15 EL ÁLBUM DE LA CLASE

Vas a hacer un pequeño álbum con fotos y presentaciones de compañeros de la clase.

PARA EMPEZAR

a Observa las fotos y lee.

38 me gusta ♥

Andrea28- Esta soy yo. Me llamo Andrea. Soy brasileña, de Brasilia. Soy arquitecta y estoy soltera. Hablo portugués, inglés y un poco de italiano.

38 me gusta ♥

Andrea28- Este es Antoine. Es belga, de Bruselas. Es profesor de francés en un colegio. Está casado. Habla francés, inglés y un poco de alemán.

ELABORA

b Prepara el álbum de clase.

c Haz fotos con tus compañeros.

d Prepara un texto sobre las personas de las fotos.

Este es Dan. Es americano...

COMPARTE

e Compartimos las fotos y los textos.

16 PRODUCTOS DEL MUNDO

a Mira los productos de este supermercado. ¿Con qué país o países los asocias? Coméntalo con tus compañeros.

Sogilam
Selección **gourmet**
Los mejores sabores del mundo

Productos nacionales y de importación

Plátanos

Café

Queso

Vino

Carne

Mangos

Chocolate

Aguacates

Té

Caviar

Salmón

Pasta

Jamón

- Yo relaciono el café con Colombia, ¿y tú?
- Sí, y también con Brasil y con Guatemala.
- Y con Kenia también, ¿no?

b El supermercado anuncia sus productos. Escucha el anuncio y toma nota del país (o países) de origen de cada producto. ¿Coindice con tus ideas?

c Piensa en dos productos de tu país o región que pueden estar en la selección *gourmet*. Coméntalo con tus compañeros.

greetings   kisses

17 SALUDOS Y BESOS

a Completa los diálogos para cada imagen.

Adiós.   Hasta mañana.   Buenos días.   Buenas tardes.   Hola, ¿qué tal?

> Adiós. Muchas gracias.
>
> (1)_____

> (2)_____.
>
> Hola, buenos días.

Saludar
Hola

Despedirse
Adiós
Hasta mañana
Hasta el lunes

Saludar y despedirse
Buenos días
Buenas tardes
Buenas noches

> Este es mi amigo Antonio.
>
> (3)_____
> _____

Los días de la semana
lunes
martes
miércoles
jueves
viernes
sábado
domingo

Saludo entre amigos:
dos besos

Saludo formal:
dar la mano

> Buenas tardes.
>
> (4)_____.

> ¡Adiós! ¡(5)_____!
>
> Adiós.

b 🔊 Escucha y comprueba.

c ¿Cómo saludas tú? ¿Qué dices? ¿Qué haces?

- •A un amigo
- •A una amiga
- •A un compañero
- •A una compañera
- •A mi jefa
- •A un vecino

■ *A un amigo le doy la mano.*
● *Yo a un amigo le doy dos besos.*

DE FIESTA CON MI FAMILIA

En esta unidad vamos a aprender:

- A intercambiar información personal.
- A hablar sobre familias y fiestas familiares.
- A describir el físico y el carácter de las personas.
- Los meses del año y los números del 11 al 100.

Lisa, Bart y Maggie Simpson con su abuelo.

Felipe VI con su mujer y sus hijas.

Gerard Piqué, Shakira y sus hijos.

1 FAMILIAS FAMOSAS

Mira las fotos de las familias. ¿Quién dice cada una de estas frases?
Escríbelas en el lugar correspondiente.

Tengo tres
nietos.

Mi padre es
futbolista.

Mi padre es
rey
de España.

Mi madre es
colombiana.

La familia	
Masculino	**Femenino**
abuelo	abuela
padre	madre
marido	mujer
hijo	hija
hermano	hermana
tío	tía
nieto	nieta
sobrino	sobrina
primo	prima

2 MIS ABUELOS, MI PADRE, MI MADRE...

a 🔊 Escucha a María y completa el árbol genealógico
con los nombres de su familia.

b 🔊 Ahora completa las frases. Escucha otra
vez y comprueba.

María

1 Mis .... son .... y ....
2 Mis .... son .... y ....
3 Mi .... se llama ....
4 Mi .... se llama ....
5 Mi .... se llama ....

c Completa las frases con la forma adecuada
del verbo *tener*.

1 Shakira y Piqué .... dos hijos.
2 Felipe VI .... dos hijas.
3 ■ ¿Vosotros .... hijos?
  ● Sí, ... una hija.
4 ■ ¿Y tú .... hermanos?
  ● (yo) .... un hermano y una hermana.

Tener	
Verbo irregular e>ie	
yo	tengo
tú	tienes
él/ella	tiene
nosotros/nosotras	tenemos
vosotros/vosotras	tenéis
ellos/ellas	tienen

3 ¿CUÁNTOS AÑOS TIENE?

a ¿Sabes cómo se dicen en español los números hasta el 100?
Observa la tabla y completa los números que faltan.

1		11	once
2		12	doce
3		13	trece
4		14	catorce
5		15	quince
6		16	dieciséis
7		17	diecisiete
8		18	
9		19	diecinueve
10			

20	veinte	21	veintiuno	22	veintidós	23	
30	treinta	31	treinta y uno	32	treinta y dos	38	
40	cuarenta	44	cuarenta y cuatro	46	cuarenta y seis	49	
50	cincuenta	51	cincuenta y uno	53	cincuenta y tres	55	
60	sesenta	64	sesenta y cuatro	65		68	
70	setenta	72	setenta y dos	77		79	
80	ochenta	83	ochenta y tres	86		88	
90	noventa	92	noventa y dos	94		97	
100	cien						

b 🔊 Escucha y elige la opción correcta.

1 El marido de Isabel tiene *29 / 39 / 19 años*.
2 Isabel tiene *31 / 34 / 39 años*.
3 Isabel y su familia viven en *Argentina / Uruguay / España*.

c ¿Sabes cuántos años tienen estas personas?
Coméntalo con tu compañero.

- ■*¿Cuántos años tiene Lady Gaga?*
- ●*No sé... ¿32 años?*
- ■*Sí, creo que sí.*
- ●*¿Y Marc Márquez?*
- ■*Tiene 25 años, creo.*

Lady Gaga

Pedro Almodóvar

Marc Márquez

Julieta Venegas

Antonio Banderas

4 LA FIESTA DE LA BICICLETA

18)) En la Agencia ELE hacen un reportaje sobre la fiesta de la bicicleta.
Lee y escucha.

5 LA TERCERA ENTREVISTA

Vuelve a leer el cómic de la página anterior. ¿Qué imagen corresponde
a la entrevista?

DE LA ENTREVISTA

a ficha de María José con los datos
s. Comprueba con tu compañero.

b 🔊 Escucha la entrevista completa de María
José y señala sus motivos para venir a la fiesta.

AGENCIA ELE — **Fiesta de la bicicleta**

FICHA DE ENTREVISTA

Datos personales

Nombre:

Edad:

Estado civil:

Viene a la fiesta

    solo / sola ☐   Con ....

AGENCIA ELE — **Fiesta de la bicicleta**

FICHA DE ENTREVISTA

Motivos para venir a la fiesta

Por hacer deporte	☐
Por los niños	☐
Por el ambiente	☐
Porque es divertido	☐
Porque a los niños les gusta ir en bici	☐
Porque vienen muchos niños	☐

7 *TÚ* Y *USTED*

a Observa las viñetas y escribe *tú* o *usted* al lado
de cada pregunta.

1 ¿Cuántos años tienes? _____
2 ¿Cuántos años tiene? _____
3 ¿Cómo se llama? _____
4 ¿Cómo te llamas? _____
5 ¿Vienes sola? _____
6 ¿Viene solo? _____

b Observa.

	tener	llamarse	venir
yo	tengo	me llamo	vengo
tú	tienes	te llamas	vienes
usted	tiene	se llama	viene
él/ella	tiene	se llama	viene

Usted utiliza las formas del verbo de él/ella.

¿Cómo se llama? — Pepe, Pepe Ruiz.

¿Cuántos años tiene? — 74.

¿Y cuántos años tienes? — 18.

¿A qué te dedicas? — Soy estudiante.

8 LA FAMILIA DE PALOMA

a 🔊 Escucha y escribe el pie de foto.

~~the foot~~

1 Paloma, _sylvia_ y _herman_

2 Paloma con ....

b 🔊 Escucha de nuevo y marca la información correcta.

La familia de Paloma

Su madre vive en Argentina / España. Paloma tiene dos hijos / un hermano. Su hermano tiene 34 / 44 años y está casado / divorciado. Su padre vive en Argentina / España.

Posesivos	
singular	**plural**
mi madre	mis padres
tu hermano	tus hijos
su mujer	sus hermanos

c 🔊 Escucha y escribe las respuestas de Paloma a las preguntas de Sergio.

Sergio:	¿Y estas fotos?
Paloma:	Son de mi familia.
Sergio:	¿Quiénes son?
Paloma:	Esta es .... y este es ....
Sergio:	¿Cómo se llaman?
Paloma:	Mi madre .... y mi hermano, ...
Sergio:	Tu madre es muy guapa. ¿Cuántos años tiene tu hermano? Parece muy joven.
Paloma:	...................., es mayor que yo.
Sergio:	¡Ah! ¿Y está casado?
Paloma:	.... y tiene ...., un niño y una niña.
Sergio:	¿Y este? ¿Es tu padre?
Paloma:	....
Sergio:	¿Y viven en España?
Paloma:	No, mis padres .... Mi madre y mi hermano .... y mi padre vive en España.

Verbo regular	
vivir	
yo	vivo
tú	vives
él/ella/usted	vive
nosotros/nosotras	vivimos
vosotros/vosotras	vivís
ellos/ellas/ustedes	viven

9 TU FAMILIA

¿Tienes fotos de tu familia? Muéstralas a tu compañero y comenta.

- ■ ¿Quién es?
- ● Es mi hermana. Se llama Laura.
- ■ ¿Cuántos años tiene?
- ● Tiene 24 años.
- ■ ¿Dónde vive?
- ● En Bruselas.

10 ¿ES SIMPÁTICA?

a Lee la descripción de Sonia, la mujer del hermano de Paloma.
Mira el vocabulario y señala cuál es su foto.

point out her photo

La mujer de mi hermano Germán se llama Sonia y es de Brasil. Es morena, no es muy alta y es bastante delgada. Es muy simpática e inteligente. También es muy trabajadora.

1 · **2** · **3**

Descripción física

alto/-a · bajo/-a

gordo/-a · delgado/-a

rubio/-a · moreno/-a

feo/-a · guapo/-a

Carácter

alegre · inteligente · E=mc2

serio/-a · simpático/-a

tímido/-a · trabajador(a)

sociable

Cuantificadores

muy _quite_

Ser + bastante + adjetivo
un poco*

Luis es *muy* alto y Ana es *bastante* baja.
Alfonso es *un poco* feo.

*un poco se utiliza con adjetivos que se consideran negativos.

b Utiliza el vocabulario para describir a personas de tu familia o a tus amigos.
¿Qué adjetivos utilizas para describirte a ti mismo?

¿Quién?	Aspecto físico			Carácter
Mi .... es				
Mi .... es				
Mi .... es				
Yo soy				

c Jugamos a adivinar las personas de clase. Una persona piensa en un compañero. Tenemos que adivinar quién es. Hacemos preguntas, pero solo se puede contestar *sí* o *no*.

- ¿Es una chica? · ¿Es morena? · ¿Es alta? · ¿Es tímida? · ¡Es Kira!
- Sí. · No. · Sí. · Sí.

11 UNA FAMILIA DE PELÍCULA

Vamos a crear una familia para una nueva serie de TV. Tenéis que definir los personajes, su relación de parentesco, su físico, su carácter, etc. Después, debéis hacer un póster y presentarlo al resto de la clase.

a ¿Conoces estas series de televisión sobre familias?

b ¿Conoces otras similares? Coméntalo con tu compañero.

Modern Family, ABC, Estados Unidos

Una familia con suerte, Televisa, México

luck

c En grupos, vamos a inventar una familia para una nueva serie de televisión. Decidimos entre todos quiénes son los miembros de la familia.

Relación entre ellos:
Edad:
Ocupación:
Estado civil y situación familiar:
Aspecto físico:
Carácter:

Cuéntame, TVE, España

d Hacemos un póster para presentar la familia al resto de la clase.

- Puedes buscar fotos en internet y escribir el pie de foto.
- Puedes hacer un árbol genealógico.

e Elegimos la familia más original.

12 FIESTAS FAMILIARES

a Lee el siguiente texto.

Enero	Febrero	Marzo	Abril
L Ma Mi J V S D	L Ma Mi J V S D	L Ma Mi J V S D	L Ma Mi J V S D
1 2 3	1 2 3 4 5 6 7	1 2 3 4 5 6 7	1 2 3
4 5 6 7 8 9 10	8 9 10 11 12 13 14	7 8 9 10 11 12 13	4 5 6 7 8 9 10
11 12 13 14 15 16 17	15 16 17 18 19 20 21	14 15 16 17 18 **19** 20	11 12 13 14 15 16 17
18 19 20 21 22 23 24	22 23 24 25 26 27 28	21 22 23 24 25 26 27	18 19 20 21 22 23 24
25 26 27 28 29 30 31	29	28 29 30 31	25 26 27 28 29 30

Mayo	Junio	Julio	Agosto
L Ma Mi J V S D	L Ma Mi J V S D	L Ma Mi J V S D	L Ma Mi J V S D
1	1 2 3 4 5	1 2 3	1 2 3 4 5 6 7
2 3 4 5 6 7 8	6 7 8 9 10 11 12	4 5 6 7 8 9 10	8 9 10 11 12 13 14
9 10 11 12 13 14 15	13 14 15 16 17 18 19	11 12 13 14 15 16 17	15 16 17 18 19 20 21
16 17 18 19 20 21 22	20 21 22 23 24 25 26	18 19 20 21 22 23 24	22 23 24 25 26 27 28
23/30 24/31 25 26 27 28 29	27 28 29 30	25 26 27 28 29 30 31	29 30 31

Septiembre	Octubre	Noviembre	Diciembre
L Ma Mi J V S D	L Ma Mi J V S D	L Ma Mi J V S D	L Ma Mi J V S D
1 2 3 4	1 2	1 2 3 4 5 6	1 2 3 4
5 6 7 8 9 10 11	3 4 5 6 7 8 9	7 8 9 10 11 12 13	5 6 7 8 9 10 11
12 13 14 15 16 17 18	10 11 12 13 14 15 16	14 15 16 17 18 19 20	12 13 14 15 16 17 18
19 20 21 22 23 24 25	17 18 19 20 21 22 23	21 22 23 24 25 26 27	19 20 21 22 23 24 **25**
26 27 28 29 30	24/31 25 26 27 28 29 30	28 29 30	26 27 28 29 30 31

Las *fiestas*
familiares en España

En España se celebra el día del padre, que es el 19 de marzo, y el día de la madre, que es el primer domingo de mayo. También se celebra con la familia el día de Navidad, el 25 de diciembre, y otro tipo de fiestas, como los cumpleaños.

b ¿Y en tu país?

- ¿También se celebra el día del padre y el día de la madre? ¿Qué día?
- ¿Celebráis otras fiestas en familia? ¿Cuáles? ¿Cuándo son?

c ¿Cuándo es tu cumpleaños? ¿Y el de tus compañeros? Vamos a completar el calendario con los cumpleaños de todos. Pregunta a todos tus compañeros y anota en el calendario la fecha de sus cumpleaños. ¿Qué cumpleaños podéis celebrar juntos en clase?

■ *¿Cuándo es tu cumpleaños?*
● *El dos de abril. ¿Y tu cumpleaños?*

AGENDA DE CUMPLEAÑOS DE LA CLASE			
Enero	**Febrero**	**Marzo**	**Abril**
Mayo	**Junio**	**Julio**	**Agosto**
Septiembre	**Octubre**	**Noviembre**	**Diciembre**

13 APRENDER VOCABULARIO

a Lee estos consejos para aprender nuevas palabras.

1 Utiliza un cuaderno para escribir las palabras nuevas que aprendes en clase de español.

2 Escribe y ordena las palabras nuevas.

→ Escribe juntas las palabras de un mismo tema.

LA FAMILIA: padre, madre, hermano, hermana, hijo, hija, tío, tía, abuelo, abuela.

→ Escribe las palabras con significados opuestos

alto/-a ≠ bajo/-a
guapo/-a ≠ feo/-a

→ Escribe el sustantivo con el artículo.

El cuaderno   La bicicleta

→ Escribe las palabras en contexto.

Mi madre es rubia.
Yo soy alto y moreno.

3 Marca y colorea las palabras nuevas.

→ Dibuja una imagen para recordar el significado.

Estar casado

→ Marca el masculino y el femenino.

el abuelo (m)   la abuela (f)

→ Marca con colores las terminaciones de los verbos.

vivir   tener

b Escribe sobre tu familia para utilizar en contexto el vocabulario de esta unidad. Recuerda que puedes escribir sobre los siguientes aspectos:

Nombre
Relación que tiene contigo
Edad
Profesión
Descripción física
Carácter

4

¡BUEN FIN DE SEMANA!

En esta unidad vamos a aprender:

- A hablar sobre hábitos de ocio.
- A contrastar gustos y preferencias sobre actividades de ocio.
- A proponer una actividad.
- A comprender documentos con información sobre espectáculos y otras actividades de tiempo libre.

A

B

C

D

E

F

1 TIEMPO LIBRE

a Relaciona estas actividades con las fotos.

1 Ir al cine. ☐
2 Ver la tele. ☐

3 Salir por la noche. ☐
4 Ir al campo. ☐

5 Ir de compras. ☐
6 Hacer deporte. ☐

b Mira las fotos y selecciona tus tres actividades favoritas. Coméntalo con tus compañeros.

Me gusta hacer deporte.

1 ....

2 ....

3 ....

👍 **ME GUSTA**

2 ¿CINE O TEATRO?

a 🔊 En Agencia ELE preparan un reportaje sobre el tiempo libre de los españoles. Rocío hace una encuesta a sus compañeros. Lee y escucha.

Rocío

1 ¿Qué haces en casa para relajarte?
2 ¿Qué prefieres, el cine o el teatro?
3 ¿Museos o tiendas?
4 ¿Tele o internet?
5 ¿Qué haces para estar en forma?
6 ¿Te gusta salir de la ciudad los fines de semana?

Luis

1 Leo el periódico.
2 Los dos me gustan.
3 Museos.
4 Tele, veo los deportes y los informativos.
5 Juego al golf los domingos.
6 Sí, voy a pescar.

Paloma

1 Leo una buena novela histórica.
2 Teatro.
3 Me gustan las tiendas de segunda mano y de cosas antiguas.
4 Tele.
5 Voy a correr casi todos los días y juego al tenis.
6 Sí, me gusta conocer sitios nuevos y hacer fotos.

Miquel

1 Escucho música y cocino.
2 Cine.
3 Tiendas, me encanta ir de compras.
4 Internet.
5 Voy al gimnasio y juego al fútbol.
6 Sí, me gusta esquiar o andar por la montaña.

b 🔊 ¿Quién hace cada actividad? Vuelve a escuchar la encuesta y marca las imágenes con L (Luis), P (Paloma) o M (Miquel).

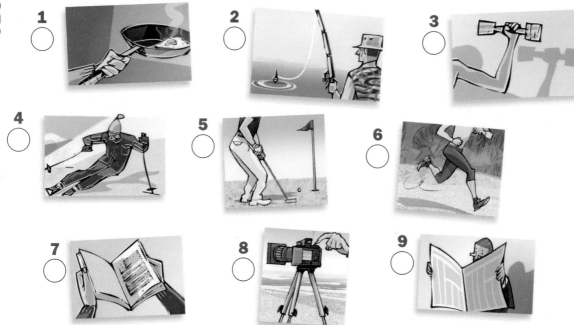

3 TODOS LOS DÍAS

a Completa estas actividades con los verbos *ir, ver* o *leer.*

1 *leer* el periódico
2 *ir* a bailar
3 *ver* vídeos en internet
4 .... series de televisión
5 .... al campo

6 .... programas de deporte
7 .... al cine
8 .... novelas
9 .... de compras
10 .... los informativos

b Mira las formas de los verbos *leer, ir* y *ver* y pregunta a tu compañero si hace estas actividades.

■ *¿Lees el periódico?*
● *Sí, leo el periódico todos los días. ¿Y tú?*
■ *Yo, los fines de semana.*

● *¿Vas a bailar?*
■ *A veces. ¿Y tú?*
● *Yo, nunca voy a bailar.*

	Regular	Irregulares	
	leer	**ver**	**ir**
yo	leo	veo	voy
tú	lees	ves	vas
él/ella/usted	lee	ve	va
nosotros/nosotras	leemos	vemos	vamos
vosotros/vosotras	leéis	veis	vais
ellos/ellas/ustedes	leen	ven	van

Frecuencia

Siempre   +
Normalmente
A veces   Todos los días
Dos veces por semana   Los lunes
Una vez por semana   Los domingos
Casi nunca   Los fines de semana
Nunca   -

c ¿En qué coincides con tu compañero? Escríbelo.

Mi compañero y yo *leemos el periódico.*
Mi compañero y yo ....
Mi compañero y yo ....
Mi compañero y yo ....
Mi compañero y yo ....

4 EN EL FESTIVAL DE CINE DE SAN SEBASTIÁN

a 🔊 Luis, Sergio y Paloma están en el Festival de Cine de San Sebastián.
Lee y escucha.

> ¿Tú qué haces hoy, Luis? ¿Qué película vas a ver?

> Hoy estoy muy contento: voy a ver la de Guillermo del Toro.

> No, no, no es de terror, es fantástica. Es buenísima. Es de una niña que...

> Ya veo que te gusta el cine fantástico, ¿no?

> Sí, me encanta, ¿a ti no?

> ¡Ah sí! Es una de terror, ¿no?

> Bueno, sí, me gustan las de ciencia-ficción, pero prefiero el cine de aventuras. ¿Y tú, Paloma?

> ¿Yo? Pues no sé, me gustan las comedias, Woody Allen, por ejemplo. Luego, pues, me gusta el cine argentino...

> Bueno, ¿y vosotros qué hacéis hoy?

> Yo voy a la rueda de prensa del director del festival.

> Yo quiero hacer fotos de los actores en el hotel, pero, si quieres, voy contigo y hago fotos en la rueda de prensa.

> ¡Ah, vale, perfecto!

> Por la noche...

> ¿Quieres ir a tomar algo?

> ¡Ah, sí, estupendo! ¿Dónde vamos? Yo no conozco San Sebastián, ¿y tú?

> Un poco, el casco viejo... Si quieres podemos tomar unos pinchos en una taberna por esa zona, ¿o prefieres ir a un restaurante?

> No, no, mejor vamos a probar los famosos pinchos vascos, ¿no?

> Sí, sí, a mí, me encantan...

b ¿Qué foto hace Paloma por la mañana?

Taberna vasca

Rueda de prensa

Casco viejo de San Sebastián

Concierto de Woody Allen

5 ¿TE GUSTA?

a Relaciona las frases con los personajes que las dicen.

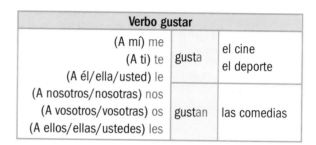

Luis

Paloma

Sergio

1 Me gusta el cine argentino.
2 Me encanta el cine fantástico.
3 Me gustan las películas de ciencia ficción.
4 Me gustan las comedias.

b Selecciona la forma correcta para cada frase. Marca *gusta* o *gustan*.

1 Me *gusta / gustan* leer el periódico.
2 Me *gusta / gustan* cocinar.
3 Me *gusta / gustan* ir de compras.
4 Me *gusta / gustan* las tiendas de segunda mano.
5 Me *gusta / gustan* bailar.
6 Me *gusta / gustan* los museos.

Verbo gustar		
(A mí) me	gusta	el cine
(A ti) te		el deporte
(A él/ella/usted) le		
(A nosotros/nosotras) nos	gustan	las comedias
(A vosotros/vosotras) os		
(A ellos/ellas/ustedes) les		

c ¿Tienes los mismos gustos que tus compañeros? Compruébalo.

■ *¿Te gusta leer el periódico?*
● *Sí, me encanta, ¿y a ti?*
■ *A mí no me gusta nada.*

● *¿Te gusta cocinar?*
■ *Sí, me gusta mucho, ¿y a ti?*
● *A mí me gusta bastante.*

Gustos

+
Me encanta
Me gusta mucho
Me gusta bastante
No me gusta mucho
−
No me gusta nada

6 ¿QUIERES IR AL CINE?

a Ordena las intervenciones del siguiente diálogo.

1 *¿Quieres ir al cine esta tarde?*
2 ....
3 ....
4 ....
5 ....
6 ....

■ *¿Qué prefieres, una argentina o la de Woody Allen?*
■ *¿Quieres ir al cine esta tarde?*
■ *No sé…, si quieres vemos la última de Guillermo del Toro.*
● *Ah, sí, vale. ¿Y qué película quieres ver?*
● *Pues…, ¡puff!… yo prefiero una comedia.*
● *Mejor la argentina.*

b 🔊 Escucha y comprueba tu respuesta.

c Observa el diálogo anterior y completa con la palabra o expresión adecuada.

Para preguntar por preferencias

→ *¿Qué ...., una comedia o una película romántica?*

Para proponer una actividad

→ *¿ .... ir al cine?*

Verbos irregulares e>ie		
	querer	**preferir**
yo	quiero	prefiero
tú	quieres	prefieres
él/ella/usted	quiere	prefiere
nosotros/nosotras	queremos	preferimos
vosotros/vosotras	queréis	preferís
ellos/ellas/ustedes	quieren	prefieren

7 ¿QUÉ DEPORTE PREFIERES?

a Completa con un verbo o un nombre de deporte.

1 ....

2 ....

3 Jugar al *baloncesto*

4 Ir al ....

5 Jugar al ....

6 Hacer ....

7 ....

8 Jugar al ....

9 Hacer ....

b Mira la imagen y completa las frases que dice el chico con las formas del verbo *preferir* y los deportes.

■ ¿Qué deporte prefieres, el fútbol o el baloncesto?

● Yo, el baloncesto.

■ ¿Y tu padre?

● Mi padre ....

■ ¿Y tu madre y tus hermanas, qué prefieren?

● Ninguno de los dos. Mi madre ...., y mis hermanas ....

c ¿Y tú? ¿Qué deporte prefieres? ¿Y las personas de tu familia?

■ *Yo prefiero ir a correr, pero mi mujer prefiere ir al gimnasio.*

● *Yo prefiero nadar. Mis hijos prefieren jugar al fútbol.*

8 LAS RESPUESTAS DE CARMEN

a 🔊 Escucha la encuesta de Carmen y escribe sus respuestas.

Rocío

1 ¿Qué haces en casa para relajarte?
2 ¿Qué prefieres, el cine o el teatro?
3 ¿Museos o tiendas?
4 ¿Tele o internet?
5 ¿Qué haces para estar en forma?
6 ¿Te gusta salir de la ciudad los fines de semana?

Carmen

1 Hago yoga y escucho música.
2 ....
3 ....
4 ....
5 ....
6 ....

b Es tu turno. Prepara tus respuestas por escrito. Después, haz la encuesta a un compañero.

MIS RESPUESTAS

1 ....
2 ....
3 ....
4 ....
5 ....
6 ....

RESPUESTAS DE MI COMPAÑERO

1 ....
2 ....
3 ....
4 ....
5 ....
6 ....

Verbo irregular "g"	
hacer	
yo	hago
tú	haces
él/ella/usted	hace
nosotros/nosotras	hacemos
vosotros/vosotras	hacéis
ellos/ellas/ustedes	hacen
salir	
yo	salgo
tú	sales
él/ella/usted	sale
nosotros/nosotras	salimos
vosotros/vosotras	salís
ellos/ellas/ustedes	salen

Verbo irregular u>ue	
jugar	
yo	juego
tú	juegas
él/ella/usted	juega
nosotros/nosotras	jugamos
vosotros/vosotras	jugáis
ellos/ellas/ustedes	juegan

9 TU ENCUESTA

Vas a completar la encuesta de Rocío con más preguntas y vas a grabar las respuestas de tus compañeros en vídeo.

PLANIFICA

a Vamos a completar la encuesta de Rocío con más preguntas sobre actividades de ocio y tiempo libre y la vamos a responder en clase.

b Compartimos nuestras ideas y formulamos las preguntas con el profesor.

c Escribe en el cuestionario las tres nuevas preguntas.

> **1** ¿Qué haces en casa para relajarte?
> **2** ¿Qué prefieres, el cine o el teatro?
> **3** ¿Museos o tiendas?
> **4** ¿Tele o internet?
> **5** ¿Qué haces para estar en forma?
> **6** ¿Te gusta salir de la ciudad los fines de semana?
> **7** ....
> **8** ....
> **9** ....

ELABORA

d Escribe tus respuestas a las nuevas preguntas.

7 ....
8 ....
9 ....

¿Qué prefieres, salir por la noche o estar en casa?

COMPARTE

e Haz la encuesta a otro compañero y graba sus respuestas en vídeo para compartir con los demás.

10 LOS HÁBITOS CULTURALES DE LOS ESPAÑOLES

a 🔊 Escucha una vez los resultados de esta encuesta sobre las actividades culturales y los espectáculos preferidos de los españoles, y señala si las frases son verdaderas (V) o falsas (F).

		V	F
1	A los españoles les gustan la economía y la política.		
2	A los españoles les gusta más el cine que el teatro.		
3	Casi todos los españoles leen por placer.		
4	A los españoles les gusta más la radio que la televisión.		
5	A los españoles les gustan mucho los programas informativos.		
6	Las películas son los programas favoritos de los españoles.		

b 🔊 Escucha otra vez y completa la ficha.

ENCUESTA DEL MINISTERIO DE CULTURA
Hábitos culturales de los españoles

1 Espectáculos y actividades

1 Actividad cultural favorita de los españoles: ....

2 Espectáculo favorito: ....

3 Han ido al cine este año: .... %

4 Van al teatro a menudo: .... %

5 Leen por placer: .... %

2 Medios de comunicación

1 Escuchan la radio: .... %

2 Ven la tele: .... %

3 Tiempo dedicado a ver la tele: .... al día.

4 Programas de televisión favoritos de los españoles: ....

....

c ¿En qué te pareces a los españoles? Habla con tu compañero y comparad vuestros gustos con los resultados de la encuesta.

- *A mí no me gusta ver la tele.*
- *A mí, sí. Pero no me gustan las películas. Prefiero los deportes.*

11 APRENDER ESPAÑOL FUERA DE CLASE

¿Qué puedes hacer en tu tiempo libre para aprender español? Lee estas propuestas. ¿Cuál prefieres? ¿Cuál es más útil para ti?

Mis compañeros de clase de español y yo tenemos un grupo de WhatsApp ¡y chateamos mucho!

Escucho canciones en español y leo la letra.

Yo tengo un diccionario de español en mi móvil.

Veo películas en español con subtítulos en español.

Hago ejercicios interactivos.

Veo los programas que me gustan en las cadenas de televisión en español.

Yo sigo en Twitter a gente que habla en español. Si no entiendo una palabra, la busco en el móvil.

5 CALLE MAYOR

En esta unidad vamos a aprender:

- A describir una ciudad, sus lugares de interés y servicios públicos.

- A preguntar y dar información sobre horarios.

- A proponer una actividad y una cita.

- A preguntar y dar la hora.

- Los números.

BUENOS AIRES

Avenida Corrientes

Tango en la calle

GRANADA

La Alhambra

CIUDAD DE MÉXICO

Paseo de la Reforma

Sierra Nevada

Museo de Antropología

LA HABANA

Malecón

Calle colonial

1 UNA CIUDAD TURÍSTICA

a Relaciona las ciudades de las fotos con la descripción correspondiente.

① Es la capital y la ciudad más grande del país: 2 146 000 habitantes. Está en la costa y tiene una playa y un paseo marítimo muy famosos. Tiene un centro histórico de estilo colonial.

② Es una ciudad bastante pequeña (238 000 habitantes) y es muy bonita. Está en el interior, al lado de las montañas, pero no está lejos de la costa. Tiene un palacio árabe muy famoso. Es muy turística.

③ Está en el interior y es una ciudad muy grande (más de 21 000 000 de habitantes) y moderna. Tiene un museo arqueológico muy importante, con abundantes restos de culturas precolombinas.
Es la capital del país y es bastante turística.

④ Es la capital del país. Es una gran ciudad, tiene más de 13 500 000 de habitantes, con monumentos y muchos sitios de interés turístico. Tiene un río y un puerto muy importantes.
En la ciudad hay mucha vida cultural, muchos teatros y espectáculos musicales.

b ¿Qué ciudad te gusta más? ¿Por qué? Coméntalo con tus compañeros.

■ *A mí me gusta Buenos Aires porque tiene mucha vida cultural.*
● *A mí Granada, porque está cerca de las montañas y es pequeña.*

c ¿Y tu ciudad? ¿Cómo es? ¿Dónde está? ¿Qué tiene? Escribe frases sobre ella. Compara tus frases con las de tus compañeros.

> *Mi ciudad es antigua, está en el interior y tiene una universidad importante.*

d Piensa en una ciudad, tus compañeros te hacen preguntas para adivinar cuál es.

■ *¿Está en Europa?*
● *Sí.*
■ *¿Está en la costa?*
● *No.*
■ *¿Es antigua?*
● *Sí.*
■ *¿Tiene un río importante?*
● *Sí.*
■ *¿Cómo se llama el río?*
● *Danubio.*
■ *¿Es Viena?*

Describir una ciudad

¿Cómo es?

Es
- grande
- pequeña
- antigua
- moderna
- bonita
- turística

¿Dónde está?

Está
- en la costa
- en el interior
- al lado de...
- cerca de...
- lejos de...
- en Andalucía

¿Qué tiene?

Tiene
- un río pequeño
- un puerto grande
- un museo famoso
- un palacio muy bonito
- una universidad importante
- una playa bonita

2 EN MI BARRIO, EN MI CALLE

a Relaciona los lugares de la ciudad y las imágenes. Escribe la letra correspondiente.

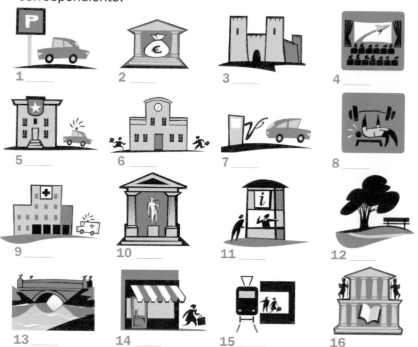

a	Una estación de tren
b	Un aparcamiento
c	Un hospital
d	Un parque
e	Un banco
f	Una comisaría de policía
g	Una tienda
h	Un cine
i	Un puente
j	Un castillo
k	Una oficina de turismo
l	Un museo
m	Una gasolinera
n	Un gimnasio
ñ	Un colegio
o	Una biblioteca

b ¿Cómo es tu barrio? ¿Qué tiene? Selecciona en la lista la información que es verdad para tu barrio. Compárala con tu compañero.

(No) Es muy agradable
(No) Es muy animado
(No) Es muy interesante
(No) Es muy turístico
(No) Es muy cómodo
(No) Tiene mucha vida cultural
(No) Tiene mucha vida nocturna

porque

tiene *muchos / bastantes / pocos* museos y monumentos.
tiene *muchos / bastantes / pocos* bares y restaurantes.
tiene *muchos / bastantes / pocos* aparcamientos.
tiene *muchos / bastantes / pocos* cines y teatros.
tiene *muchas / bastantes / pocas* cafeterías y discotecas.
tiene *muchas / bastantes / pocas* estaciones de tren.
tiene *muchos / bastantes / pocos* parques.
tiene *muchos / bastantes / pocos* hospitales.
tiene *muchas / bastantes / pocas* tiendas.

Mi barrio es muy agradable porque tiene muchos parques, pero no es muy turístico porque tiene pocos museos y monumentos.

Cuantificadores
Es *(muy)* + adjetivo
Tiene *(mucho/-a/-os/-as)* / *(bastante/s)* / *(poco/-a/-os/-as)* + sustantivo

c Observa las calles y lee las descripciones.

A

- *El coche está **enfrente de** la comisaría.*
- *El parque está **a la derecha del** banco.*
- *La oficina de información está **entre** el museo y el hotel.*

B

- *La oficina de información está **al final de la calle**.*
- *El coche rojo está **al lado del** azul.*
- *El hotel está **a la izquierda del** banco.*

Para localizar en la calle

Está... {
... a la derecha
... a la izquierda
... enfrente de
... al lado de
... al final de la calle
... entre X y X
}

d 🔊26 Escucha la descripción de una calle, ¿cuál es A o B?

3 TODOS CONTRA EL RUIDO

a 🔊 Paloma, Sergio y Miquel tienen trabajo el sábado. Lee y escucha.

b ¿Qué titular corresponde mejor a las protestas de los vecinos?

Los vecinos del centro quieren más tranquilidad y más colaboración del Ayuntamiento

La Asociación de Vecinos de Madrid-Centro protesta por los horarios de bares y discotecas

MADRID-CENTRO: Manifestación de los vecinos contra el ruido y la contaminación

Los vecinos de Madrid-Centro quieren limitar el tráfico de coches y ampliar los horarios comerciales

4 ¿HAY O NO HAY?

a Lee otra vez el cómic y lo que dice la gente sobre su barrio. Completa las informaciones con *hay* o *no hay*.

1 *No hay* lugares tranquilos.
2 *Hay* mucha gente.
3 .... mucho ruido.
4 .... mucho tráfico.
5 .... muchos coches.
6 .... muchas zonas verdes.
7 .... un bar con terraza.
8 .... una discoteca.
9 .... policías en la calle.

> **Verbo impersonal *hay*: para presentar la existencia de una cosa o persona**
>
> En mi barrio hay mucho tráfico.
> En mi barrio no hay parques.
> En mi barrio hay dos discotecas.
> ⓘ Esta forma se usa para el singular y para el plural.

b Mira este plano del centro de Madrid y completa las frases con *hay* o *no hay*.

1 En la Puerta del Sol .... una estación de metro.
2 Cerca del Palacio Real .... unos jardines.
3 En la plaza Mayor .... una estación de tren.
4 .... un museo cerca del metro Antón Martín.
5 Al final de la calle Huertas .... parques infantiles.
6 En la calle Gran Vía .... hoteles (H).

c Mira otra vez el plano y marca si las frases son verdaderas (V) o falsas (F).

		V	F
1	El Ministerio de Asuntos Exteriores está lejos de la plaza Mayor.		
2	Los Jardines de Sabatini están en la Puerta del Sol.		
3	El Museo de Cervantes está en la plaza de las Cortes.		
4	El Teatro Real está al lado del metro de Ópera.		
5	El Ayuntamiento está en la Gran Vía.		
6	El Museo del Prado y el Museo Thyssen están muy cerca.		

> **Verbo *estar* para localizar cosas, lugares o personas**
>
> • El Palacio Real está en la plaza de Oriente.
> • La estación de Atocha está cerca del Museo del Prado.
> • ¿Dónde están los Jardines de Sabatini?

5 LA CIUDAD EN CIFRAS

a En este mapa de España aparecen destacadas siete ciudades. Completa la tabla con las distancias en letra y los nombres de las ciudades.

| Valencia – Barcelona | Sevilla – Bilbao | Madrid – Málaga | Sevilla – Barcelona |
| Madrid – La Coruña | La Coruña – Barcelona | La Coruña – Málaga | Bilbao – Madrid |

Los números	
100	Cien
101	Ciento uno
125	Ciento veinticinco
200	Doscientos/-as
300	Trescientos/-as
400	Cuatrocientos/-as
500	Quinientos/-as
600	Seiscientos/-as
700	Setecientos/-as
800	Ochocientos/-as
900	Novecientos/-as
210	Doscientos diez
320	Trescientos veinte
540	Quinientos cuarenta
1000	Mil
2000	Dos mil
1 000 000	Un millón (de)
3 000 000	Tres millones (de)

349 km	*trescientos cuarenta y nueve kilómetros*	es la distancia entre *Valencia* y *Barcelona*
398 km		es la distancia entre _____ y _____
597 km		es la distancia entre _____ y _____
528 km		es la distancia entre _____ y _____
995 km		es la distancia entre _____ y _____
863 km		es la distancia entre _____ y _____
1087 km		es la distancia entre _____ y _____
1125 km		es la distancia entre _____ y _____

b 🔊 Escucha y comprueba.

c ¿Cuántos habitantes tienen estas ciudades españolas? Esta lista muestra, por orden de más a menos, las cuatro más grandes. Lee las cantidades en letra y relaciona y escribe la cifra al lado de cada ciudad.

1 Madrid: _____
2 Barcelona: _____
3 Valencia: _____
4 Sevilla: _____

Un millón seiscientos dos mil trescientos habitantes

Seiscientos noventa y seis mil seiscientos habitantes

Setecientos ochenta y seis mil cuatrocientos habitantes

Tres millones ciento sesenta y cinco mil doscientos habitantes

d ¿Cuáles son las ciudades más grandes de tu país? ¿Cuántos habitantes tienen? ¿Y las más grandes del mundo? Coméntalo con tus compañeros.

6 ¿CONOCES ESTA CIUDAD?

Describe una ciudad que conoces bien y que tu compañero no conoce. Explica dónde está, cuántos habitantes tiene, cómo es y qué tiene.

Es una ciudad pequeña, tiene treinta mil habitantes. Está en el interior, solo a 20 kilómetros de la costa. El centro de la ciudad es antiguo y hay mucho ambiente.

7 ¿A QUÉ HORA CIERRA LA DISCOTECA?

a Relaciona las dos columnas.

1	Las siete **y media** de la mañana	a	16:45
2	Las once **y cinco** de la noche	b	9:50
3	Las cuatro **y cuarto** de la tarde	c	7:30
4	Las cinco **menos cuarto** de la tarde	d	23:05
5	Las diez **menos diez** de la mañana	e	16:15

en punto
menos cinco · y cinco
menos diez · y diez
menos cuarto · y cuarto
menos veinte · y veinte
menos veinticinco · y veinticinco
menos media
y media

b Lee otra vez los diálogos del cómic y escribe las respuestas.

1 ¿A qué hora es la manifestación? *A las cinco.*
2 ¿A qué hora abre la discoteca? ....

3 ¿A qué hora cierra la discoteca? ....
4 ¿A qué hora abre el bar con terraza? ....

c Lee esta información sobre horarios de Madrid. ¿Son diferentes a los horarios en tu ciudad? Coméntalo con tus compañeros.

MUSEO DEL PRADO

Abierto
De lunes a sábado de 10:00 a 20:00 h
Domingos y festivos de 10:00 a 19:00 h

Cerrado	**Horario reducido**
1 de enero	6 de enero
1 de mayo	24 y 31 de diciembre
25 de diciembre	10:00 a 14:00 h

JARDÍN BOTÁNICO HORARIO

El Jardín está abierto al público todos los días del año, excepto Navidad y Año Nuevo.
Horario de apertura: 10:00 h.
Horario de cierre, según la tabla siguiente:

ene-feb	mar	abr	may-jun-jul-ago	sept	oct	nov-dic
18:00 h	19:00 h	20:00 h	21:00 h	20:00 h	19:00 h	18:00 h

EL METRO DE MADRID

El **horario** de apertura al público es de 6:00 AM a 1:30 AM durante todos los días del año.

LIBRERÍA TRICOLOR

Horario: lunes a sábado 10:00–21:30, domingo 11:30–21:30

POSADA DE LA VILLA

Restaurante de comida madrileña. **Horario:**
Lunes a sábado: 13:00–16:00, 20:00–24:00
Domingo 13:00–16:00

■ *Los horarios de las librerías son muy diferentes, aquí están abiertas solo hasta las siete de la tarde y no abren los domingos.*

● *Es verdad, pero el horario de los parques es similar.*

8 ¿DÓNDE QUEDAMOS?

a Ordena el diálogo. Varias opciones son posibles.

–¿Qué tal un poco más tarde? ....
–¿A las tres? ....
–De acuerdo. ....
–¿Cómo quedamos? ....
–¿A las dos y media al lado del metro? ....

–Por mí, bien. ....
–¿Comemos juntos el sábado? _1_
–Vale, muy bien. ....
–Vale. ....
–¿Quedamos en la cervecería Cruz Blanca? ....

b Propón a tu compañero hacer una actividad juntos y decidid el lugar y la hora de la cita.

■ *¿Comemos juntos el sábado? En mi calle hay un restaurante muy bueno.*
● *Vale. ¿Cómo quedamos?*

Proponer una actividad y una cita

¿Vamos a... + lugar?
¿Cómo quedamos?
¿A qué hora quedamos?
¿Quedamos en... + lugar?
¿Quedamos a... + hora?
¿Qué tal en... + lugar?
¿Qué tal a... + hora?
Vale, de acuerdo. / Muy bien.

Para decir que no

Lo siento, el sábado no puedo.
¿Qué tal el viernes?

54 cincuenta y cuatro

9 TIENES UN *E-MAIL*

Vas a contestar a un correo electrónico.

a Lee el siguiente correo electrónico.

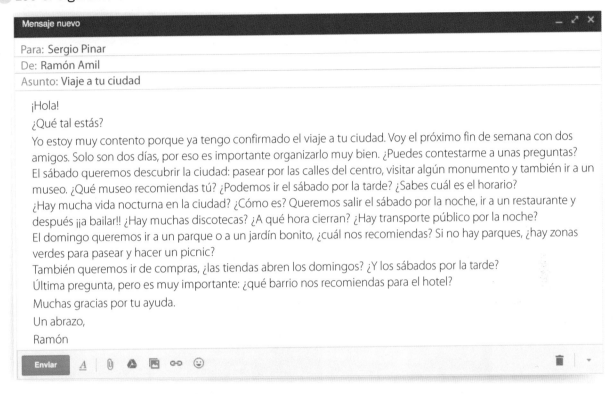

Mensaje nuevo — ↗ ✕

Para: Sergio Pinar
De: Ramón Amil
Asunto: Viaje a tu ciudad

¡Hola!

¿Qué tal estás?

Yo estoy muy contento porque ya tengo confirmado el viaje a tu ciudad. Voy el próximo fin de semana con dos amigos. Solo son dos días, por eso es importante organizarlo muy bien. ¿Puedes contestarme a unas preguntas?

El sábado queremos descubrir la ciudad: pasear por las calles del centro, visitar algún monumento y también ir a un museo. ¿Qué museo recomiendas tú? ¿Podemos ir el sábado por la tarde? ¿Sabes cuál es el horario?

¿Hay mucha vida nocturna en la ciudad? ¿Cómo es? Queremos salir el sábado por la noche, ir a un restaurante y después ¡¡a bailar!! ¿Hay muchas discotecas? ¿A qué hora cierran? ¿Hay transporte público por la noche?

El domingo queremos ir a un parque o a un jardín bonito, ¿cuál nos recomiendas? Si no hay parques, ¿hay zonas verdes para pasear y hacer un picnic?

También queremos ir de compras, ¿las tiendas abren los domingos? ¿Y los sábados por la tarde?

Última pregunta, pero es muy importante: ¿qué barrio nos recomiendas para el hotel?

Muchas gracias por tu ayuda.

Un abrazo,

Ramón

Enviar   A 📎 △ 🖼 ∞ ☺   🗑 ▾

b Vas a contestar el correo de Ramón. Trabaja en parejas. Primero, leed el correo e identificad qué información necesita Ramón, pensad qué recomendación vais a hacer y buscad la información práctica necesaria.

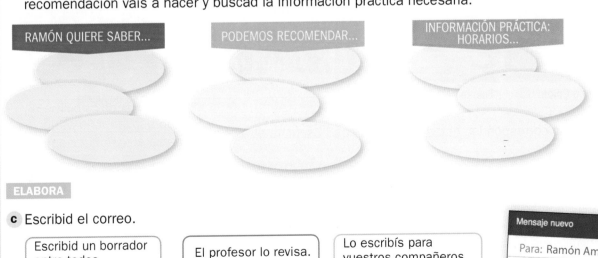

RAMÓN QUIERE SABER...   PODEMOS RECOMENDAR...   INFORMACIÓN PRÁCTICA: HORARIOS...

c Escribid el correo.

Escribid un borrador entre todos.

El profesor lo revisa.

Lo escribís para vuestros compañeros.

Mensaje nuevo

Para: Ramón Amil
De: Sergio Pinar
Asunto: Viaje a tu ciudad

d Presentad vuestro correo a toda la clase. ¿Vuestros compañeros recomiendan a Ramón cosas diferentes?

10 ¿QUIERES CONOCER MADRID?

a MADRID VISIÓN es un servicio de autobuses turísticos. ¿En qué crees que consiste? Decide con tu compañero las opciones que pueden ser correctas.

1 MADRID VISIÓN funciona
- ☐ en verano.
- ☐ todo el año.
- ☐ en otoño y primavera.

2 El horario es...
- ☐ todo el día.
- ☐ por la noche.
- ☐ por la mañana. —

3 El precio es...
- ☐ 10 € al día.
- ☐ 20 € dos días.
- ☐ 20 € al día.

4 Se puede bajar del autobús...
- ☐ en los museos.
- ☐ cinco veces.
- ☐ en cualquier momento.

b 🔊 Ahora vas a escuchar un anuncio de MADRID VISIÓN. Comprueba tus hipótesis y marca la información correcta.

c 🔊 Observa las fotos. ¿Conoces estos lugares y monumentos de Madrid? Escucha estos fragmentos de una ruta de MADRID VISIÓN y señala cuáles visitan y en qué orden.

Puerta del Sol ☐

Museo del Prado ☐

Plaza de la Villa ☐

Monumento a Colón ☐

Fuente de Cibeles ☐

Palacio Real ☐

Puerta de Alcalá ☐

d ¿A qué foto corresponden estas informaciones? Escucha otra vez y comprueba.

1 Allí se celebra la última noche del año. ____
2 Está al lado de la entrada principal del parque del Retiro. ____
3 Allí se celebran las victorias del Real Madrid. ____
4 Hay una estatua de Velázquez. ____
5 Antigua sede del Ayuntamiento. ____

e Prepara con tu compañero la ruta ideal para conocer tu ciudad. Selecciona los cinco lugares más importantes o famosos.

■ *Yo creo que en la ruta ideal está el Ayuntamiento porque es un edificio muy importante y el Museo Nacional.*
● *Sí, y también el Puente Viejo.*

11 PERDONE

a Relaciona cada imagen con el diálogo que le corresponde.

A ○
- Perdón, ¿va a salir?
- No.
- ¿Me permite, por favor?

C ○
- Perdón, ¿me puede decir la hora?
- Sí, claro, son las cinco en punto.
- Muchas gracias.
- De nada.

B ○
- ¡Uy! ¡Lo siento!
- ¡Perdón

D ○
- Aquí tiene sus billetes...
- Muchas gracias.
- A usted.

b 📢 Escucha los diálogos y comprueba.

c Ahora practica con tu compañero. Pregúntale de manera informal.

- ¿Me puedes decir la hora?
- Sí claro, son las...

6

EL MENÚ DEL DÍA

En esta unidad vamos a aprender:

- A hablar sobre hábitos de alimentación.

- Los nombres de las comidas, las bebidas y los platos.

- A pedir comidas y bebidas en un restaurante.

- A decidir el menú de una comida.

1 LAS COMIDAS DEL DÍA

a Observa este cuadro de las comidas del día y escribe las palabras que faltan.

Comidas del día

Por la mañana
el ....
DESAYUNAR

Por la tarde
la merienda
....

A mediodía
la comida
....

Por la noche
la ....
CENAR

desayuno
MERENDAR
cena
COMER

b ¿Dónde están las personas de las fotos? ¿Qué hacen? Coméntalo con tu compañero.

En la foto número 1, los niños están en el colegio y meriendan.

c ¿Tú haces las mismas comidas del día? ¿A qué hora? ¿Dónde haces tú las comidas del día? Coméntalo con tu compañero.

2 ÑAM, ÑAM

Observa estas imágenes de comidas. ¿Te gustan? ¿Cuándo las comes? Coméntalo con tus compañeros.

■ *Yo como fruta en el desayuno.*
● *Pues yo para desayunar y para merendar.*
✦ *Pues yo no como fruta casi nunca. No me gusta.*

bocadillo

calamares

ensalada

fruta

paella

plato combinado: carne, huevo, ensalada y patatas fritas

sopa

sándwich

tortilla de patatas

tarta

hamburguesa

3 EL MENÚ DEL DÍA

a Mira las fotos y comenta con tus compañeros qué alimentos lleva cada plato.

Los macarrones llevan...

Azúcar
Leche
Carne
Arroz
Queso
Pescado
Pan
Verdura
Pollo
Pasta
Fruta
Huevos

Macarrones con tomate

Arroz a la cubana

Pollo con patatas

Albóndigas

b Completa el menú con las palabras que faltan. Compáralo con tu compañero.

> Salmón ● Macarrones ● de pescado
> con patatas ● Ensalada

Menú del día:

DE PRIMERO

Sopa _____

Arroz a la cubana

_____ del día

_____ con tomate

DE SEGUNDO

Pollo _____

Calamares a la romana

Albóndigas

_____ a la plancha

Incluye bebida, pan y postre o café

PVP **15,00 €**

c ¿Y de beber? Pregunta a tu compañero cómo toma estas bebidas.

café / té	agua	vino
. solo	. con gas	. tinto
. con leche	. sin gas	. blanco
. con azúcar		. rosado
. sin azúcar		

■ *¿Cómo tomas el café normalmente?*
● *Solo y con azúcar. ¿Y tú?*
■ *Con leche y con azúcar también.*

d  Escucha a unas personas en el bar y marca lo que van a tomar.

☐ una cerveza
☐ un té con leche
☐ un café solo
☐ un vino blanco
☐ una Coca-Cola
☐ un agua con gas
☐ dos cafés con leche
☐ un agua sin gas
☐ un vino tinto
☐ un zumo

4 DE PRIMERO, SOPA

a 🔊 Rocío e Iñaki están preparando un reportaje sobre los hábitos de la gente en la hora de la comida. Antes de salir charlan con Luis y Paloma. Lee y escucha.

b A partir de la entrevista de Rocío, ¿cuál de estos titulares recoge mejor las preferencias de la gente?

LOS BOCADILLOS, COMIDA RÁPIDA PARA JÓVENES Y MAYORES

SOLO UNA DE CADA TRES PERSONAS COME EN CASA

LAS MUJERES PREFIEREN EL MENÚ DEL DÍA

5 ¿TÚ O USTED?

a ¿Qué tratamiento da Rocío a las personas que entrevista: formal o informal? Lee de nuevo el cómic y escribe en cada caso si es *tú*, *vosotros*, *usted* o *ustedes*.

1 ....

2 ....

3 ....

4 ....

b ¿Y el tratamiento entre los compañeros de trabajo?

1 ....

2 ....

6 UNA PREGUNTA MÁS, POR FAVOR

a Aquí tienes otras preguntas de las entrevistas de Rocío. ¿A quién va dirigida cada una? Fíjate en los verbos (en la forma *tú*, *usted*, *ustedes*, *vosotros*) y relaciona las preguntas con las personas.

1 ¿A qué hora comes?
2 ¿Cuánto tiempo tienen para comer?
3 ¿Tomáis alcohol en las comidas?
4 ¿Toman postre o café después de comer?
5 ¿Ve la televisión o realiza otra actividad mientras come?

a ....
b ....
c ....
d ....

b ¿Y tu compañero? ¿Dónde come normalmente? ¿Qué come? ¿Cuáles son sus hábitos? Prepara las preguntas para hacer una entrevista parecida a tu compañero.

1 ¿Dónde comes normalmente?
2 ¿Qué comes?
3 ....
4 ....

5 ....
6 ....
7 ....
8 ....

7 EN EL RESTAURANTE

a 🔊 Escucha las conversaciones de las personas de Agencia ELE con el camarero del restaurante Los Arcos y toma nota de lo que pide cada uno.

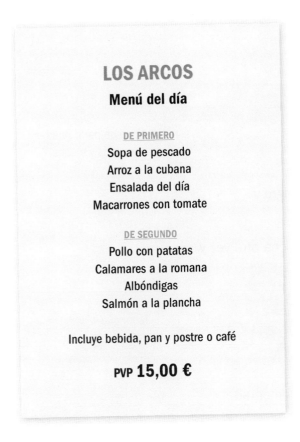

LOS ARCOS
Menú del día

DE PRIMERO
Sopa de pescado
Arroz a la cubana
Ensalada del día
Macarrones con tomate

DE SEGUNDO
Pollo con patatas
Calamares a la romana
Albóndigas
Salmón a la plancha

Incluye bebida, pan y postre o café

PVP **15,00 €**

¿Qué van a tomar?

¿Para beber?

¿Postre o café?

LOS ARCOS

	Mesa 5
ensalada	✗
—	

b 🔊 Escucha de nuevo y completa el cuadro.

1 Para llamar al camarero: ...., por favor. ...., por favor.
2 Para decir los platos elegidos: ...., ensalada y, ..., salmón.
3 Para pedir algo que falta en la mesa: ¿........................... un poco más de pan?
4 Para pedir la cuenta: ...., por favor.

c ¿Qué tratamiento utiliza el camarero con los clientes, *tú* o *usted*? ¿Y los clientes con el camarero?

d Imagina que estás en el restaurante Los Arcos. Practica esta situación con tus compañeros, uno es camarero y los otros clientes.

8 ALIMENTACIÓN EQUILIBRADA

a Para tener una alimentación equilibrada, ¿qué cantidad diaria se debe tomar de cada tipo de alimento? Relaciona los elementos de las dos columnas y comenta tus resultados con tu compañero.

Grupos de alimentos	Porciones diarias
1 Lácteos (leche, queso...)	a 6-10 porciones
2 Cereales (pan, arroz, pasta...)	b 3 porciones
3 Carne, pescado, huevos, legumbres	c 4 porciones
4 Fruta y verdura	d 2 porciones

■ *Yo creo que de lácteos son dos porciones diarias.*
● *¿Tú crees? Yo creo que es más, tres o cuatro.*

> Para comparar puedes usar: más y menos

b 🔊 Escuchad la conversación de Luis con el doctor Magro y comprobad vuestras hipótesis.

c ¿Cómo es la alimentación de Luis? ¿Come bien? Escucha otra vez y toma nota de las recomendaciones del doctor.

Recomendaciones

● *Luis tiene que comer más verduras*
● *Luis tiene que* ....
● ....
● ....

> Tener que + infinitivo **es equivalente a** necesitar + infinitivo

d ¿Tu dieta es equilibrada? ¿Y la de tus compañeros? Comentad vuestros hábitos en grupos. ¿Quién come mejor?

9 EL MENÚ DE LA SEMANA

Este es el menú semanal de una escuela. Habla con tu compañero y entre los dos completad el menú con los siguientes platos.

pescado con patatas o ensalada   verdura con patatas   ensalada mixta
arroz con carne, huevo o pescado   pescado con ensalada o verduras

	Lunes	Martes	Miércoles	Jueves	Viernes
1.er Plato	pasta		ensalada o verdura	pasta	
2.º Plato	pescado con ensalada		carne con ensalada		
Postre	fruta	fruta	fruta	fruta	lácteos

> De primero hay...
> De segundo hay...
> De postre hay...

■ *Pescado con patatas o ensalada es un segundo plato, ¿no?*
● *Sí. ¿Para el miércoles?*
■ *Creo que no, porque el miércoles de primero hay ensalada.*

10 UN MENÚ ESPECIAL

La tarea consiste en preparar un menú.

a No todo el mundo puede comer lo mismo. Algunas personas necesitan un menú especial.

Vamos a preparar diferentes menús para personas con necesidades distintas.

b Vas a preparar con dos compañeros un menú, y vais a presentarlo al resto de la clase.

Hacemos grupos de tres personas y cada grupo elige qué menú quiere elaborar.

Menú para…

c Buscad los alimentos y comidas para vuestro menú:

- Tres o cuatro platos para elegir.
- Un nombre original.

d Presentad vuestro menú al resto de los grupos. Podéis poner imágenes de los alimentos del menú.

Menú para
deportistas

Menú para
perder peso

Menú para
verano

Menú para
invierno

Menú para
....

Menú *superfuerza*

PRIMER PLATO
Macarrones con tomate
Paella
Lentejas

SEGUNDO PLATO
Pollo con patatas
Carne con patatas
Atún con tomate

POSTRE
Plátano
Yogur griego
Flan

11 DESAYUNO TRADICIONAL

a Mira estas fotos, ¿qué alimentos crees que se toman en España normalmente en el desayuno?

Embutido ☐

Té ☐

Tostadas con mantequilla y mermelada ☐

Tortilla de patatas ☐

Bollos ☐

Quesos ☐

Chocolate con churros ☐

Café con leche ☐

Tostadas con tomate y aceite ☐

Huevos con bacón ☐

Galletas ☐

Zumo ☐

Cereales con leche ☐

b Lee el texto para comprobar tus respuestas.

DESAYUNAR EN ESPAÑA

En España, un desayuno tradicional es chocolate con churros, pero actualmente casi todo el mundo toma café con leche. Además, se toman galletas, bollos o pan tostado con mantequilla, aceite de oliva, miel o mermelada. También es frecuente tomar un zumo de naranja natural.

Muchas personas hacen un segundo desayuno entre las diez y las doce de la mañana, en algún bar cerca del trabajo o en su trabajo. Entonces también se toma café con leche, pero no es raro tomar algo salado como un bocadillo de jamón o una tortilla de patatas.

c ¿Cómo es el desayuno de tu país o región? ¿Se parece al español? Cuéntalo a la clase.

12 DESAYUNO EN EL BAR

a 🔊 En un programa de radio, un camarero de un café de Madrid habla sobre las costumbres de sus clientes para desayunar. Compara esta información con el texto sobre España. ¿Se dice lo mismo? Habla con tu compañero.

■ *En la entrevista no hablan del segundo desayuno...*
● *Sí, es verdad.*

b 🔊 Escucha de nuevo y responde a las preguntas.

1 ¿A qué hora empieza el desayuno? ....
2 ¿Cuál es el desayuno más frecuente? ....
3 ¿Cuánto tiempo tardan los clientes en desayunar? ....
4 ¿Hasta qué hora se puede desayunar? ....

13 CAMPAÑAS DE ALIMENTACIÓN

a Observa estas imágenes utilizadas en campañas sobre alimentación. ¿Cuál es su objetivo? Coméntalo con tus compañeros.

b ¿Existen en tu país campañas con recomendaciones sobre la dieta, la alimentación o el consumo de alimentos concretos? Coméntalo con tus compañeros.

En mi país hay una campaña para beber más leche y otra para consumir pescado.

7

DE CAMPO Y PLAYA

En esta unidad vamos a aprender:

- A describir espacios naturales y lugares de vacaciones.

- A hablar de planes, deseos e intenciones.

- A hablar del tiempo y del clima de un lugar.

Islas Atlánticas de Galicia

Picos de Europa

Ordesa y Monte Perdido

Aigüestortes i Estany de Sant Maurici

Sierra de Guadarrama

Monfragüe

Cabañeros

Tablas de Daimiel

Archipiélago de Cabrera

Doñana

Caldera de Taburiente

Teide

Timanfaya

Sierra Nevada

Garajonay

Parques nacionales

Un parque nacional es un espacio natural protegido por el estado para conservar su **riqueza** natural.

España tiene quince parques nacionales: diez en la **península** Ibérica, cuatro en las **islas** Canarias y uno en las islas Baleares.

1 PARQUES NACIONALES

a Lee los textos sobre los parques nacionales y comenta con tu compañero el significado de las palabras en azul.

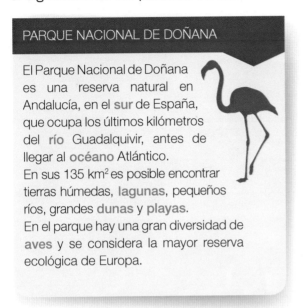

PARQUE NACIONAL DE DOÑANA

El Parque Nacional de Doñana es una reserva natural en Andalucía, en el **sur** de España, que ocupa los últimos kilómetros del **río** Guadalquivir, antes de llegar al **océano** Atlántico.
En sus 135 km² es posible encontrar tierras húmedas, **lagunas**, pequeños ríos, grandes **dunas** y **playas**.
En el parque hay una gran diversidad de **aves** y se considera la mayor reserva ecológica de Europa.

PARQUE NACIONAL DE ORDESA Y MONTE PERDIDO

El Parque Nacional de Ordesa y Monte Perdido está en el **norte** de la península Ibérica, en el centro de los Pirineos, cerca de la frontera con Francia.
Aquí se encuentra una de las **montañas** más altas de España, el Monte Perdido (3355 m), y algunos de los **valles** más bellos de la región, llenos de **bosques**, ríos y **cascadas**.

b ¿A qué parque pertenece cada una de las fotos? ¿Puedes describirlas?

c ¿Qué parque te parece más interesante?

d ¿Hay parques así en tu país? ¿Conoces otros parques nacionales?

2 EL CLIMA

a 🔊 Escucha la descripción del clima de uno de los dos parques. ¿De cuál habla?

hace calor · hace frío

hace sol · hay tormenta · llueve

nieva · hace viento

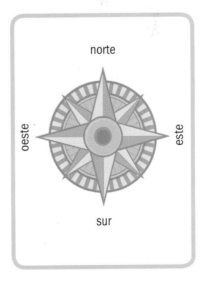

norte

oeste · este

sur

en primavera

en verano

en otoño

en invierno

b 🔊 Escucha de nuevo y marca verdadero (V) o falso (F) en las siguientes frases.

	V	F
1 En invierno hace mucho frío.		
2 En verano hace calor y no llueve.		
3 En otoño llueve bastante, pero no hace frío.		
4 En primavera llueve y hace mucho calor.		

3 UN PLAN IDEAL

a Lee y observa esta información sobre el centro de vacaciones de Ligüerre de Cinca, en los Pirineos. ¿Qué tipo de vacaciones te imaginas en este lugar?

Ligüerre de Cinca

Un centro de vacaciones en el **Pirineo aragonés** cerca del Parque Nacional de Ordesa

- Camping con **30 bungalós**.
- Hoteles con encanto: Casa Sebastián y Casa Broto.
- Apartamentos: 26 confortables apartamentos.
- Restaurantes.
- Actividades al aire libre: *rafting*, senderismo.

■ *Yo creo que es un lugar ideal para hacer deporte, por ejemplo, montar en bicicleta, practicar deportes náuticos en el lago...*

● *Sí, es verdad, pero también es ideal para descansar.*

b 📻)) Escucha a Susana que explica sus preferencias para las vacaciones. Toma notas sobre los lugares, las actividades y los alojamientos.

c ¿Crees que Ligüerre es una buena opción para Susana? ¿Por qué? Coméntalo con tus compañeros.

d ¿Y para ti? ¿Ligüerre es un buen lugar de vacaciones?

Vacaciones	
tranquilas	para visitar monumentos
de aventura	para hacer deporte
para descansar	con amigos
para desconectar	con niños
para conocer gente	con tu pareja

Alojamientos		
camping	albergue	apartamento
bungaló	hotel	casa rural

4 PIRINEOS, LUGAR DE VACACIONES

a 🔊 Sergio y Paloma van a hacer un viaje. Lee y escucha.

Entonces, ¿te vas de vacaciones mañana? ¡Qué suerte!

No, no, me voy de viaje, pero no de vacaciones. Me voy con Paloma a hacer un reportaje sobre lugares de vacaciones en el Pirineo.

¡Ah! ¿Y cuántos días vais?

¿Qué lugares vais a visitar? ¿A qué pueblos vais a ir?

Vamos a estar cinco días en total: dos días en el Pirineo aragonés y luego vamos a pasar los otros tres en el Pirineo catalán.

¡Qué bien! Me gustaría mucho ir con vosotros... ¿Y qué tiempo hace ahora?

Es que no conozco esa parte del Pirineo...

Pues es una zona muy bonita: hay montañas muy altas, pueblos antiguos, buena comida...

¿Y después de Huesca?

Pues no sabemos..., Paloma quiere visitar algunas iglesias románicas del Pirineo catalán, y a mí me gustaría conocer las estaciones de esquí.

Vamos a empezar en un pueblo que se llama Ligüerre de Cinca, y luego queremos ir a Jaca para recorrer el valle de Benasque...

¿Dónde está Ligüerre de Cinca?

Aquí, en el Pirineo aragonés, en la provincia de Huesca. Es un pueblo antiguo restaurado como centro de vacaciones. Es un lugar muy tranquilo, al lado de un embalse, está muy cerca del Parque Nacional de Ordesa...

Depende... Normalmente, en septiembre hace buen tiempo y no llueve mucho. Arriba en las montañas hace más frío y a veces nieva, pero en el valle no. Pero la verdad es que en el Pirineo el tiempo es imprevisible.

¡Sergio, Sergio! Mira, hay una noticia sobre Ligüerre. No sé si es buena idea hacer el viaje ahora...

FUERTE TEMPORAL EN EL PIRINEO ARAGONÉS

Se anuncian fuertes lluvias y vientos de 100 km/h en el Pirineo aragonés para los próximos días. Nieve a partir de 1000 metros de altitud. La Dirección General de Tráfico recomienda no circular por las carreteras de montaña durante las próximas 48 horas.

HOTEL CASA BROTO
Ligüerre de Cinca

CONFIRMACIÓN DE RESERVA

Número de habitaciones: 2
Tipo de habitación: individual
Régimen: Habitación y desayuno

Entrada: 12 de septiembre
Salida: 13 de septiembre

b ¿Qué tiempo va a hacer en los Pirineos? Elige el mapa más adecuado.

1

2

3

5 PLANES Y DESEOS

a Busca en el cómic los detalles del viaje de Sergio y Paloma, y relaciona las dos partes de las frases.

1 Sergio y Paloma quieren recorrer...
2 Van a empezar...
3 Van a pasar...
4 Paloma quiere visitar...
5 Sergio y Paloma van a hacer...
6 A Sergio le gustaría conocer...

a un reportaje sobre lugares de vacaciones.
b las estaciones de esquí.
c el valle de Benasque.
d las iglesias románicas.
e dos días en el Pirineo aragonés.
f en Ligüerre de Cinca.

b ¿Cuáles de las afirmaciones anteriores expresan planes y cuáles deseos? Completa las listas.

ir a + infinitivo

querer + infinitivo
le/me gustaría + infinitivo

Planes

Deseos

c Estas son algunas actividades que se pueden hacer en Ligüerre de Cinca. ¿Cuáles te gustaría hacer? Coméntalo con tus compañeros.

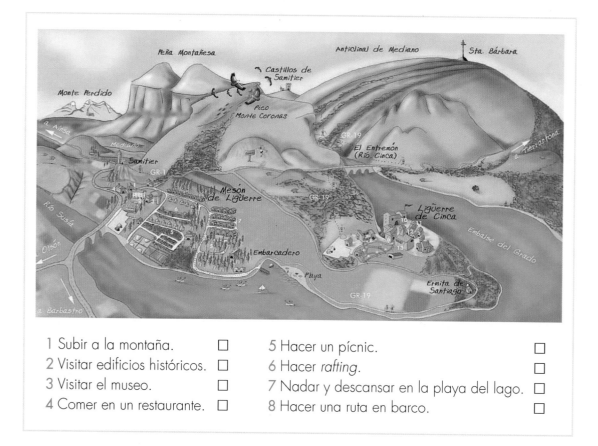

1 Subir a la montaña. ☐
2 Visitar edificios históricos. ☐
3 Visitar el museo. ☐
4 Comer en un restaurante. ☐

5 Hacer un pícnic. ☐
6 Hacer *rafting*. ☐
7 Nadar y descansar en la playa del lago. ☐
8 Hacer una ruta en barco. ☐

A mí me gustaría nadar y descansar en la playa.

d 🔊 Una monitora del centro de vacaciones de Ligüerre de Cinca explica el plan de actividades del día a un grupo de turistas. Marca en la lista anterior las actividades que van a hacer. Después, comprueba con tu compañero.

6 ¿QUÉ PLANES TIENES PARA…?

a Escribe tus planes para estos momentos. Piensa en las actividades que vas a hacer, con quién, dónde, a qué hora…

¿QUÉ VAS A HACER?

Esta noche	El próximo fin de semana	Las próximas vacaciones

b Ahora pregunta a tus compañeros sobre sus planes.

- ■ *¿Qué vas a hacer este fin de semana?*
- • *El sábado voy a ir al cine con mi hijo.*
- ■ *¿Y qué película vas a ver?*
- • *No sé cómo se llama, es de dibujos animados.*
- ■ *¿A qué cine vas a ir?*

Preguntar sobre planes

¿Qué vas a hacer?	¿Con quién vas a…?
¿Cuándo vas a…?	¿Dónde vas a…?
¿Cómo vas a…?	¿Por qué vas a…?

7 EL TIEMPO.COM

a Observa las predicciones del tiempo de esta semana en estas dos ciudades. Marca las afirmaciones que corresponden a cada una.

Predicción	Perú	España
1 El lunes va a hacer mucho calor.		
2 Va a llover casi todos los días.		
3 El viernes va a hacer más frío.		
4 El miércoles va a estar nublado.		
5 Va a hacer sol casi toda la semana.		
6 El fin de semana va a hacer menos calor.		

Trujillo (Perú)

Trujillo (España)

b ¿Qué tiempo va a hacer en los próximos días en tu ciudad? Coméntalo con tu compañero. Podéis buscar información en internet.

8 DE VIAJE

Francesco y Ana viven en Milán y van a pasar unos días en España. Mira los billetes y reservas y, con tu compañero, completa la tabla con su itinerario: qué recorrido van a hacer, cómo van a viajar, dónde van a alojarse, etc. ¿Está todo organizado o necesitan reservar algo más?

DÍA	FECHA	VIAJE DE...	A...	TRANSPORTE	NOCHE EN...
1	11 de marzo	De Milán a Madrid		Avión	Madrid
2					
3					
4					
5	15 de marzo				Milán

■ El primer día van a ir de Milán a Madrid en avión.
● Sí, el día 11 de marzo, y ¿van a pasar la noche en Madrid?

Para hablar de itinerarios

Ir/viajar a... + lugar (dirección a un destino)
Ir/viajar de... + lugar (origen) a + (destino)
Viajar en + medio de transporte
Alojarse/quedarse en + residencia/alojamiento

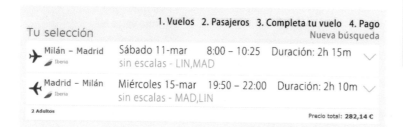

Tu selección — 1. Vuelos 2. Pasajeros 3. Completa tu vuelo 4. Pago
Nueva búsqueda

Milán – Madrid · Iberia · Sábado 11-mar · 8:00 – 10:25 · Duración: 2h 15m
sin escalas - LIN,MAD

Madrid – Milán · Iberia · Miércoles 15-mar · 19:50 – 22:00 · Duración: 2h 10m
sin escalas - MAD,LIN

2 Adultos — Precio total: 282,14 €

Transportes

barco	bicicleta
moto	autobús
coche	tren
avión	taxi

renfe
Num. Billete: 7654000591077 — Localizador: Z56W — Tarifa FLEXIBLE
CombinadoCercanias: 2S7UZ
Salida — MADRID-P.A — 12 marzo — 14:35
Llegada — SEVILLA — 12 marzo — 16:17
AVE — 02142 — Turista
Coche — 8 - SILENCIO — Plaza: 03A

renfe
Num. Billete: 7654000591077 — Localizador: Z56W — Tarifa FLEXIBLE
CombinadoCercanias: 2S7UZ
Salida — CÓRDOBA — 14 marzo — 14:35
Llegada — MADRID — 14 marzo — 16:17
AVE — 02142 — Turista
Coche — 8 - SILENCIO — Plaza: 03A
Tarjeta +Renfe: 90069352 — Total: 62,10 € IVA(10%) 5,64 €
Metálico
VIAJES EL CORTE INGLES, S.A.
ESTE BILLETE SOLO SE PUEDE ANULAR EN AGENCIA VIAJES
EMISORA VIAJES EL CORTE INGLES, S.A.
Cierre del acceso al tren 2 minutos antes de la salida
16:22:20 19/11/2015 - 4478

NACIONALES · INTERNACIONALES · SUPRA · AEROPUERTOS · PLAYAS
Origen: SEVILLA — Ver listado
Destino: JEREZ DE LA FRONTERA — Ver listado
Fecha Ida: 13 de marzo
Fecha Vuelta: 13 de marzo
Adultos Niños Bebes: 2 0 0
(+11) (4-11) (0-3)
Introducir datos tarjeta fidelización — +info
Cupón Descuento
○ Ida
● Ida y vuelta
○ Ida y vuelta abierta
Suplementos
○ Mascota
○ Bici/Tabla surf
Desliza para desbloquear y buscar
Guía de Compra

Buscar
Destino/Nombre del hotel: Córdoba
○ Trabajo ○ Ocio
Fecha de check-in: martes, 14 de marzo
Fecha de check-out: miércoles, 15 de marzo
Estancia de 1 noche
Habitaciones 1 · Adultos 2 · Niños 0
Buscar

Córdoba es un destino muy solicitado en nuestra página web... seleccionado (42% reservado).
42% reservado
12 mar - 13 mar · 13 mar - 14 mar · 14 mar...
Desde € 28 · Desde € 20 · Desde €
43% reservado · 42% reservado · 42% res...
Córdoba: 178 alojamientos encontrados
Las 3 razones para visitar este lugar: cocina gourmet...
HOY 35% MENOS QUE NORMALMENTE
Hotel Mezquita
Córdoba
Reservado 14 veces hoy
Habitación Doble - 1 o 2 camas

Buscar
Destino/Nombre del hotel: Sevilla
○ Trabajo ○ Ocio
Fecha de check-in: domingo, 12 de marzo
Fecha de check-out: martes, 14 de marzo
Estancia de 2 noches
Habitaciones 1 · Adultos 2 · Niños 0
Buscar

Sevilla es un destino muy solicitado en nuestra página web por los viajeros en las fechas que has seleccionado (29% reservado).
29% reservado
10 mar - 12 mar · 11 mar - 13 mar · 12 mar - 14 mar · 13 mar - 15 mar · 14 mar - 16 mar
Desde € 28 · Desde € 26 · Desde € 24 · Desde € 24 · Desde € 24
31% reservado · 31% reservado · 29% reservado · 29% reservado · 29% reservado
Sevilla: 538 alojamientos encontrados
Las 3 razones para visitar este lugar: hacer turismo, salir de bares y gente amable
Mostrar mapa
Las Casas de los Mercaderes ★★★ — Fabuloso 8,6
Centro histórico de Sevilla, Sevilla — Ubicación 9,5
Hay 1 persona mirando en este momento. — 1.052 comentarios
Reservado 10 veces hoy
Habitación Doble - 1 o 2 camas — ¡Muy solicitado!
-14% € 196 € 169
Elige habitación

9 VAMOS A CUBA

La tarea consiste en organizar un viaje a Cuba por grupos.

a Observa el mapa y las fotos.

La Habana

Matanzas

Varadero

Trinidad

Santiago de Cuba

PLANIFICA Y ELABORA

b En grupos vais a organizar un viaje de diez días a Cuba. Decidid:

- En qué época del año vais a ir.
- Qué tiempo hace en ese momento.
- A qué lugares vais a ir.
- Cuánto tiempo vais a estar en cada uno.
- Cómo vais a viajar de un lugar a otro.
- Qué actividades vais a hacer en cada uno.

COMPARTE

c Presentad vuestra propuesta a los compañeros. Elegid el viaje que más os gusta.

10 LAS VACACIONES DE LOS ESPAÑOLES

a La web encuestamos.com publica los resultados de una encuesta sobre las vacaciones de los españoles. Lee el texto y mira los gráficos. Comenta con tu compañero cuál puede ser la información que falta en cada gráfico.

Texto adaptado de www.encuestamos.com/las-vacaciones-examen/

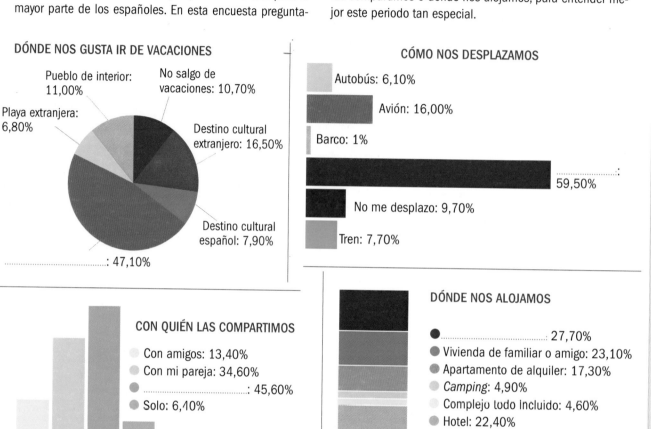

LA FOTO FIJA DE LAS VACACIONES DE LOS ESPAÑOLES

Las vacaciones de verano son, junto con las navidades, los dos momentos más deseados y esperados del año para la mayor parte de los españoles. En esta encuesta pregunta-mos dónde nos gusta ir, cómo nos desplazamos, con quién las compartimos o dónde nos alojamos, para entender mejor este periodo tan especial.

DÓNDE NOS GUSTA IR DE VACACIONES

Pueblo de interior: 11,00%
No salgo de vacaciones: 10,70%
Playa extranjera: 6,80%
Destino cultural extranjero: 16,50%
Destino cultural español: 7,90%
.................................: 47,10%

CÓMO NOS DESPLAZAMOS

Autobús: 6,10%
Avión: 16,00%
Barco: 1%
.........................: 59,50%
No me desplazo: 9,70%
Tren: 7,70%

CON QUIÉN LAS COMPARTIMOS

Con amigos: 13,40%
Con mi pareja: 34,60%
.................................: 45,60%
Solo: 6,40%

DÓNDE NOS ALOJAMOS

● ....: 27,70%
● Vivienda de familiar o amigo: 23,10%
● Apartamento de alquiler: 17,30%
● Camping: 4,90%
● Complejo todo incluido: 4,60%
● Hotel: 22,40%

b Ahora lee el siguiente texto con las conclusiones de la encuesta y comprueba tus hipótesis.

Las conclusiones del estudio demoscópico realizado por Encuestamos, nos dejan algunos datos muy interesantes sobre la forma de enfocar las vacaciones que tienen los españoles.

En primer lugar sabemos que **prefieren pasar sus vacaciones en playas españolas** y que **usan el coche** para desplazarse hasta ellas. Uno de cada tres españoles **tiene una segunda vivienda en propiedad,** donde reside durante los días de veraneo, y la mitad de la gente lo hace **acompañada por toda su familia**. Esta sería la foto fija de las vacaciones de verano de un español medio.

c ¿Cómo crees que serían los resultados de esta encuesta en tu país? Coméntalo con tus compañeros.

d ¿Cuáles son los resultados de la clase? Recoged la información de toda la clase y preparad un gráfico.

11 VIAJAR POR INTERNET… EN ESPAÑOL

a En español, como en otras lenguas, utilizamos muchas veces palabras inglesas para referirnos a términos tecnológicos y de internet. Pero casi siempre es posible utilizar palabras en español. ¿Quieres intentarlo? Relaciona cada término con la imagen que le corresponde.

a descargar ☐   d correo electrónico ☐
b navegador ☐   e carpeta ☐
c guardar ☐   f usuario y contraseña ☐

① ② ③
④ ⑤ ⑥

b Otras veces, se crean palabras en español a partir de las palabras en inglés. ¿Qué crees que significan estas palabras? Seguro que entre todos podéis deducir su significado.

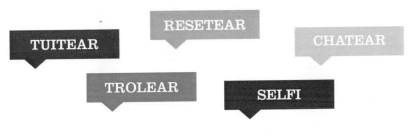

TUITEAR   RESETEAR   CHATEAR
TROLEAR   SELFI

c ¿Sucede lo mismo en tu lengua? ¿Utilizáis términos del inglés, los adaptáis o los traducís? Comenta con tus compañeros.

d ¿Quieres practicar? Te proponemos visitar la página web de la editorial SGEL y registrarte como usuario en el aula electrónica. ¡Seguro que encuentras muchas cosas interesantes!

http://ele.sgel.es

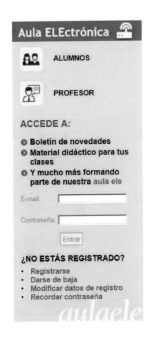

Aula ELEctrónica

ALUMNOS

PROFESOR

ACCEDE A:
○ Boletín de novedades
○ Material didáctico para tus clases
○ Y mucho más formando parte de nuestra aula ele

E-mail:

Contraseña:

Entrar

¿NO ESTÁS REGISTRADO?
• Registrarse
• Darse de baja
• Modificar datos de registro
• Recordar contraseña

aulaele

8

SE ALQUILA PISO

En esta unidad vamos a aprender:

- A describir viviendas (tipos de vivienda, partes, decoración, muebles, etc.).

- A pedir y dar información sobre normas de actuación.

- A establecer normas de convivencia para la casa.

- A nombrar los colores.

1 LAS PARTES DE LA CASA

a Mira este plano y las fotos de la página anterior.
¿Qué foto corresponde a cada parte del plano?

- ■ *La foto número 1 es la terraza, ¿no?*
- ● *Sí, me parece que sí.*

Foto 1 ....
Foto 2 ....
Foto 3 ....
Foto 4 ....
Foto 5 ....

b Un sitio web publica estos anuncios de casas. ¿Qué foto corresponde
a cada anuncio?

Buscocasa

Comprar | Alquilar | Compartir

 a
 b
 c
 d

❶

Salamanca. Piso de dos dormitorios, baño completo, salón, comedor y cocina. Luminoso, céntrico y bien comunicado. Se alquila para largas temporadas. No tiene muebles.

❷

Benalmádena-pueblo. Estudio completamente amueblado y equipado con lavadora, nevera, televisión, ecétera. Muy tranquilo y céntrico. Ideal para 1 o 2 personas.

❸

Cambrils. Apartamento con capacidad para seis personas. Dos dormitorios, baño, cocina americana, salón y terraza de 15 m^2 con vistas al mar. Zona de *parking* y piscina. Nuevo, moderno, situado frente al mar.

❹

Santa Eugenia de Nerella. Casa antigua, con capacidad para diez personas. Tiene seis habitaciones, dos baños (uno con bañera), cocina, salón-comedor, terraza, jardín y garaje. Situada en los Pirineos, en un pequeño pueblo rodeado de naturaleza.

c 🔊 Escucha a María hablar sobre su nueva casa de vacaciones. ¿A cuál
de las fotos anteriores se refiere?

d ¿Cómo es tu casa? ¿Cuántas habitaciones tiene?
¿Dónde está? Coméntalo con tus compañeros.

*Mi casa tiene dos dormitorios, un salón y un baño. No
tiene terraza y es bastante pequeña pero está en el centro, muy bien comunicada.*

2 TIENDA DE MUEBLES

a Pon los precios que corresponden a cada mueble.

① sofá rojo: **1400 €**
② sofá naranja: **1200 €**
③ sofá blanco: **1100 €**

④ cama verde: **400 €**
⑤ estantería amarilla: **700 €**
⑥ armario marrón: **800 €**
⑦ armario rosa: **300 €**

⑧ sillas azules: **60 €**
⑨ sillas blancas: **100 €**
⑩ mesa blanca: **300 €**

⑪ mesa negra: **250 €**
⑫ sillón gris: **800 €**
⑬ sillón amarillo: **600 €**

b ¿Quieres comprar alguna de estas cosas para tu casa? ¿Cuál te gusta más?

■ *A mí me gusta mucho el sofá rojo, pero creo que es muy grande para mi casa.*
● *A mí me gusta más el sofá blanco.*

3 LOS NOMBRES DE LOS COLORES

Completa los cuadros con la forma adecuada de cada color.

	singular -o/-a	plural -os/-as
masculino	rojo	
femenino		rojas
masculino		blancos
femenino	blanca	
masculino		amarillos
femenino	amarilla	
masculino	negro	
femenino		negras

singular -l/-n/-s	plural +es
masculino y femenino	
azul	
	grises
marrón	

singular -vocal	plural +s
masculino y femenino	
verde	
	naranjas
rosa	

4 SE ALQUILA PISO

a 🔊 Sergio y Paloma miran pisos. Escucha y lee.

b En este resumen del cómic hay dos informaciones falsas. ¿Cuáles son? Corrígelas.

Sergio y Paloma quieren vivir juntos y por eso buscan un piso. Visitan un piso en Latina, pero tiene pocos muebles y la cocina está mal equipada. No corresponde a lo que dice el anuncio. También visitan un piso en Cuzco, pero tiene dos problemas: es muy caro y está prohibido invitar amigos a la piscina. Al final, Sergio y Paloma escriben un reportaje sobre las dificultades de alquilar un piso por menos de mil euros.

5 ¿EN QUÉ ORDEN?

a Lee otra vez el cómic. ¿En qué orden hacen la visita en el piso de Cuzco?

1 .... **a** ver el piso
2 .... **b** ver el garaje
3 .... **c** ver la piscina

b En los diálogos, ¿con qué palabras se indica el orden?

1.º *primero*　　**2.º** ....　　**3.º** ....

6 ¿SE PUEDE...?

a Completa con frases del cómic.

b ¿Qué significan estas señales? ¿En qué lugares las puedes encontrar? Habla con tu compañero y luego, entre los dos, escribid el texto más adecuado para cada una.

1 *No se puede comer.* **2** .... **3** .... **4** .... **5** ....

7 ¿QUÉ ES ESO?

a Lee estas frases del diálogo. Observa las palabras subrayadas y relaciona cada una con la opción adecuada.

1 ■ ¿Y <u>esa puerta</u> es la de la cocina?
　• No, la del baño.　　　　　　　　**a** neutro
2 ■ ¿Y <u>eso</u> qué es? ¿Un armario?　**b** masculino
　• No, eso es la cocina.　　　　　　**c** femenino
3 ■ <u>Ese piso</u> está muy bien, pero... ¡es muy caro!

b Completa las frases con *esa*, *eso* y *ese*.

 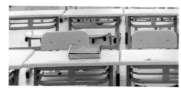 

1 ¿Qué es .... ?　　**2** ¿De quién es .... libro?　　**3** .... es mi maleta, la azul.

c Completa con *eso* o *ese*.

Utilizamos [1] .... o *esa* para señalar o referirnos a una cosa, cuando sabemos qué es. Por ejemplo: [2] .... *libro es de María, ¿verdad?*

Utilizamos [3] .... para señalar o referirnos a una cosa que no conocemos o que no podemos identificar. Por ejemplo: *¿Qué es* [4] .... *¿Es un libro?* [5] .... no tiene plural.

8 UNA CASA PARA COMPARTIR

a Laura busca un piso para compartir con otros estudiantes. Lee su lista de deseos sobre el piso y comenta con tus compañeros las palabras que no conoces.

LISTA DE DESEOS

☐ Ascensor
☐ Calefacción
☐ Aire acondicionado
☐ Garaje

☐ Nevera
☐ Lavadora
☐ Lavavajillas
☐ Microondas

Se puede:
☐ Lavar la ropa
☐ Hacer la comida

b Laura ha encontrado un anuncio interesante. Mira la foto y marca en la lista las cosas que puedes ver.

PISO EN EL CENTRO

Piso para compartir,
zona céntrica. Es un 6.º.
Moderno, amueblado,
cocina completa.
Para más información,
llamar al 687 90 33 33

c 🔊43 Escucha la conversación de Laura con la persona del piso y marca en la lista la información nueva.

d Laura recibe un correo con las normas de la casa. ¿Qué opinas de esas normas? ¿Te parecen razonables? Coméntalas con tus compañeros y escribid una norma más.

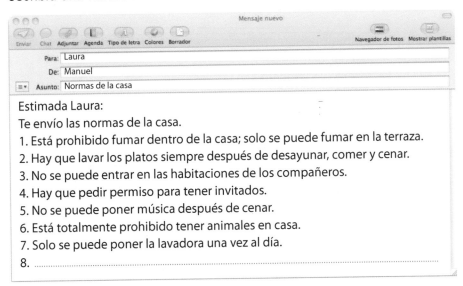

Estimada Laura:

Te envío las normas de la casa.

1. Está prohibido fumar dentro de la casa; solo se puede fumar en la terraza.
2. Hay que lavar los platos siempre después de desayunar, comer y cenar.
3. No se puede entrar en las habitaciones de los compañeros.
4. Hay que pedir permiso para tener invitados.
5. No se puede poner música después de cenar.
6. Está totalmente prohibido tener animales en casa.
7. Solo se puede poner la lavadora una vez al día.
8. ....

Normas

Está prohibido + infinitivo
Hay que + infinitivo
No se puede + infinitivo

■ *Yo estoy de acuerdo con la norma número 1.*

● *Yo no estoy de acuerdo.*

9 ¿EN LA COCINA, EN EL SALÓN O EN LA TERRAZA?

a ¿En qué parte de la casa haces estas actividades? Coméntalo con tus compañeros.

Dormir la siesta

Vestirse — Cenar

Lavar la ropa

Ver la tele

Hacer la comida

Desayunar — Leer

Hacer ejercicio

Ducharse

Lavarse los dientes

Comer

Verbos reflexivos: presente de indicativo		
ducharse		
me ducho		
te duchas		
se ducha		
nos duchamos		
os ducháis		
se duchan		
lavarse		
me lavo		
te lavas		
se lava		
nos lavamos		
os laváis		
se lavan		
vestirse		
me visto		
te vistes		
se viste		
nos vestimos		
os vestís		
se visten		

- *Yo siempre desayuno en la cocina.*
- *Yo, normalmente, también, pero los fines de semana, si no hace frío, desayuno en el jardín.*
- *Yo también, en verano desayuno en la terraza y, en invierno, en la cocina.*

10 ¡QUÉ CASA!

a Completa las descripciones con estas palabras (adjetivos). Atención al masculino, femenino, singular o plural.

> amarilla - amarillas - azul - azules - blanca - blanco - comunicada - ~~céntrica~~
> equipada - grandes - marrones - moderna - pequeño - ~~tranquila~~

1 Mi nueva casa es *céntrica, tranquila* y está bien [1] ...., con metro y autobús muy cerca. ¡Qué contenta estoy!

2 Tengo muebles nuevos en el salón. Los colores son muy bonitos: un sofá [2] .... y una mesa [3] ...., con sillas [4] .... y [5] ....

3 Me gusta mucho la nueva cocina de la casa de Juan. Es [6] .... y está bien [7] .... La nevera y la lavadora son nuevas, [8] ...., muy elegantes, de color [9] .... Pero el salón es un poco [10] .... ¡Y no tiene televisión, ni DVD!

4 Las estanterías del despacho son [11] ...., y la mesa es [12] .... Para la silla, ¿qué color es mejor?

b 🔊 Ahora escucha las descripciones y comprueba. ¿Es lo que tú pensabas?

c ¿Cómo es tu casa? ¿Qué cosas te gustan y cuáles no te gustan? Habla con tu compañero.

Yo vivo en un piso pequeño, en el centro. Tiene una terraza pequeña…

11 NUESTRA CASA

La tarea consiste en diseñar una casa.

PARA EMPEZAR

a Con dos compañeros vais a diseñar vuestra casa ideal para compartir.
Después, vais a escribir un anuncio para buscar un cuarto compañero.

PLANIFICA Y ELABORA

b ¡Tenéis mucho trabajo por delante!

1 Decidid las características de la casa:
  • Qué tipo de casa es.
  • Cómo es y qué tiene.
  • Dónde está.

2 Escribid las normas de la casa. Tomad nota
de vuestras decisiones aquí.

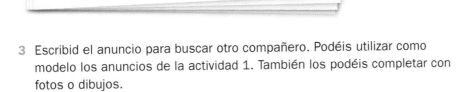

3 Escribid el anuncio para buscar otro compañero. Podéis utilizar como
modelo los anuncios de la actividad 1. También los podéis completar con
fotos o dibujos.

COMPARTE

c Tenéis que enviar vuestro anuncio a todos los compañeros: en
fotocopia, por correo electrónico, por WhatsApp.
¿Hay algún compañero que quiera compartir piso con vosotros?

12 CASAS CON ESTILO

a Las fotos muestran dos estilos tradicionales de vivienda de dos lugares del mundo hispano. ¿Dónde crees que se pueden encontrar estas casas?

1 La casa número uno puede ser de: ....

2 La casa número dos puede ser de: ....

b ¿Qué palabras asocias con las fotos?

- calor
- sencillo
- natural
- brillante
- campo
- mar
- luz
- tranquilidad

A

B

c 🔊 Escucha a dos personas hablar de sus casas. ¿Qué fotos relacionas con cada una?

13 DE IBIZA A MÉXICO

a Lee las siguientes informaciones sobre los dos estilos decorativos anteriores. ¿Qué párrafos corresponden a cada uno? Coméntalo con tu compañero.

TEXTO 1: **Estilo de Ibiza**

Párrafos: ....

TEXTO 2: **Estilo de México**

Párrafos: ....

1 El color predominante es el amarillo (alegre y acogedor). Este color se combina con azul brillante, naranja o turquesa. También son característicos los tonos tierra como el cactus verde, adobes rojos y tonos neutros de desierto. El color es el elemento principal de la decoración.

2 La singular estética de la arquitectura rural de Ibiza ha cautivado desde siempre a los visitantes de esta maravillosa isla del Mediterráneo.

3 No es solo una expresión decorativa o arquitectónica, es casi un estilo de vida… Blanco, suavidad, luz…, todo transmite tranquilidad.

4 Es un estilo sin lujos, sencillo y libre. Espacios amplios con elementos de formas suaves y el color blanco como protagonista son las señales inconfundibles de la arquitectura y la decoración tradicional de esta isla balear.

5 En el estilo mexicano encontramos una interesante mezcla de la serenidad de la arquitectura colonial y la riqueza de colores de las fiestas y tradiciones del país.

6 Son característicos de este estilo los muebles de maderas pesadas, claras u oscuras, con detalles de hierro forjado negro. La influencia mexicana de este material también se puede ver en las puertas y otros accesorios.

b Con tu compañero, pensad un título adecuado para cada texto completo. Comparadlos con el resto de la clase.

TEXTO 1: **Título**

TEXTO 2: **Título**

c ¿Hay estilos tradicionales en tu país? ¿Cómo son?

San Miguel de Allende (México)

Ibiza (España)

9

¿ESTUDIAS O TRABAJAS?

En esta unidad vamos a aprender:

- A describir una ocupación: lugar, horario, tareas generales.

- A pedir y dar información sobre requisitos para hacer bien un trabajo.

- A expresar opiniones sobre trabajos o estudios.

- A informar sobre conocimientos o habilidades profesionales.

1 PROFESIONES

a ¿Qué profesiones son estas? Relaciona las imágenes y las profesiones.

PROFESIONES

a Periodista ____	e Arquitecto/-a ____	i Enfermero/-a ____
b Estudiante ____	f Profesor(a) ____	j Cocinero/-a ____
c Administrativo/-a ____	g Abogado/-a ____	k Funcionario/-a ____
d Camarero/-a ____	h Taxista ____	

b ¿Con qué trabajos de los anteriores relacionas estos adjetivos? Comenta con tu compañero.

bueno	⇔	malo
fácil	⇔	difícil, duro
interesante, divertido	⇔	aburrido

tranquilo	⇔	estresante
bonito, agradable	⇔	desagradable
cómodo	⇔	incómodo

2 ¿DÓNDE TRABAJAN?

a 🔊 Vas a escuchar a cuatro personas que hablan de su trabajo. ¿A qué se dedican?

1 Ana	2 Pedro	3 Julián	4 Susana

b 🔊 Escucha otra vez y completa la información sobre cada uno.

	LUGAR DE TRABAJO	Positivo ➕	Negativo ➖
1 Ana		*muy bonito*	
2 Pedro			
3 Julián			
4 Susana			

c ¿Y tú? ¿A qué te dedicas? Coméntalo con tus compañeros.

d 🔊 Vas a oír a las personas del ejercicio anterior hablando de su trabajo. Antes de escuchar, piensa un momento: ¿cuáles de estas cosas crees que hace cada uno? Después, escucha y comprueba.

1 Ana: ....
2 Pedro: ....
3 Julián: ....
4 Susana: ....

a corregir exámenes y deberes
b hablar por teléfono
c escribir correos electrónicos
d trabajar en equipo
e viajar
f ir a cursos
g escribir informes
h ir a congresos

e ¿Y tú? ¿Haces estas cosas? ¿Qué otras cosas haces? Habla con tus compañeros.

■ *En mi profesión es muy importante trabajar en equipo.*
● *Yo trabajo solo, pero hablo mucho por teléfono con mi jefe y mis compañeros.*

3 FAMILIA O TRABAJO

Rocío hace una entrevista que comentan en la oficina. Lee y escucha.

4 ¿Y TÚ QUÉ OPINAS?

a ¿De qué personaje de Agencia ELE son estas opiniones?

PERSONAJE   OPINIÓN:

- Hacer un trabajo interesante es más importante que tener un buen horario.

- Es más importante tener un buen horario que ganar mucho dinero.

- El trabajo de oficina es aburrido, pero cómodo.

b Lee de nuevo el cómic y completa los cuadros con las expresiones
que faltan.

Expresar acuerdo

■ Estoy de acuerdo.

Expresar acuerdo parcial

■ Es verdad, pero...

● ....

Introducir una opinión

■ ....

● Para mí,...

Preguntar la opinión

■ ¿...?

c ¿Y tú? ¿Con quién estás de acuerdo? ¿Con Sergio, con Paloma o con
Rocío? Comenta con tu compañero.

■ *Para mí es muy importante el horario. Estoy de acuerdo con Sergio.*
● *Pues yo estoy de acuerdo con Rocío.*

5 ¿ESTÁS DE ACUERDO?

a Lee y observa.

b En grupos, leed las siguientes frases y decid si estáis de acuerdo o no.

"Las grandes empresas son las únicas instituciones
no democráticas de la sociedad actual".
(Ejecutivo en paro)

"El trabajo endulza la vida; pero a mucha
gente no le gustan los dulces". (Víctor Hugo)

"El trabajo es como la esclavitud, pero
solo ocho horas al día". (Un jubilado)

"Un aumento de sueldo es como un Martini: sube
el ánimo, pero solo por un rato". (Dan Seligman)

■ *Yo estoy de acuerdo con la frase de Víctor Hugo.*
● *Yo también.*
▲ *Yo no.*
▼ *Pues yo sí.*

6 CUALIDADES PROFESIONALES

a Relaciona las profesiones con los bocadillos.

a En mi profesión hay que saber trabajar en equipo y ser disciplinado.

b En mi profesión hay que ser estudioso y saber escuchar a los pacientes.

c En mi profesión es muy importante saber hablar bien en público y tener buenos colaboradores.

d En mi profesión es necesario tener mucha paciencia.

Hay que = es necesario
No hay que = no es necesario

Médico _____

Política _____

Futbolista _____

Maestro _____

b Completa esta tabla con palabras de los bocadillos.

ser	tener	saber
disciplinado	....	....
....	....	....
		....

7 UN NUEVO TRABAJO PARA IÑAKI

a Lee las siguientes frases y completa con la información el *curriculum vitae* de Iñaki.

Conozco los programas de traducción y utilizo habitualmente PageMaker, Photoshop y el paquete de Office.

Tengo dos años de experiencia como profesor de lengua en un colegio de secundaria.

Tengo carné de conducir.

Tengo cinco años de experiencia como editor y redactor en Agencia ELE.

Soy licenciado en Lenguas Modernas. Hablo bien inglés y muy bien chino. Tengo un año de experiencia como traductor de chino.

Tengo un máster en Edición Digital.

Sé tocar el piano y el saxo.

CURRICULUM VITAE

FORMACIÓN
2008 Máster en [1] ....
2003 Licenciado en [2] ....

EXPERIENCIA PROFESIONAL
2012 – 2017 [3] ....
2006 – 2007 [4] ....
2004 – 2006 [5] ....

IDIOMAS
Nivel intermedio (B1) de [6] ....
Nivel avanzado (C1) de [7] ....

INFORMÁTICA
Usuario avanzado de los programas [8] ....

Usuario básico de los programas [9] ....

OTROS
[10] ....
[11] ....

b Comenta tu *curriculum vitae* con tu compañero.

■ *Yo, en formación, tengo un Máster en Fisioterapia. ¿Y tú?, ¿qué formación tienes?*

● *Yo soy licenciada en Historia y tengo un Máster en Antropología.*

c Iñaki consulta las ofertas de trabajo. Lee los siguientes anuncios de trabajo. Después, completa el resumen y contesta a las preguntas.

Ofertas de empleo

1 ACADEMIA MULTILENGUAS PRECISA
Profesor de español a tiempo parcial para clases en empresas, individuales y en grupo.

Requisitos
* Licenciado en Lenguas Modernas.
* Experiencia mínima de un año como profesor de español.
* Carné de conducir y coche.

Se ofrece
* Contrato a tiempo parcial.
* Formación continuada.

2 AGENCIA IBEROAMERICANA DE NOTICIAS BUSCA
Incorporar editor para su oficina en China.

Requisitos
* Experiencia de cinco años como editor.
* Buenos conocimientos de chino e inglés.

Se ofrece
* Interesante salario.
* Alojamiento y viajes pagados.

3 IMPORTANTE GRUPO EDITORIAL BUSCA
Traductor de chino para trabajar como autónomo en casa.
Se precisa dominio del chino y conocimientos de los programas de traducción. No se precisa experiencia. Continuidad asegurada.

a Para el trabajo en China es necesario tener .... y saber .... e ....

b Para el trabajo de traductor es necesario saber muy bien .... y hay que conocer los programas ....

c Para el trabajo de profesor de español es necesario ser .... en Lenguas Modernas y tener ....

1 ¿En qué trabajo no hay que tener experiencia? ......
2 ¿En qué trabajo hay que tener coche? ......
3 ¿En qué trabajo hay que trabajar en casa? ......

d ¿Cuál crees tú que es el trabajo más adecuado para Iñaki? Coméntalo con tus compañeros.

■ *Yo creo que el trabajo más adecuado para Iñaki es el de traductor, porque puede trabajar en casa y tener más tiempo libre.*

● *Sí, estoy de acuerdo, pero yo creo que el trabajo en China es más interesante y él tiene mucha experiencia.*

8 LA PROFESIÓN OCULTA

a Ahora tú. Piensa en una profesión y escribe tres frases para describirla. En grupos, cada uno tiene que leer sus frases y los demás tienen que adivinar la profesión.

■ *En esta profesión hay que ser muy valiente y fuerte.*
● *No sé, ¿torero?*
■ *No, no. Leo la siguiente frase, ¿vale?*
● *Sí, vale.*
■ *Hay que saber primeros auxilios.*
● *Pues… ¿policía?*
■ *No. Bueno, la tercera: hay que conocer el fuego y sus peligros.*
● *¡Claro! ¡Bombero!*

Profesiones	
payaso	reina
policía	investigador
bombero	piloto

Expresar obligación o necesidad
Hay que + infinitivo
Para ser auxiliar de vuelo hay que saber primeros auxilios.

9 ¿CÓMO ES TU TRABAJO?

a Lee esta entrevista informal a Sonia Álvarez sobre su trabajo y
relaciona las respuestas de Sonia con la pregunta correspondiente.

PREGUNTAS

1 Entonces tú, Sonia, ¿a qué te dedicas? _____
2 ¡Vaya, qué interesante! Supongo que te gusta tu trabajo, ¿no?
_____
3 ¿Y cómo es tu trabajo, día a día? ¿Qué haces, exactamente? _____
4 Entonces, me imagino que no tienes un horario fijo…
¿Trabajas muchas horas? _____
5 ¿Es posible, en tu caso, conciliar trabajo y vida familiar? _____
6 Para ti, ¿qué es lo mejor de este trabajo? _____
7 ¿Y lo peor? _____

RESPUESTAS

a Bueno… Casi siempre estoy muy ocupada con
mil cosas: reuniones, presentaciones, comidas
de trabajo, negociaciones… Tenemos oficinas
en otros países, así que también viajo mucho al
extranjero.

b Supongo que el contacto con la gente, trabajar
en equipo… Además tengo un buen sueldo, eso
también es importante.

e Soy Directora Comercial, trabajo en una multinacional.

c Pues… A veces puede ser un poco estresante.
También me gustaría trabajar menos horas. Pero
bueno, en general, estoy contenta.

d Sí, mucho. Es un trabajo muy variado y con bastante responsabilidad. Yo soy una persona muy
dinámica: para mí es perfecto.

f Pues… No es fácil, no. Por suerte, mi marido
tiene un trabajo más flexible, compatible con los
horarios de los niños… Tenemos dos hijos.

g Sí, sí…, muchas. Empiezo a trabajar muy temprano y nunca sé a qué hora voy a salir.

b 🔊 Escucha ahora el diálogo completo y comprueba tu versión.

c Ahora tú debes hacer la entrevista a un compañero. Otro compañero
te va a entrevistar a ti.

10 EL CURSO DE ROCÍO

a 🔊 Rocío busca un curso de árabe. Escucha a Rocío y completa las
fichas de los cursos.

CURSOS DE ÁRABE

A

Centro: Escuela Oficial de Idiomas
Curso: Primero de árabe.
Duración: De octubre a ....
Frecuencia: Diario.
Horario: De 9 h a 10 h / De 20 h a 21 h.
Precio: Matrícula .... €.

B

Centro: Pandilinguas
Curso: Árabe ....
Duración: .... horas.
Frecuencia: Diario.
Horario: De 19 h a 21 h.
Precio: Matrícula .... €.

C

Centro: Idiomnet
Curso: Árabe a tu ritmo – curso on-line.
Duración: Seis meses a partir de la matrícula.
Tutor: Una hora semanal de atención tutorial.
Precio: Matrícula .... €.

D

Centro: Academia Al Ándalus
Curso: Aprende árabe en ....
Duración: 15 días.
Frecuencia: 6 horas diarias de clase.
Precio: .... €.

b 🔊 Señala verdadero (V) o falso (F) para estas afirmaciones sobre los cursos.

	V	F
1 El curso de la Academia Al Andalus es más caro que el de Idiomnet.		
2 El curso de Pandilinguas es menos largo que el de la Academia Al Andalus.		
3 El curso de Idiomnet dura más que el de la Escuela Oficial de Idiomas.		
4 El curso de la Escuela Oficial de Idiomas cuesta menos que el de Pandilinguas.		

c Observa en las frases anteriores las estructuras para expresar comparaciones. Mira otra vez la información de los diferentes cursos y escribe otras dos comparaciones entre ellos.

5 ....

6 ....

Expresar comparaciones

X es *más* + adjetivo + *que* Y
X es *menos* + adjetivo + *que* Y
X verbo *más que* Y
X verbo *menos que* Y

d ¿Sabes qué tipo de curso ofrece cada escuela? ¿Qué opinas de estos cursos de idiomas? ¿Cuál prefieres tú? Coméntalo con tus compañeros.

1 ☐ Curso anual
2 ☐ Curso intensivo
3 ☐ Curso a distancia
4 ☐ Curso de inmersión

11 DIFERENTES OPINIONES

¿Estás de acuerdo con las siguientes opiniones? Léelas y, después, debate con tus compañeros.

■ *Yo creo que un trabajo para toda la vida es aburrido.*
● *Yo no estoy de acuerdo.*
▼ *Yo tampoco.*

■ *Yo creo que es mejor trabajar desde casa.*
● *Sí, yo estoy de acuerdo.*
▼ *Yo no.*

12 ENTREVISTA EN ESPAÑOL

La tarea consiste en entrevistar a una persona que habla español.

a Con un compañero, vas a entrevistar a una persona sobre su trabajo. Alguien que habla español en vuestro centro, un compañero de clase o una persona de vuestro entorno. Tenéis que grabar la entrevista en vídeo y, después, compartirlo con la clase.

b Prepara la entrevista. Puedes seguir el modelo de la actividad 9. En este cuadro puedes apuntar las preguntas que vas a hacer.

	PREGUNTAS
profesión	
tareas y actividades	
grado de satisfacción	
horario	
aspectos positivos	
aspectos negativos	

c Presentad vuestra entrevista al resto de los compañeros. Podéis hacer fotocopias de la ficha de arriba para tomar notas de la información de cada entrevistado.

13 CERTIFICADOS DE ESPAÑOL

a El conocimiento de diferentes lenguas es una parte muy importante de un *curriculum vitae*. ¿Sabes cómo puedes certificar tu nivel de español? Aquí tienes algunas informaciones útiles sobre los certificados de español. Lee los textos y contestas a las preguntas.

1 ¿Cuántos niveles tiene el examen DELE?
2 ¿Qué examen puede hacer un joven menor de 17 años?
3 ¿Qué diferencia hay entre el examen DELE y el SIELE?

dele.cervantes.es/

Los DELE son los títulos oficiales de dominio de la lengua española que otorga el Ministerio de Educación, Cultura y Deporte de España.

Certifican, mediante exámenes diferentes, los seis niveles de dominio establecidos en el Marco Común Europeo de Referencia para la enseñanza, aprendizaje y evaluación de lenguas (MCER): A1, A2, B1, B2, C1 y C2.

Diplomas de Español como Lengua Extranjera

Además, hay dos exámenes para candidatos en edad escolar (de 11 a 17 años): el DELE A1 para escolares y el DELE A2/B1 para escolares. Con este último examen se certifica el nivel A2 o el B1, dependiendo de la nota obtenida.

siele.org/

El SIELE (Servicio Internacional de Evaluación de la Lengua Española) consiste en un único examen multinivel que se hace mediante ordenador en alguno de los centros de examen que hay por todo el mundo. Se obtiene una puntuación que se relaciona con los niveles descritos en el MCER, desde el A1 hasta el C1.

El examen SIELE Global consta de cuatro pruebas que se corresponden con las cuatro principales actividades comunicativas de la lengua: comprensión de lectura, comprensión auditiva, expresión e interacción escritas y expresión e interacción orales.

Además, el SIELE tiene diferentes modalidades, según las destrezas que quieres certificar:

b ¿Qué certificado te interesa a ti? Comenta con tus compañeros tus preferencias y necesidades. Puedes tener en cuenta alguno de los siguientes aspectos:

**RAPIDEZ   PRECIO   VALIDEZ
RECONOCIMIENTO   USO DE ORDENADOR**

10 RECUERDOS

1 ¿DE QUÉ MOMENTOS CONSERVAS OBJETOS DE RECUERDO?

Fiestas

Aniversarios

Celebraciones familiares

Viajes

Otros momentos

4 ¿TE GUSTA MOSTRAR TUS FOTOS U OBJETOS DE RECUERDO?

¿Cuándo?

¿A quién?

1 ¡CUÁNTOS RECUERDOS!

¿Te gusta recordar el pasado? Observa las imágenes y responde a las preguntas con tu compañero.

2 ¿QUÉ TIPO DE OBJETOS CONSERVAS?

¿Periódicos o discos?

¿Fotos o vídeos?

¿Billetes o monedas?

¿Postales?

¿Objetos típicos?

¿Entradas?

3 ¿QUÉ HACES CON LOS RECUERDOS?

¿Ordenas las fotos en carpetas?

¿Guardas fotos y recortes en un álbum?

¿Los guardas en cajas?

2 FECHAS DE NUESTRA VIDA

a Aquí tienes algunas fotos del álbum de Paloma Martín. Con tu compañero, relaciona las fotos con los rótulos.

A Carné de conducir (Madrid, junio de 2000)

B Viaje de fin de curso a Brasil (diciembre de 1997)

C Llegada a España (julio de 1999)

D Mi casita (Galicia, junio de 2008)

E Mi primer día en el mundo (14 de abril de 1979)

F Primer reportaje de Agencia ELE (junio de 2016)

G Universidad (Madrid, 1999-2003)

H Colegio Alemán (Buenos Aires 1984-1991)

b Señala si las siguientes afirmaciones son verdaderas (V) o falsas (F) y corrige la información incorrecta.

1 Hace dos años empecé a trabajar en Agencia ELE.
2 En 2010 alquilé una casa en Galicia.
3 Me fui a vivir a España en 2002.
4 Aprobé el carné de conducir a los 20 años.
5 Nací el 14 de abril de 1980.
6 Terminé los estudios universitarios en 2005.
7 Desde 1984 a 1991 fui al Colegio Alemán de Madrid.
8 Viví en Buenos Aires hasta los 25 años.
9 En diciembre de 1996 hice un viaje a Brasil.

	V	F	Corrección
1			
2			
3			
4			
5			
6			
7			
8			
9			

c Subraya las expresiones de tiempo y completa.

1 *Hace* dos *años*.
2 .... 2010.
3 .... 2002.
4 .... 20 años.
5 .... 14 .... abril .... 1980.
6 .... 2005.
7 .... 1984 .... 1991.
8 .... 25 años.
9 .... diciembre .... 1996.

d ¿Qué hechos son importantes en tu biografía? Usa el modelo de Paloma para hablar de las fechas importantes de tu vida.

Yo nací el 2 de mayo de 1992. Desde septiembre de 1995 hasta junio de 2003 estudié en el colegio de mi pueblo. En el 2004 me fui a vivir a Málaga. Allí estudié la secundaria y fui a la universidad. Terminé la carrera hace dos años.

3 CAMPEONES

a 🔊 Sergio y Rocío están preparando un reportaje sobre jóvenes campeones del deporte español: Fernando Alonso y Rafa Nadal. Lee y escucha.

Mira, Sergio, ya tengo la información de Rafa Nadal, ¡y las fotos!

Estupendo, yo también tengo los datos de Fernando Alonso. ¿Lo vemos juntos?

Sí, vamos.

Pues, fíjate, Nadal empezó a jugar a los 4 años, mira esta foto de pequeño, y ganó su primera competición oficial a los 8. Increíble, ¿verdad?

Pues como Alonso, que empezó a correr en karts a los 3 años y su primera victoria en un campeonato fue a los 7 años.

Mira, ¡qué pequeño! Por cierto, ¿en qué año nació Alonso?

Nació en..., un momento..., en 1981. ¿Y Nadal? Es más joven, ¿no?

Sí, un poco, nació en el 86.

La verdad es que los dos tienen una carrera deportiva excepcional.

¡Alonso fue el piloto más joven en ganar un gran premio de fórmula 1! Lo ganó en..., 2003. Y en 2005, con 22 años, hizo historia como el piloto más joven en ganar el campeonato mundial.

¡Ah! Sí, me acuerdo, y recibió el Premio Príncipe de Asturias de los Deportes ese año, ¿no?

Sí, y además volvió a ser campeón del mundo en 2006... Nadal también triunfó muy joven, ¿no?

Sí, también en 2005 ganó su primer trofeo de Grand Slam, en París. Mira aquí, con 19 años...

¡Qué joven!

Hola. ¿De qué habláis?... ¡Ah, de Rafa Nadal!... ¿Sabéis que lo conozco?

¿Sí? ¿En serio?

Sí, es que estuve en París en la final del 2007.

¡Ah! Lo viste jugar...

No, no, lo conocí y hablé con él. Estuvimos juntos en la fiesta con la prensa.

¡Qué suerte! ¿Tienes fotos?

Sí, me hice alguna foto con él, pero no la tengo aquí. Luego te la envío por correo electrónico.

b ¿Qué foto envía Iñaki a Rocío?

4 ¿QUÉ HIZO?

a ¿A qué deportista se refieren estas afirmaciones? Comenta con tu compañero.

1 Nació en 1981.
2 Ganó su primera competición oficial a los 8 años.
3 Ganó Wimbledon en 2008.
4 Fue el piloto más joven en ganar el campeonato mundial.
5 En el Gran Premio de Brasil tuvo el accidente más grave de su carrera.
6 En la final del Roland Garros de 2007 venció al n.º 1 del mundo.
7 A los 3 años empezó a pilotar karts.
8 A los 15 años fue el jugador más joven de la historia en ganar un partido en un torneo oficial.
9 En 2005 recibió el Premio Príncipe de Asturias de los Deportes.

Fernando Alonso

Rafa Nadal

b Lee otra vez en el cómic lo que cuenta Iñaki de su viaje a París. ¿Qué información da Iñaki a Rocío y a Sergio? Marca las afirmaciones verdaderas.

1 Jugué un partido con Rafa Nadal.

2 Me hice una foto con Rafa Nadal.

3 Conocí a Rafa Nadal en 2007.

4 Escribí un reportaje sobre Rafa Nadal.

5 Hablé con Rafa Nadal en una fiesta.

6 Fui con Rafa Nadal a visitar la Torre Eiffel.

7 Vi la final entre Rafa Nadal y el número 1.

8 Estuve en el mismo hotel que Rafa Nadal.

c Subraya en los textos las formas de los verbos que expresan hechos y experiencias del pasado. ¿A qué verbo pertenecen?

Jugué: *verbo* jugar.

5 HABLAMOS DEL PASADO: EL PRETÉRITO INDEFINIDO

a Vamos a aprender las formas de pretérito indefinido en los verbos
regulares. Sigue los modelos de cada conjugación y completa la tabla.

	Verbos en -ar				Verbos en -er/-ir			
	empezar	**terminar**			**nacer**	**vivir**	**ver**	**escribir**
yo	empecé				nací	viví		
tú	empezaste				naciste	viviste		
él/ella/usted	empezó	-é			nació	vivió		-í
nosotros/nosotras	empezamos	-aste			nacimos	vivimos		-iste
vosotros/vosotras	empezasteis	-ó			nacisteis	vivisteis		-ió
ellos/ellas/ustedes	empezaron	-amos			nacieron	vivieron		-imos
		-asteis						-isteis
		-aron						-ieron

b 🔊 Escucha las siguientes formas verbales del pretérito indefinido
y escríbelas en el cuadro correspondiente. Después, subraya las
terminaciones del pretérito indefinido.

Yo

Él/Ella

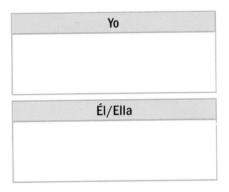

6 VERBOS IRREGULARES

a El pretérito indefinido del verbo *tener* es irregular. Observa sus formas
y, después, escribe el pretérito indefinido de otros verbos con el mismo
tipo de irregularidad: *estar, hacer* y *venir*.

	Verbos irregulares. Radical diferente + terminaciones especiales				
	tener	**estar**	**hacer**	**venir**	
yo	tuve	estuve	hice	vine	-e
tú	tuviste				-iste
él/ella/usted	tuvo				-o
nosotros/nosotras	tuvimos				-imos
vosotros/vosotras	tuvisteis				-isteis
ellos/ellas/ustedes	tuvieron				-ieron

b El pretérito indefinido del verbo *ser* y del verbo *ir* es
igual. Señala en las frases si la forma en indefinido
es del verbo *ser* o del verbo *ir*.

Verbos irregulares
Verbo *ser* y verbo *ir*
yo · fui
tú · fuiste
él/ella/usted · fue
nosotros/nosotras · fuimos
vosotros/vosotras · fuisteis
ellos/ellas/ustedes · fueron

1 Fui a Nueva York en 2005 para estudiar un máster.
2 Antes de ser entrenador, fui futbolista.
3 El viaje en autobús fue muy largo y aburrido.
4 Mis hermanas y yo fuimos a un colegio público.
5 La conferencia de ayer fue muy aburrida.
6 La fiesta fue a las cinco de la tarde.

7 VIAJES INOLVIDABLES

a 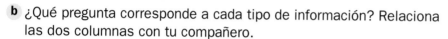 Paloma cuenta su viaje a Brasil con el instituto. Escucha y después señala qué afirmaciones son verdaderas y cuáles son falsas.

EL VIAJE DE PALOMA A BRASIL	V	F
1 Estuvo en Brasil dos semanas.		
2 Visitó las cataratas de Iguazú.		
3 Pasó una semana en Río de Janeiro.		
4 Participó en un campeonato de vóley playa.		
5 Compró cosas de artesanía de recuerdo.		

b ¿Qué pregunta corresponde a cada tipo de información? Relaciona las dos columnas con tu compañero.

1 Fecha	**a** ¿Cuándo fuiste?
2 Duración	**b** ¿Con quién fuiste?
3 Alojamiento	**c** ¿Cuántos días estuviste?
4 Actividades	**d** ¿Cómo fuiste?
5 Itinerario	**e** ¿Qué hiciste?
6 Transporte	**f** ¿Adónde fuiste?
7 Compañía	**g** ¿Dónde te alojaste?

c Piensa en tus experiencias de viajes y selecciona un viaje de cada una de estas características. Con dos compañeros, contesta sus preguntas sobre tus viajes.

El viaje más...
largo • interesante • aburrido • exótico • divertido romántico • caro

■ *Mi viaje más interesante fue a México.*
● *¿Cuándo fuiste?*
■ *Fui en 2012.*
● *¿Con quién fuiste?*
■ *Con mi marido.*
● *¿Cuánto tiempo estuviste?*
■ *Estuvimos dos semanas.*

8 LO COMPRÉ EN CUBA

a ¿A qué objeto o persona se refieren las palabras marcadas en negrita? Lee las dos últimas viñetas del cómic y descúbrelo.

1 ¿Sabéis que **lo** conozco?

2 ¡Ah! **Lo** viste jugar...

3 Sí, me hice alguna foto con él, pero no **la** tengo aquí. Luego te **la** envío por correo electrónico.

Pronombres personales de objeto directo

	singular	plural
masculino	lo	los
femenino	la	las

b Con tu compañero, relaciona las frases con el objeto o la persona.

1 La compre en 2016.	**a** Un piano.
2 Lo conocí en la facultad.	**b** Tu novio.
3 Los terminé en 2008.	**c** Una casa.
4 Las hice en Costa Rica.	**d** Los estudios.
	e Unas fotos.
	f Tu novia.

c Observa estos recuerdos de los viajes de Paloma.
¿Dónde crees que los compró?

■ *El sombrero creo que lo compró en Estados Unidos.*
● *Pues yo creo que lo compró en Colombia.*

---

9 VIDAS CRUZADAS

La tarea consiste en conocer un poco la vida de tus compañeros.

a Vas a compartir algunos hechos de tu vida con tus compañeros y vas a aprender también sobre sus biografías.

b Primero, escribe seis datos de tu biografía en seis papeles distintos. Escribe el hecho y la fecha, como en los ejemplos.

Esta lista te puede ayudar a seleccionar los hechos de tu biografía.

- Nacer
- Ir al colegio
- Irse a vivir a otro país
- Irse a vivir solo / con
- Llegar a esta ciudad
- Estudiar en la universidad
- Terminar los estudios
- Empezar a trabajar
- Comprar / alquilar una casa
- Tener un hijo
Etc.

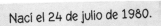
Nací el 24 de julio de 1980.

Llegué a Bucarest en 1996.

c Tenéis que poner todos los papeles en una caja.

Cada uno coge de la caja seis papeles y comprueba que ninguno se refiere a sí mismo.

d Tenéis que moveros por la clase y preguntar a los compañeros hasta descubrir a quién pertenece cada dato.

Después, podéis preguntar algo más para completar la información de cada papel.

e Finalmente, cuenta a la clase lo que sabes de tus compañeros.

10 BIOGRAFÍAS

a ¿Te gusta leer biografías? En el siguiente texto puedes encontrar algunas razones para leerlas.

Razones para leer *biografías*

1 Son fuente de inspiración

Cuando estamos perdidos, cuando no tenemos objetivos, cuando creemos que no podemos cambiar lo que no nos gusta… Entonces es el momento de leer una biografía de alguien grande.

2 Ayudan a perder el miedo al fracaso

Explorar la vida de personas con éxito nos enseña que no lo tuvieron siempre. Muchas veces, perdieron más de lo que ganaron. Fueron diferentes porque aprendieron de los errores y fracasos.

3 Enseñan sobre un tema en particular

Por ejemplo, si leemos la biografía de Paco de Lucía, podemos aprender aspectos interesantes del mundo del flamenco.

4 Enseñan historia

Una biografía es la historia de alguien. Y toda historia tiene un contexto histórico, político y social. Por ejemplo, una biografía de Federico García Lorca nos puede contar muchas cosas de los primeros años del siglo XX y de la Guerra Civil española.

Y con personajes que marcaron la historia, en realidad, al leer la biografía, estamos aprendiendo historia directamente. Por ejemplo, con figuras como Alejandro Magno o Napoleón Bonaparte.

b ¿Estás de acuerdo con estos argumentos? ¿Puedes añadir alguna razón más?

c ¿Conoces a las personas que aparecen en las imágenes de las biografias? ¿Qué sabéis de ellas? Con la ayuda del profesor y de internet podéis intercambiar y descubrir información básica sobre ellos.

Su nombre completo es Úrsula Hilaria Celia de la Caridad Cruz Alfonso de la Santísima Trinidad. Nació en La Habana, Cuba, el 21 de octubre de 1925, y murió el 16 de julio de 2003.

d ¿Crees que puede ser interesante leer su biografía? ¿Por qué? Relaciona con los motivos explicados en el texto.

e Explica a tus compañeros qué biografía te interesa más y por qué.

11 TIENDA DE RECUERDOS

a Observa las fotos. ¿Qué tipos de recuerdos puedes comprar en estas tiendas? Escribe una lista con tu compañero.

- Camisetas con el nombre de la ciudad.

- Imanes para la nevera.

b Ahora vas a escuchar a tres personas hablar sobre los recuerdos que compran en sus viajes. Antes de escuchar, observa las actividades 11c y 11d y responde con tu compañero a estas preguntas.

1 ¿En qué actividad preguntan por detalles concretos que mencionan las personas y en cuál preguntan por la idea general de lo que dicen?
2 ¿Qué ejercicios de comprensión auditiva te gustan más?
3 ¿Cuál te parece más difícil?
4 ¿Crees que escuchas de manera diferente en cada caso?

c 🔊 Escucha a las tres personas y relaciona cada una con un tipo de comprador.

1 Persona 1	a Comprador práctico.
2 Persona 2	b Coleccionista.
3 Persona 3	c Comprador por obligación.

d 🔊 Escucha de nuevo y señala verdadero (V) o falso (F) para cada afirmación.

		V	F
Persona 1	a Compra regalos para sus amigos.		
	b Compra en tiendas de artesanía tradicional.		
Persona 2	a Compra cosas para utilizarlas y recordar sus viajes.		
	b Compra productos para cocinar.		
Persona 3	a Compra regalos para sus padres.		
	b Le gusta comprar en tiendas de los museos.		

e ¿Y tú, qué tipo de comprador eres?

11 CONECTADOS

En esta unidad vamos a aprender:

• A comparar hábitos, gustos y preferencias sobre los medios de comunicación.

• A entender programaciones de radio y televisión y a hablar sobre lo que ofrece internet y la prensa escrita.

• A establecer una conversación por teléfono.

Yo casi nunca escucho la radio porque no me gusta mucho. Navego por internet dos o tres veces al día y veo la televisión casi todas las noches. También leo el periódico, pero solo una vez a la semana, los domingos por la mañana.

MARÍA

Yo todos los días compro el periódico y lo leo en el metro, camino del trabajo. Me gusta empezar por el final. La radio no la escucho y la tele la veo los fines de semana, veo películas después de comer. Internet lo uso cuando tengo que hacer un viaje, para buscar alojamiento o billetes.

SARA

Yo escucho la radio todos los días mientras trabajo: las noticias y música. También veo la tele a la hora de la comida, el programa de deportes que ponen a esa hora. El periódico, no, no lo leo, bueno, leo las noticias, pero en internet, desde mi móvil.

DANIEL

1 NOSOTROS Y LOS MEDIOS DE COMUNICACIÓN

a Lee cómo usan María, Sara y Daniel los medios de comunicación. ¿Te pareces a alguno de ellos?

b Habla con un compañero sobre vuestras preferencias y hábitos sobre los medios de comunicación.

■ *Yo no escucho la radio casi nunca.*
● *¿No? Pues yo escucho la radio todas las mañanas.*

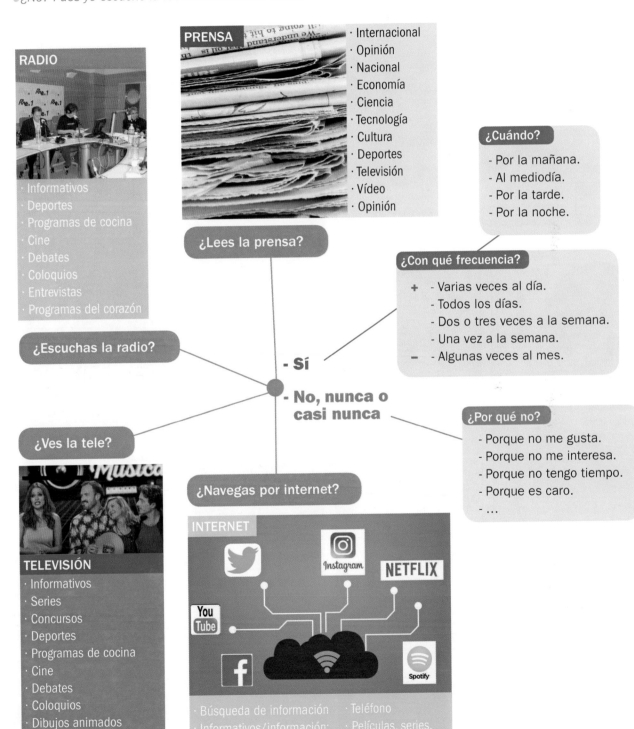

RADIO
· Informativos
· Deportes
· Programas de cocina
· Cine
· Debates
· Coloquios
· Entrevistas
· Programas del corazón

PRENSA
· Internacional
· Opinión
· Nacional
· Economía
· Ciencia
· Tecnología
· Cultura
· Deportes
· Televisión
· Vídeo
· Opinión

¿Lees la prensa?

¿Escuchas la radio?

¿Cuándo?
- Por la mañana.
- Al mediodía.
- Por la tarde.
- Por la noche.

¿Con qué frecuencia?
+ - Varias veces al día.
  - Todos los días.
  - Dos o tres veces a la semana.
  - Una vez a la semana.
– - Algunas veces al mes.

- **Sí**

- **No, nunca o casi nunca**

¿Por qué no?
- Porque no me gusta.
- Porque no me interesa.
- Porque no tengo tiempo.
- Porque es caro.
- ...

¿Ves la tele?

¿Navegas por internet?

TELEVISIÓN
· Informativos
· Series
· Concursos
· Deportes
· Programas de cocina
· Cine
· Debates
· Coloquios
· Dibujos animados
· Entrevistas
· Programas del corazón

INTERNET
NETFLIX
Spotify
· Búsqueda de información
· Informativos/información: radio, prensa...
· Correo electrónico
· Redes sociales
· Comercio electrónico
· Teléfono
· Películas, series, vídeos
· Música
· Libros, artículos

2 A MÍ TAMBIÉN ME GUSTA

a 55 En la Agencia ELE se reparten el trabajo del día. A Iñaki no le gusta mucho lo que tiene que hacer. Lee y escucha.

b ¿Cuál es la verdadera lista de Iñaki?

A

1 Luisa Ruiz Puerta	91 346 75 82	no hay nadie
2 Ricardo Toledo Méndez	91 532 29 31	comunica
3 Laura Sánchez Jiménez	91 725 82 91	llamar despúes de las 4
4 Eduardo Pacheco Torres	91 258 27 71	número equivocado
5 Fernando Ríos Pérez	91 428 56 72	✓

B

1 Luisa Ruiz Puerta	91 346 75 82	no contesta
2 Ricardo Toledo Méndez	91 532 29 31	no está en casa
3 Laura Sánchez Jiménez	91 725 82 91	está en el trabajo
4 Eduardo Pacheco Torres	91 258 27 71	llamar más tarde
5 Fernando Ríos Pérez	91 428 56 72	✓

3 AL TELÉFONO

a Fíjate en las conversaciones de Iñaki al teléfono y completa el esquema.

Atender al teléfono y empezar una conversación telefónica:	¿Dígame? ....
Preguntar por una persona:	¿Está…, por favor? ....
Responder en una conversación telefónica:	• Identificarse: Sí, soy .... • Preguntar quién llama: ¿De parte ....? • Pedir que espere: Un ...., por favor.

b Miquel Milá, el cámara de Agencia ELE, quiere hablar por teléfono con Carmen, la jefa de la agencia. Miquel llama a casa de Carmen, y Juan, su hijo, coge el teléfono. Ordena la conversación y represéntala con dos compañeros. ¿Tenéis el mismo orden?

Juan: ¿Diga? _1_

Miquel: Hola, Carmen, soy Miquel…. ____

Juan: ¿De parte de quién? ____

Carmen: Sí, soy yo. ____

Miquel: Hola, ¿está Carmen, por favor? ____

Juan: ¡Mamáááá al teléfono! ¡Un compañero del trabajo! ____

Miquel: Soy Miquel, un compañero de trabajo. ____

Carmen ¿Sí? ____

Juan: Un momento, por favor. ____

Miquel: ¿Carmen? ____

c 🔊 Escucha y comprueba.

4 LA FOTO DE LA DERECHA

a Relaciona cada viñeta con la pregunta correspondiente.

1 ¿Qué foto os gusta más?

2 ¿Quién puede llamar hoy?

Dos tipos de verbos diferentes

1 ■ Yo no puedo bailar.
  ● Yo tampoco.
2 ■ A mí me gusta bailar.
  ● A mí también.

b Luis, Paloma, Miquel y Sergio tienen que decidir qué fotos van a incluir en un reportaje sobre el poder relajante de la sonrisa. Interpreta los símbolos y reproduce la conversación.

> Luis: ☺ ¡Me encanta!
> Paloma: ☺ ....
> Sergio: ☹ Pues a mí no.
> Miquel: ☹ ....

> Miquel: ☺ Me gusta mucho.
> Sergio: ☺ ....
> Paloma: ☹ ....
> Luis: ☹ ....

> Paloma: ☹ No me gusta nada.
> Miquel: ☺ ....
> Sergio: ☺ ....
> Luis: ☹ A mí no.

> Sergio: ☹ ....
> Luis: ☹ ....
> Miquel: ☺ ....
> Paloma: ☹ ....

c Apunta en el nombre de tu bebida favorita (o el de la que menos te gusta), el color que menos o más te gusta y tu estación del año preferida (o la que más te deprime). Después, en grupos de cuatro comentad vuestros gustos.

> ■ ¿Empezamos hablando de las bebidas?
> ● A mí no me gusta el refresco de cola.
> ■ ¿No? Pues a mí sí.

> ■ No tenemos muchos puntos en común.
> A Hans y a Fernanda les gusta mucho la limonada, pero a Katja y a mí no nos gusta mucho...

d 🔊 Escucha y marca la opción más adecuada para completar los diálogos.

1	2	3	4
☐ A mí también	☐ Yo también	☐ A mí tampoco	☐ A mí también
☐ A mí sí	☐ Yo sí	☐ Yo sí	☐ Yo sí
☐ Yo tampoco	☐ A mí también	☐ Yo también	☐ Yo no
☐ Yo no	☐ A mí sí	☐ A mí sí	☐ A mí sí

e 🔊 Escucha y reacciona en cadena según lo que digan tus compañeros.

> ■ Pues yo no ● Yo tampoco ★ Pues yo sí ▾ Yo también ◆ Yo también...

5 ¿QUÉ HAY EN LA TELE?

a Observa los nombres de estos programas. ¿Qué tipo de programa es cada uno? ¿A qué hora crees que lo emiten? Con tu compañero, completa la programación.

> Con pan y vino   Saber y no perder   Corazón de melón
>
> Amar a contracorriente   Hablando se entiende la gente   Club de fútbol

TV8, La tele de todos			
08:00	Telediario matinal	17:30	Crónicas
09:30	Hoy desayunamos con...	18:00	Nuestros amigos los copetes
11:00		19:15	
12:00		20:30	Telediario 2
14:00		22:00	La película de los lunes
15:00	Telediario 1	23:30	
16:00		00:45	Telediario 3

Programas de televisión

Informativos
Programas deportivos
Documentales
Series
Concursos
Programas de cocina
Cine
Debates
Dibujos animados
Entrevistas
Programas del corazón...

b 🔊 Escucha y comprueba.

6 LA ENCUESTA DE IÑAKI

a 🔊 Escucha la encuesta que finalmente consigue hacer Iñaki y rellena el formulario.

SONDEO SOBRE HÁBITOS DE CONSUMO DE MEDIOS DE COMUNICACIÓN E INFORMACIÓN

Encuesta nº:	Encuestado/a:	Lugar de residencia:
001	Fernando Ríos Pérez	Madrid

DATOS PERSONALES

Edad: ☐ Menos de 25 años
    ☐ Entre 25 y 45 años
    ☐ Más de 45 años

Sexo: ☐ Hombre
    ☐ Mujer

Nivel de estudios: ☐ Básicos
    ☐ Bachillerato
    ☐ Universitarios

Profesión: _____

MEDIOS QUE UTILIZA DIARIAMENTE

☐ Radio   ☐ Televisión   ☐ Prensa   ☐ Internet

RADIO

Tipo de programa: ☐ Musicales ☐ Informativos
    ☐ Tertulias ☐ Humor ☐ Otros

Hora / Lugar / Otros comentarios: _____

TELEVISIÓN

Tipo de programa:

☐ Informativos   ☐ Películas y series   ☐ Deportes
☐ Documentales   ☐ Otros

Hora / Lugar / Otros comentarios: _____

PRENSA

Tipo de publicación:

☐ Periódicos   ☐ Revistas de información general
☐ Revistas especializadas

Secciones del periódico:

☐ Internacional   ☐ Nacional   ☐ Deportes
☐ Opinión   ☐ Cultura   ☐ Otros

Hora / Lugar / Otros comentarios: _____

INTERNET

Tipo de sitio: ☐ Buscadores ☐ Correo-e ☐ Prensa digital
    ☐ Descarga de archivos ☐ Otros

Hora / Lugar / Otros comentarios: _____

Referencias temporales

Antes de + infinitivo
Antes de cenar

Mientras + presente
Mientras ceno

Después de + infinitivo
Después de cenar

Para preguntar

¿Qué...?
¿Qué programas te interesan más?

¿Cuándo...? ¿A qué hora...?
¿Cuándo lees la prensa?

¿Por qué...?
¿Por qué visitas ese sitio?

---

b Ahora representa la llamada por teléfono con tu compañero y hazle la encuesta. ¿Se parecen sus respuestas a las de Fernando?

7 NUESTRO TOP 6

En grupos, vais a elaborar una lista con los programas favoritos de la clase.

a Vais a seleccionar los medios y programas más utilizados de la clase para crear vuestra propia lista de seis favoritos, vuestro TOP 6, y después la vais a presentar al resto de la clase. Entre los seis tiene que haber como mínimo una emisora o un programa de radio, una cadena o un programa de televisión y una página de internet.

b Formad grupos de tres y decidid qué preguntas vais a hacer para descubrir la información más concreta posible sobre los hábitos y preferencias sobre la radio, televisión e internet.

c Primero vais a recoger los datos de vuestro grupo: contestad vosotros mismos a las preguntas, apuntad las respuestas y elaborad una primera versión de la lista de favoritos.

Después, cada miembro del grupo se encarga de preguntar a los demás grupos sobre uno de los medios y recoge los datos.

Por último, os reunís otra vez con vuestro grupo y ponéis los datos en común. A partir de los resultados de las encuestas, tenéis que elegir los seis favoritos.

d Cada grupo presenta sus resultados al resto de la clase.

Comentad las semejanzas y diferencias de las listas de cada grupo.

¿Hay una lista que representa mejor los gustos y preferencias de la clase?

8 UNIDOS POR LA TELE

a Culturas diferentes, lenguas diferentes… Sí, pero hay algunos formatos de programas que cruzan las fronteras y tienen éxito en lugares muy diferentes. Aquí tienes algunos de los más famosos, en su versión española. ¿Puedes relacionar la imagen con la descripción del programa?

a Consiste en un concurso para formar cantantes. La primera edición, en 2001, fue uno de los programas más visto de la televisión española.	*3 Operación Triunfo*
b Es uno de los concursos más famosos del mundo: millones de personas pegadas a la televisión para ver si el concursante contesta las 15 preguntas.	
c Un grupo de desconocidos que convive en una casa, bajo la mirada de las cámaras y sin poder salir.	
d Es un programa de televisión que busca al mejor cocinero no profesional de España.	
e Programa de telerrealidad que explora la convivencia de las personas en situaciones extremas en la naturaleza, como nuevos robinsones.	
f Concurso de talentos que busca los mejores bailarines.	

b ¿Te gustan estos programas? Comenta con tu compañero los que prefieres.

c ¿Existen estos programas en tu país? ¿Tienen éxito? Coméntalo con tus compañeros.

Nosotros tenemos un programa como el de Operación Triunfo, *pero se llama…*

9 CONECTAD@S CON... EL ESPAÑOL

a Lee las estrategias que utilizan estas personas para practicar español.

Algunos compañeros de clase hemos formado un grupo de WhatsApp para compartir información sobre el curso, las clases, los deberes y otros temas. Escribimos y hablamos español un poco cada día. Para mí es muy útil.

ADOLFO, ITALIA

Yo he encontrado una emisora de radio que tiene boletines de noticias cortos cada media hora o quince minutos. Me gusta porque puedo escuchar la misma noticia dos o tres veces en poco tiempo y cada vez entiendo un poco más. Intento mirar en el periódico cuáles son las noticias más importantes de ese momento, y cuando escucho, ya tengo una idea de lo que van a decir.

ALESKA, POLONIA

¡Yo tengo mis series favoritas en español! Gracias a las imágenes se puede comprender la idea general, pero, además, en muchos sitios de internet puedes verlas en español y poner los subtítulos en español. Las dos cosas juntas me ayudan mucho.

JEAN, FRANCIA

Yo he encontrado muchísimos vídeos en internet para gente que aprende español, a veces son reportajes cortos, o diálogos, o una explicación de gramática o vocabulario... Muchos son muy divertidos.

LINDA, ALEMANIA

b ¿Qué te parecen estas ideas para practicar español? ¿Tú qué haces?
¿Se te ocurre alguna idea más? Coméntalo con tus compañeros.

¡AY! ¡QUÉ DOLOR!

12

En esta unidad vamos a aprender:

- A dar y pedir información sobre estados físicos, estados de ánimo y síntomas de enfermedades.

- A informar sobre acciones realizadas usando el pretérito perfecto de indicativo.

- A pedir consejos y comprar medicamentos en una farmacia.

1 DOLORES Y REMEDIOS

a David, Juan y Rosa están enfermos. ¿Crees que deben ir al médico? ¿Crees que pueden ir a trabajar?

Yo creo que David no puede ir a trabajar porque le duele la garganta y puede contagiar a los compañeros.

b ¿Para qué crees que son buenos estos consejos y remedios? ¿Cuáles son adecuados para cada persona? ¿Cuáles utilizas tú?

Yo, cuando me duele la cabeza, tomo una aspirina.

CONSEJOS Y REMEDIOS SI ESTÁS ENFERMO

1 Beber agua
2 Comer fruta
3 Tomar un jarabe
4 Ir al médico
5 Tomar un analgésico
6 Bañarse en agua caliente
7 Bañarse en agua helada
8 Tomar una manzanilla
9 Ponerse una pomada
10 Hacer deporte
11 Guardar reposo
12 Beber limón con miel

2 PARTES DEL CUERPO

Mira la foto y completa los rótulos con los nombres de las partes del cuerpo.

cabeza	mano	brazo	pierna
cuello	dedo	espalda	pie

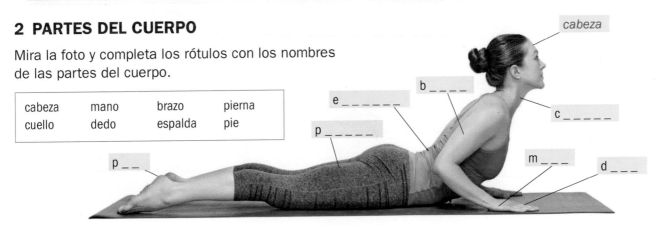

cabeza

b _ _ _ _

e _ _ _ _ _ _

c _ _ _ _ _

p _ _ _ _ _

p _ _

m _ _ _

d _ _ _

AGENCIA ELE

3 PERO, ¿QUÉ HA PASADO HOY?

Hoy parece un lunes tranquilo en la Agencia ELE. Iñaki llega a las nueve a la oficina y encuentra diferentes mensajes de sus compañeros. Lee y escucha.

¡BIIIIIIT!

Hola, soy Sergio... Estoy muy enfermo: me duele la cabeza y no puedo trabajar. A las nueve llega la directora de la clínica Salud y Belleza... He preparado la entrevista, está encima de mi mesa... Luego hablamos.

¡BIIIIIIT!

¡Hola Iñaki! Oye, que llamo para recordarte que hoy tengo el día libre, para el examen de conducir y... ¡buf! ¡Estoy muy nerviosa! Bueno, después hablamos.

¡BIIIIIIT!

Iñaki, soy Miquel, voy a llegar un poco tarde. He ido al médico porque me duele mucho el brazo. Nos vemos.

¡¡¡Correo electrónico de Luis!!!

¡Hola, Iñaki! Esta mañana he estado en esta playa y he pensado en ti. ¡Qué tranquilo estoy, chico! Un abrazo, Luis

Buenos días.

¿Quiere un café o un refresco? ¿Nada? Bueno, ¿puede esperar un momento en la sala, por favor? En seguida estamos con usted...

Doctora Linda Rot, directora general de Salud y Belleza... ¡Claro, señora Rot! Encantado y muchas gracias por venir.

4 ¿CÓMO ESTÁN LOS PERSONAJES DE LA AGENCIA ELE?

a Señala qué personaje de la Agencia ELE está en estas situaciones y lugares el lunes a las nueve de la mañana.

Iñaki

1 En el aeropuerto ....

2 En el médico ....

Rocío

3 En la oficina ....

4 En el examen ....

Sergio

Luis

5 En casa ....

6 De vacaciones ....

Paloma

Miquel

Para localizar	Para indicar estados físicos y de ánimo
Estar en + nombre *Rocío está en el examen.*	Estar + adjetivo *Rocío está nerviosa.*

b Comenta con tu compañero cómo y dónde están los personajes. Utiliza los adjetivos del cuadro.

- ■ *¿Dónde está Rocío?*
- ● *Está en el examen de conducir.*
- ■ *¿Y cómo está?*
- ● *Creo que está nerviosa.*

Adjetivos de estados físicos y de ánimo

enfermo/-a	preocupado/-a
cansado/-a	tranquilo/-a
contento/-a	triste
nervioso/-a	aburrido/-a

5 ¿QUÉ HA PASADO HOY EN LA AGENCIA ELE?

a Completa las frases con las formas verbales del recuadro.

a ha estado	**b** ha aprobado	**c** ha escrito	**d** ha ido	**e** ha venido

1 Rocío .... el examen.
2 Miquel .... al médico.
3 Luis .... a Iñaki.
4 La doctora Rot .... en la oficina.
5 La madre de Paloma .... a España.

Pretérito perfecto

Estas formas verbales:

ha estado, ha aprobado, ha escrito, ha ido, ha venido

pertenecen al pretérito perfecto.

- **Es un tiempo de pasado**
- **Es un tiempo compuesto:**

    Presente del verbo HABER (verbo auxiliar) + <u>participio</u>

    ha aprobado

b Relaciona el infinitivo con la forma del pretérito perfecto.

1	llamar	**a**	he hablado
2	venir	**b**	hemos pensado
3	hablar	**c**	has aprobado
4	leer	**d**	habéis preparado
5	estar	**e**	ha comido
6	ir	**f**	he ido
7	preparar	**g**	hemos dormido
8	pensar	**h**	han tenido
9	comer	**i**	habéis venido
10	aprobar	**j**	han leído
11	tener	**k**	has llamado
12	dormir	**l**	ha estado

c Ahora completa la tabla con las formas verbales adecuadas.

	Pretérito perfecto		
	llamar	**tener**	**venir**
yo	....	he tenido	he ....
tú	has llamado	has	.... venido
él/ella/usted	....	....	ha ....
nosotros/nosotras	hemos	.... tenido	....
vosotros/vosotras	habéis	.... tenido	....
ellos/ellas/ustedes	han		

6 PARTICIPIOS REGULARES E IRREGULARES

a Observa el cuadro y forma los participios de estos verbos.

1 beber ....
2 tomar ....
3 dar ....
4 trabajar ....

5 estudiar ....
6 cenar ....
7 salir ....
8 comprar ....

9 regalar ....
10 viajar ....
11 venir ....
12 perder ....

Participios regulares
Verbos en -*ar*
llamar + ado → llamado
Verbos en -*er*/-*ir*
tener + ido → tenido
dormir + ido → dormido

b Relaciona los verbos con su participio.

1	decir	a	hecho
2	hacer	b	escrito
3	escribir	c	visto
4	ver	d	dicho

(Observa que estos participios son irregulares).

7 ¿QUÉ HAS HECHO HOY?

Piensa en todo lo que has hecho hoy. Después, comenta con tu compañero. ¿Habéis hecho algo igual a la misma hora?

- ■ *¿A qué hora te has levantado?*
- ● *A las siete y diez. ¿Y tú?*
- ■ *Yo también. Y he desayunado a las ocho...*
- ● *No, yo he desayunado más tarde.*

- levantarse
- desayunar
- ducharse
- ir en autobús o metro
- leer
- comer
- tomar café
- comprar
- trabajar
- estudiar
- hablar por teléfono
- escuchar música
- salir de casa
- jugar a algún juego

8 ¿CÓMO ESTÁN?

a Con tu compañero, forma frases como en el ejemplo.

Paloma está contenta porque ha venido su madre de Argentina.

1 Está triste porque...
2 Está cansada porque...
3 Le duele el estómago porque...
4 Tiene sueño porque...

a dormir muy poco
b perder su cartera
c trabajar mucho
d comer muchos dulces

b Observa estas imágenes. ¿Cómo están estas personas? ¿Por qué están así? Coméntalo con tu compañero.

Yo creo que la mujer está contenta porque le ha tocado la lotería.

9 ¿TIENE ALGO PARA...?

a 🔊 Esta mañana Luis ha ido a la farmacia porque no está bien. Escucha la conversación con la farmacéutica y escribe quién hace estas preguntas.

1 ¿Qué desea? _____

2 ¿Y cuántas veces al día? _____

3 ¿Le duele algo más? _____

4 ¿Tiene algo para los granos? _____

b 🔊 Escucha y marca la opción correcta sobre el medicamento que ha comprado Luis.

Medicina		¿Cuántas veces al día?		¿Durante cuánto tiempo?		¿Cuándo?	
jarabe	☐	tres veces al día	☐	durante tres días	☐	antes de acostarse	☐
crema	☐	cada ocho horas	☐	durante cinco días	☐	después de bañarse	☐
aspirina	☐	una vez al día	☐	durante una semana	☐	después de comer	☐

10 UNA HISTORIA COLECTIVA

Vais a escribir una historia entre todos.

PLANIFICA

a Dividid la clase en grupos.

b Observad estas imágenes de los personajes de Agencia ELE a las diez de la noche del lunes. ¿Qué han hecho? ¿Por qué están así?

Paloma

Rocío

Iñaki

Sergio

ELABORA

c Cada grupo debe elegir un personaje, describir cómo está y pensar en tres razones que puede tener para estar así. Después, pasamos nuestra historia a otro grupo para que la continúe.

COMPARTE

d Ahora leed las historias y elegid la que más os ha gustado.

AMPLÍA

11 TERAPIAS NATURALES Y ALTERNATIVAS

a ¿Conoces esta terapias naturales? ¿Sabes en qué consisten? Relaciona las imágenes con las palabras del recuadro y comenta tus respuestas con tus compañeros.

- ■ *Yo creo que la reflexología son masajes en pies y manos.*
- ● *Claro, masajes... ¿Y la risoterapia?*

a Masajes de pies y manos ☐	**d** Aceites esenciales ☐
b Clavar agujas ☐	**e** Ingredientes naturales ☐
c Risa ☐	

1 Homeopatía

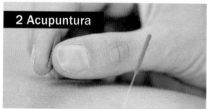
2 Acupuntura

3 Reflexología

4 Risoterapia

5 Aromaterapia

b 🔊 Vas a escuchar a una mujer que habla sobre una de estas terapias. ¿De cuál de ellas habla? ¿Comenta algún aspecto negativo? ¿Cuál? Coméntalo con tu compañero.

c Y tú, ¿qué opinas de estas terapias? ¿Conoces alguna más? ¿Las utilizas normalmente? ¿En tu país, están dentro de la sanidad pública?

- ■ *Yo voy a pilates porque tengo dolor de espalda y me va muy bien. ¿Conoces el pilates?*
- ● *Es una gimnasia parecida al yoga, ¿no?*
- ■ *Sí, ¿y tú utilizas alguna terapia normalmente?*
- ● *Yo voy a sesiones de risoterapia cuando estoy preocupado. Son muy divertidas.*

12 LOS TRUCOS DE UN POLÍGLOTA PARA APRENDER LENGUAS

a Lee este blog sobre trucos para aprender una nueva lengua.

Estos son algunos trucos de Matthew Youlden para aprender una nueva lengua.
Él habla nueve idiomas fluidamente y entiende casi una docena más.

Trucos

✱ **Tienes que tener claro por qué lo estás haciendo**

Es fundamental para mantener tu motivación, que es el motor de tu aprendizaje.

✱ **Sumérgete en el nuevo idioma**

Hay que practicar todos los días. Todo consiste en poner en práctica lo que aprendes: escribir un correo electrónico, pensar, escuchar música o la radio… Rodearte y sumergirte en la cultura del idioma que estás aprendiendo es muy importante.

✱ **Encuentra un compañero**

Un compañero puede ayudarte a mantener la motivación y facilitar el juego y el estudio.

✱ **Diviértete**

Usa tu nuevo idioma de manera creativa: dibuja un cómic, escribe un poema, canta, trata de hablar siempre en ese idioma. Busca una manera divertida de practicar cada día.

✱ **Actúa como un niño**

Para aprender una lengua hay que actuar como un niño: dejar la conciencia de uno mismo por un momento, tratar de jugar en la nueva lengua y no tener miedo de cometer errores. Aprendemos a base de equivocarnos. Todos entendemos los errores de los niños cuando aprenden, pero cuando somos adultos, los errores se convierten en un tipo de tabú. Cuando aprendes un idioma, admitir y aceptar que no lo sabes todo es la llave para alcanzar crecimiento y libertad. Hay que eliminar las barreras de adulto

Adaptado de https://es.babbel.com/es/magazine/10-consejos-para-aprender-idiomas

b ¿Te gustan estos trucos? ¿Los has usado para aprender algún idioma?
Comenta con tus compañeros los trucos que usáis para aprender español.

■ *Yo tengo una compañera colombiana en el gimnasio y siempre hablo con ella en español. A veces tomamos un café juntas…*

● *Pues yo tengo un amigo en Buenos Aires y a veces hablamos por Skype. Esta semana ha venido su hermana de vacaciones y también he practicado con ella…*

CON LAS MANOS EN LA MASA

En esta unidad vamos a aprender:

- A hablar sobre comidas y formas de cocinar.

- A comprender y escribir recetas de cocina.

- A intercambiar información sobre nuestra experiencia, hábitos y habilidades en la cocina.

1 Cuando vienen mis hijos a comer, les preparo platos tradicionales de toda la vida, "platos de cuchara", de legumbres, de carne… Son platos que les gustan mucho, pero que ellos no tienen tiempo para prepararlos: un buen cocido, por ejemplo. ¡Tiene mucho alimento! ¡Es un plato muy completo!

2 Cuando tenemos invitados, yo preparo el asado, y ¡está muy bueno! El secreto es elegir bien la carne y tener una buena parrilla para hacerlo. Y de postre siempre hago una macedonia de frutas, es un postre fresco y ligero.

3 Cuando invitamos a amigos a comer a casa, nos gusta preparar diferentes platos fríos para picar: guacamole, ceviche, tortilla de patatas… Y para beber, sobre todo en verano, hacemos sangría.

1 ¿HAS PROBADO EL CEVICHE?

a Lee los textos de la página anterior y escribe el nombre de los siguientes platos.

1 ....

2 ....

3 ....

4 ....

5 ....

6 ....

b ¿Cómo crees que son estos platos? Coméntalo con tu compañero.

Es un plato...

frío ≠ caliente

salado ≠ dulce

ligero ≠ pesado

difícil de hacer ≠ fácil de hacer

Es un plato de...				También lleva...		
legumbres	pescado	pollo		fruta	queso	vinagre
carne	arroz	fruta		pan	patatas	limón
verdura	pasta	sopa		huevos	pimienta	mantequilla

c ¿Qué haces tú cuando tienes invitados en casa?

Yo normalmente preparo primero unas tapas y...

2 LA FIESTA DE MARIO

a 🔊 Vas a conocer a un nuevo personaje de la Agencia ELE, Mario. Escucha su presentación y lo que pasó en la fiesta sorpresa que le prepararon sus compañeros.

b Completa el programa de la Feria.

FERIA INTERCULTURAL HISPANOAMERICANA

HOY: *nuestra cocina tradicional*

- Secretos del ceviche (Casa de Perú)
- Taller: Cómo preparar .... a feira (Casa de Galicia)
- Concurso de .... (Sala Central)
- Tapas y pinchos: nachos y .... (Casa de México)
- Los .... : un mar de posibilidades (Casa de Andalucía)

3 ¿SABES COCINAR?

a Lee otra vez el cómic y relaciona las frases con los personajes de la Agencia ELE.

HABILIDADES

1 No sabe cocinar. ☐
2 Cocina bastante bien. ☐
3 Sabe limpiar el pescado. ☐
4 Sabe hacer tortilla de patatas. ☐
5 Sabe hacer guacamole. ☐

HÁBITOS

6 Siempre cocina en casa. ☐
7 Prepara el guacamole sin picante. ☐
8 Cocina en las grandes ocasiones. ☐

a Sergio

b Luis

c Paloma

d Iñaki

e Rocío

b ¿Y tú? ¿Sabes cocinar? Pregunta a tu compañero sus habilidades y hábitos en la cocina.

■ *¿Tú sabes cocinar?*
● *Sí, un poco…*

■ *¿Qué sabes hacer?*
● *Pues sé hacer pasta y arroz.*

4 ¡TIENES QUE PROBARLO TODO!

a ¿A qué platos del cómic se refieren estas frases? Relaciona y comenta con tu compañero.

1 Mario no quiere probarlos. ☐
2 Lo ha traído Sergio. ☐
3 La ha hecho Luis. ☐
4 Lo preparan muy picante. ☐
5 Rocío los tiene que comprar ya limpios. ☐
6 Mario lo quiere probar y Paloma no. ☐
7 Lo ha preparado Carmen. ☐
8 Mario las tiene que probar todas. ☐

a Tortilla de patatas

b Pulpo a feira

c Boquerones en vinagre

d Guacamole con nachos

b Subraya en las frases anteriores los pronombres *lo, la, los, las* (objeto directo). Después, completa el esquema.

	Pronombres de objeto directo	
	singular	plural
masculino		
femenino		

5 LA RECETA DE IÑAKI

a ¿Sabes qué plato puedes preparar con estos ingredientes?

INGREDIENTES

* sal
* pimienta
* aceite
* un tomate
* media cebolla
* chile serrano
* cilantro
* aguacate
* limón

b 🔊 Iñaki le explica a Rocío su receta. Rocío ha tomado notas, pero están desordenadas. Escucha la conversación y ordena las notas de Rocío.

a **Mezclarlo** todo y añadir el aceite, la sal y la pimienta. ☐
b Cortar el cilantro, el chile y la cebolla en trozos muy pequeños. ☐
c Cortar el aguacate en cuadraditos y **mezclarlo** con el zumo de limón. ☐
d **Decorarlo** con trocitos de tomate. ☐
e Exprimir un limón. ☐

c 🔊 Escucha de nuevo las explicaciones de Iñaki y, después, completa con los verbos y los pronombres que utiliza Iñaki.

Colocación del pronombre de objeto directo
1 Lo ha traído Sergio → pronombre + verbo
2 Decorarlo con trocitos de tomate → infinitivo + pronombre (una sola palabra)
3 Mario lo quiere probar ↔ Mario quiere probarlo

1
Primero .... la cebolla, el cilantro y el chile muy fino.

2
Después, ... un limón y .... el aguacate en cuadraditos y .... en un plato con el jugo del limón.

3
Por último, ... todo y .... el aceite, la sal y la pimienta, a tu gusto. Si quieres, puedes .... con trocitos de tomate.

6 ¡A LA SARTÉN!

a Mira los platos de las imágenes. ¿En qué recipiente o utensilio se cocinan?

1 Pollo asado · 2 Patatas fritas · 3 Carne · 4 Huevos cocidos

a Plancha · b Horno · c Sartén con aceite · d Olla con agua

b ¿Cómo se pueden cocinar estos alimentos? Escribe las combinaciones posibles entre los elementos de las dos columnas y compáralas con las de tu compañero. ¿Has descubierto alguna nueva e interesante?

1 Patatas
2 Carne
3 Verduras
4 Pescado
5 Fruta
6 Pan
7 Huevos
8 Queso

a asado/-a/os/-as
b frito/-a/-os/-as
c cocido/-a/-os/-as
d crudo/-a/-os/-as
e a la plancha

verbo	adjetivo
freír	frito/-a/-os/-as
asar	asado/-a/-os/-as
cocer	cocido/-a/-os/-as

■ *La fruta frita no es normal, ¿no?*
● *Sí, en mi país es normal comer plátano frito, por ejemplo.*

7 BERENJENAS REBOZADAS

a Observa las imágenes y completa con las cantidades adecuadas.

1/2 litro de	tres	una cucharada de	250 gramos de	dos

_____ berenjenas

_____ huevos

_____ sal

_____ harina

_____ aceite

b Observa las imágenes y, después, completa la receta de las berenjenas rebozadas.

Batir · Cortar · Freír · Lavar

Berenjenas rebozadas

1 .... las berenjenas.
2 .... en rodajas.
3 .... los huevos.
4 Pasar las berenjenas por la harina y los huevos.
5 .... en aceite muy caliente.
6 Servir las berenjenas.

8 NUESTRO LIBRO DE RECETAS

Entre todos, vais a elaborar un libro de recetas.

a En grupos, comentad cómo preparáis o coméis los siguientes alimentos y decid también por qué.

cereales

carne y pollo

huevos

lácteos y quesos

frutas

verduras

jamón y embutidos

pescado y marisco

legumbres

pasta

frutos secos

b Según las respuestas, podéis formar los grupos, por ejemplo:

- Comida creativa
- Comida tradicional
- Comida de supervivencia
- Comida para fiestas
- Comida de...

c Cada grupo selecciona dos platos para incluir en el libro de recetas.

d Escribid la receta. En cada receta hay que incluir el nombre, los ingredientes y la preparación. También podéis incluir una imagen.

PULPO A FEIRA

Ingredientes:
- 500 g de pulpo
- 4 patatas medianas
- 4 cucharadas de aceite de oliva
- Sal gorda
- Un poco de pimentón dulce

Preparación
- Cocer las patatas enteras y después cortarlas.
- Cocer el pulpo en agua hirviendo. Cortarlo.
- Colocar las patatas y el pulpo en un plato.
- Añadir sal gorda, aceite de oliva y pimentón.

e Tenéis que juntar todas las recetas para formar el libro de la clase. ¿Probáis los platos? ¡Que aproveche!

f ¿Qué receta te gusta más? ¿Qué receta vas a hacer en casa?

9 Y DE POSTRE...

a ¿Conoces estos alimentos y bebidas? ¿Sabes en qué país se toman habitualmente, en Cuba o en Argentina? Coméntalo con tu compañero.

■ *El alfajor es argentino.*
● *No lo conozco. ¿Es dulce o salado?*
■ *Es muy dulce.*

mate

alfajor

frijoles

dulce de leche

ron

mermelada de guayaba

arroz

b 🔊 Para comprobar tus respuestas, escucha un programa de radio en el que dos personas hablan de estos alimentos y bebidas. Compara la información que dan con tus respuestas anteriores.

c 🔊 Vuelve a escuchar y responde a este cuestionario. Comenta tus respuestas con tu compañero.

	ARGENTINA	CUBA
1 ¿Cuál es su comida principal: desayuno, comida o cena?		
2 ¿A qué hora comen normalmente?		
3 ¿Qué alimentos o bebidas siempre están en su mesa?		
4 ¿Cuántos platos hay en la comida?		
5 ¿Qué toman normalmente de postre?		
6 ¿Tienen algún plato especial para alguna fiesta?		
7 ¿Qué toman en Navidad?		

d Y en tu país, ¿cómo son los hábitos en la comida? Habla con tus compañeros.

■ *En mi país, el desayuno es una comida muy importante. La comida es de once a una. Normalmente, es una comida ligera. Cenamos a las cinco.*
● *Pues en mi país, Alemania, uno de los postres típicos de Navidad es el "stollen".*
■ *¿Y qué es?*
● *Un pan dulce con muchas frutas.*

10 ¿DÓNDE COMEMOS?

a ¿Qué información necesitamos para seleccionar un restaurante? Coméntalo con tu compañero.

b A partir de las siguientes opciones, crea con tu compañero dos situaciones concretas. Elige un elemento de cada recuadro.

La persona quiere...
- Una comida
- Una cena

Para ir con...
- Su pareja
- Unos amigos
- Un cliente
- Sus hijos pequeños
- La familia

Quiere comida...
- Tradicional
- Exótica
- Moderna
- Internacional

Tiene un presupuesto...
- Alto
- Medio
- Bajo

Quiere un ambiente...
- Divertido
- Formal
- Informal
- Exclusivo
- Familiar
- Tranquilo
- Romántico

Necesidades especiales
- Una persona no come carne.
- Una persona no bebe alcohol.
- Una persona tiene alergia al marisco.

Pensamos en una cena con la familia, de comida...

c Ahora lee estos anuncios de restaurantes. Primero, piensa en la primera situación y subraya en los textos la información relevante para esa situación y decide qué restaurante sería la mejor opción. Después, compara con tu compañero: ¿habéis subrayado lo mismo?, ¿habéis elegido el mismo restaurante? Después, repetid los mismos pasos para la segunda situación.

CASA CAROLA

Cocido tradicional madrileño de tres platos o vuelcos: sopa, garbanzos con verduras y carne. Incluye aperitivo, pan, postre y café. En un menú con precio cerrado de 30 euros. Menú infantil de 15 euros. El cocido no se ofrece del 15 de junio al 15 de septiembre.

RESTAURANTE DOLI

Cocina india tradicional con un servicio amable y atento. Verduras, legumbres, especias y carnes se funden en una carta sorprendente. Ideal para cenas en pareja, reuniones de grupos de amigos y familias. Abierto todos los días de 20 h a 24 h. Ambiente informal. 30-35 euros.

ZALACAÍN

Uno de los más prestigiosos restaurantes de la ciudad. En la carta realizada con productos de temporada puede encontrar sus famosas patatas soufflé que sirven con cualquier carne: solomillo, steak tartar o entrecot. Menú degustación: 102 euros. Se exige chaqueta y corbata para los hombres. Salones privados. Abre todos los días.

GRANERO DE LAVAPIÉS

Uno de los primeros vegetarianos de Madrid. Carta basada en productos frescos. El menú incluye legumbres, arroz integral o ensalada de zanahoria. De lunes a jueves solo abre a mediodía. Viernes y sábado también cenas. 20-25 euros.

NAPOLITANA

Además de la gran variedad de pizzas, ofrecemos ensaladas, pan de ajo y ricos postres, como el tiramisú o la panacota. Menús de familia, la opción más económica para una comida familiar. Mire en nuestra página web las ofertas de la semana. Cerrado los lunes. Pedidos a domicilio.

LA PANZA ES PRIMERO

Restaurante mexicano donde puedes tomar los mejores nachos de Madrid. También deliciosas enchiladas, tacos y mucho más. Todo eso con la mejor selección de cervezas mexicanas y cócteles de tequila. Con un ambiente informal y alegre para pasar un rato agradable. Abre todos los días de 2 de la tarde a 12 de la noche. 25-30 euros.

YOSHI

Comida tradicional japonesa en el centro de la ciudad. Dispone de una amplia y variada carta donde puede encontrar sushi, maki, sashimi, elaborados en el momento. También platos calientes. Disfrute de las cenas en su terraza con vistas. Ambiente relajado y cómodo. Ideal para parejas. Abre todos los días para comidas y cenas. 30-35 euros.

d Lee los consejos del recuadro y piensa si has hecho alguna de estas cosas al leer los textos sobre los restaurantes.

CUANDO LEEMOS PARA BUSCAR UNA INFORMACIÓN DETALLADA:

* Piensa antes en la información que necesitas o que quieres buscar.
* Busca en el texto la respuesta a esas preguntas.
* No hace falta entender todas las palabras.
* Si no encuentras la información, busca palabras parecidas o haz asociaciones, por ejemplo, algunos platos con el tipo de restaurante: sushi/japonés, hamburguesa/americano, paella/español, etc.

¡MÚSICA, MAESTRO!

En esta unidad vamos a aprender:

- A intercambiar información sobre gustos, preferencias e intereses relativos a la música.

- A expresar planes e intenciones en relación con actividades musicales.

- A proponer, rechazar y aceptar invitaciones.

- A seleccionar información sobre espectáculos y comprar una entrada.

1 ¡EMPIEZA EL ESPECTÁCULO!

a Relaciona las fotografías con los textos. ¿Qué tipo de espectáculo es cada uno? Coméntalo con tu compañero.

A ☐
Este verano vamos a ir al Festival de Benicasim. A nosotras no nos gusta mucho la música electrónica, pero dicen que es muy divertido. Vamos a estar allí tres días ¡y vamos a dormir en tiendas de campaña!

B ☐
Este fin de semana vamos a ir con los niños a ver *El Rey León*. Yo ya lo he visto y, la verdad, me encantó; sobre todo los decorados, la puesta en escena. ¡Es impresionante!

C ☐
El fin de semana pasado fui con mis padres a ver un espectáculo de danza... No me gustó nada, ¡qué aburrido! La música era muy rara...

D ☐
A mí me encanta la ópera, sobre todo, la italiana, pero nunca la he visto en el teatro. El mes que viene es nuestro aniversario de boda y vamos a ir a ver *La Traviata* al Liceo de Barcelona.

b ¿Has ido alguna vez a un espectáculo parecido? ¿Qué espectáculos te gustan más? ¿Cuál es el último al que has ido? Coméntalo con tus compañeros.

■ *Este verano he ido a un concierto de jazz. Fue fantástico.*
● *Yo nunca he ido a un concierto de jazz. Me gusta más la música latina. El último concierto que he visto ha sido el de Juanes. Me gustó muchísimo.*

Estilos de música	
jazz	rap
flamenco	*rock*
pop	música latina
música clásica	*country*
reggae	*blues*

2 TODO MÚSICA

a 🔊 Escucha a una chica que habla de sus hábitos cuando escucha música y señala si la información es verdadera o falsa.

	V	F
1 Escucha música siempre.		
2 Escucha música por internet, pero le parece muy cara.		
3 Suele usar el móvil para escuchar música por la calle.		
4 Cuando está en el trabajo, oye la radio por internet.		

b ¿Y tú, cómo escuchas música? Coméntalo con tu compañero.

Yo siempre escucho música con el móvil.

c ¿Qué tipo de música te gusta? Busca compañeros con gustos musicales similares. Piensa en música y canciones para las actividades del cuadro.

● Para bailar	● Para conducir	● Para cocinar
● Para estudiar	● Para relajarte	● Para cantar

■ *¿Qué tipo de música te gusta para bailar?*
● *A mí me gusta la música latina para bailar.*
■ *A mí también. Pero para conducir prefiero la música clásica.*
● *Yo no, me duermo, prefiero el rock.*

Para preguntar por gustos:
gustar/interesar:
¿Qué tipo de música te gusta/ te interesa?

Para preguntar por preferencias:
preferir/gustar más/interesar más:
¿Qué tipo de música prefieres para bailar? ¿Qué tipo de música te gusta más / te interesa más?

AGENCIA
ELE

3 ¿CARMEN O SHAKIRA?

a 🔊68 En la Agencia ELE van a hacer varios reportajes sobre espectáculos musicales. Este sábado hay dos conciertos muy interesantes. Lee y escucha.

b ¿Cuál es la entrada de Luis?

4 SOBRE GUSTOS NO HAY NADA ESCRITO

a Los personajes de la Agencia ELE tienen gustos musicales diferentes.
Lee de nuevo el cómic y contesta a estas preguntas.

1 ¿A quién le gusta más el flamenco? ....
2 ¿Cuál es la cantante favorita de Mario? ....
3 ¿A quién le gusta menos? ....
4 ¿Quién prefiere la música moderna? ....
5 ¿Quién prefiere la música clásica? ....

b Escribe las expresiones del cuadro en el lugar que les corresponde en
la línea.

● no gustar nada	● gustar un poco	● gustar mucho
● encantar	● odiar	● gustar bastante

+ .... –

.... odiar

5 PLAN DE TRABAJO PARA LA SEMANA QUE VIENE

a Aquí tienes el plan de trabajo de la Agencia ELE para la próxima semana.
Decide con tu compañero qué personas de la Agencia ELE van a hacer
cada una de las tareas.

Editar el vídeo del festival Rock in Río

Entrevista a Carmen Debisé

Buscar información sobre flamenco fusión

Buscar información sobre Shakira

Seleccionar las fotos para los reportajes

> **ir + a + infinitivo**
>
> Utilizamos el presente del verbo
> *ir + a + infinitivo* para expresar
> planes e intenciones.
> *Rocío y Paloma van a ir mañana
> al concierto de Shakira.*

■ *Yo creo que Mario va a entrevistar a Carmen
Debisé, ¿no?*
● *Sí, creo que sí, porque es su cantante favorita.*

b ¿Cuáles son tus planes para la semana que viene? ¿Y para
el mes que viene? Mira las actividades del cuadro y comenta
con tu compañero.

● trabajar	● hacer la compra	● ir a una fiesta
● estudiar español	● comprar un regalo	● limpiar la casa
● cortarse el pelo	● ir de compras	● ir de viaje

> La semana que viene
>   = la próxima semana
> El mes que viene
>   = el próximo mes
> El curso que viene
>   = el próximo curso

■ *La semana que viene voy a comprar un regalo para mi madre,
porque es su cumpleaños.*
● *¿Y qué le vas a comprar?*
■ *No sé, un pañuelo o algo así.*

6 ¿POR QUÉ NO...?

a 🔊 La semana que viene es el cumpleaños de Luis. Escucha el diálogo y señala qué deciden regalarle. ¿Quién va a comprar el regalo?

b Completa con las expresiones del cuadro.

—¿Por qué no...?	—Lo siento mucho, no puedo porque...
—Vale, de acuerdo.	—Sí, muy bien, pero más tarde.
—¿Qué tal si...?	—Gracias, pero no puedo, porque...

Para proponer

Para aceptar

Para rechazar

Cuando rechazamos una propuesta generalmente damos una razón:

- ■ *¿Vienes a desayunar con nosotras?*
- ● *No, muchas gracias, ya he desayunado.*

También es frecuente disculparse:

- ■ *¿Qué tal si vamos al cine esta tarde?*
- ● *Lo siento, esta tarde no puedo.*

7 QUERÍA DOS ENTRADAS

a Sergio va a comprar un regalo para Luis. Relaciona las preguntas que le hacen en la taquilla con las respuestas de Sergio.

1 Buenos días, ¿qué desea?
2 ¿Para qué día?
3 ¿Cerca del escenario?
4 ¿Prefiere la fila 20 en el centro o la fila 8 a la derecha?
5 Muy bien, fila 20, asientos 2 y 4. ¿Le parece bien?
6 Son 50 euros cada entrada. 100 en total.
7 A usted.

a Mejor en la fila 20. ☐
b Aquí tiene, gracias. ☐
c Adiós. ☐
d Quería dos entradas para *Carmen* de Bizet. ☐
e Sí, si es posible. ☐
f Para el sábado que viene. ☐
g De acuerdo. ¿Cuánto es? ☐

b 🔊 Escucha el diálogo de Sergio en la taquilla y comprueba tus respuestas.

c Imagina que quieres comprar una entrada para un espectáculo. Elige uno. En parejas, uno es el taquillero y el otro el cliente. Practicad siguiendo el modelo del diálogo anterior.

Musical: ①
EL REY LEÓN

Fecha:
el domingo por la tarde
Número de entradas: 4
Situación:
cerca del escenario

Concierto: ②
RICKY MARTIN

Fecha:
el sábado por la noche
Número de entradas: 2
Situación:
en el centro de la sala

8 UNA CITA ESPECIAL

a 🔊 Luis invita a Paloma a ir con él a la ópera. Escucha y completa con la información principal.

1 La ópera es el ....
2 Quedan en .... a las ....

> El verbo **QUEDAR** se utiliza para acordar y concretar los datos de una cita: qué día, a qué hora, dónde, con quién, etc.
> ■ *Muy bien, quedamos el lunes. ¿Dónde quedamos?*
> ● *Esta tarde he quedado con Antonio.*

b Escribe ahora las frases en el lugar correcto.

—¿Quedamos a las 8:45 en la puerta del teatro? —¿por qué no quedamos en la oficina y vamos juntos?
—¿Y a qué hora quedamos entonces? —Vale, quedamos en la oficina.
—Bueno, vale, de acuerdo... —¿por qué no vienes conmigo?
—¿qué tal a las 8:00?

INVITAR	Paloma: ¿Qué tal, Luis? ¿Te ha gustado el regalo?
	Luis: Pues mucho, la verdad, muchas gracias. Oye, Paloma, [1]...............................
ACEPTAR	Paloma: ¿Yo? No sé, nunca he ido a la ópera...
	Luis: Te va a encantar, en serio...
	Paloma: [2]...............................
PROPONER EL LUGAR Y LA HORA DE LA CITA	Luis: ¡Qué bien! A ver... es el sábado a las 9:00, [3]...............................
PROPONER OTRO SITIO	Paloma: Perdona, pero yo no sé ir al teatro, [4]...............................
ACEPTAR	Luis: [5]...............................
PREGUNTAR HORA	Paloma: [6]...............................
PROPONER HORA	Luis: Pues..., [7]...............................
	Paloma: Por mí, bien; no quiero llegar tarde a mi primera noche en la ópera.

c 🔊 Escucha de nuevo y comprueba tus respuestas.

9 ¿CUÁL ES VUESTRO PLAN?

En grupos, vais a elaborar un plan para el próximo sábado. Tiene que ser un plan muy interesante para vuestros compañeros, porque vais a invitarlos a todos.

a Tenéis que seguir los siguientes pasos:

PRIMER PASO: ELEGIR UN ESPECTÁCULO MUSICAL

Podéis buscar en la cartelera de vuestra ciudad o podéis elegir uno de los siguientes espectáculos. Tenéis que recordar los gustos y preferencias de vuestros compañeros.

DOMINGO 12:00 h
Sala Sirocco
Danza
DANZAS DEL MUNDO

SÁBADO 18:00 h
Teatro Real
Música clásica
EL BARBERO DE SEVILLA

SÁBADO 21:00 h
Palacio de los deportes
Artistas internacionales
ENRIQUE IGLESIAS

SÁBADO 12:00 h
Teatro Alcalá
Familiar
SUPERCALIFRAGILÍSTICO. EL MUSICAL

DOMINGO 18:00 h
Auditorio municipal
Flamenco
SARA BARAS

DOMINGO 21:00 h
Plaza de toros de Las Ventas
Concierto Rock
MANÁ

SEGUNDO PASO: HACER UN PLAN COMPLETO

¿Dónde vais a quedar? ¿A qué hora? ¿Qué vais a hacer después?

TERCER PASO: HACER UNA INVITACIÓN

Tenéis que hacer una invitación para vuestros compañeros con todos los detalles de vuestra propuesta. Puede ser un gran cartel para colgarlo en el aula.

b Tenéis que elegir la propuesta más interesante y explicar por qué.
¡Ya tenemos un plan!

* ¿Vienes con nosotros al concierto de Juanes?

* Te esperamos a las siete en la plaza Mayor (junto a la estatua).

* Después, vamos a ir a bailar salsa a la discoteca Chiquitita.

10 UNO, DOS, TRES… A BAILAR

a Lee estos textos sobre música y bailes españoles e hispanoamericanos y relaciónalos con los títulos y estrofas de canciones. No es necesario que entiendas todas las palabras.

❶ LA SALSA

La cantante cubana Celia Cruz dijo: "La salsa es música cubana con otro nombre, es son, cha-cha-cha, mambo… todos los ritmos cubanos bajo un solo nombre".
Es un ritmo alegre y caliente que habla de amores.

❷ LA RUMBA

Es un tipo de cante alegre, con un toque flamenco. Los instrumentos principales para tocar la rumba flamenca son las palmas, el cajón, la guitarra y las castañuelas.

❹ EL PASODOBLE

Es una música y un baile españoles. Está presente en muchas fiestas populares y forma parte de la tradición de todas las regiones de España.

❸ EL TANGO

Es un género musical y un baile característico de las ciudades de Buenos Aires y Montevideo. Siempre se baila en pareja y es un baile muy sensual y complicado.

❺ LA RANCHERA

Es un género popular de la música mexicana. Sus letras hablan sobre historias relacionadas con la Revolución mexicana, la vida campesina, los caballos, la familia, los bares y las tragedias amorosas.

a *Azúcar negra* ☐
Y había una isla rica
esclava de una sonrisa,
soy de ayer, soy carnaval,
pongo corazón y tierra,
mi sangre es de azúcar negra,
es amor y es música.
Azúcar, azúcar negra,
ay cuánto me gusta y me alegra.

b *Suspiros de España* ☐
Quiso Dios, con su poder
fundir cuatro rayitos de sol
y hacer con ellos una mujer.
Y al cumplir su voluntad
en un jardín de España nací
como la flor en el rosal.

c *Verde que te quiero verde* ☐
Verde que te quiero verde
verde viento, verde ramas.
El barco sobre la mar
y el caballo en la montaña.
Verde, que yo te quiero verde, sí, sí
yo te quiero verde.

d *Mi Buenos Aires querido* ☐
Mi Buenos Aires querido,
cuando yo te vuelva a ver
no habrá más pena ni olvido.
El farolito de la calle en que nací
fue el centinela de mis promesas de amor,
bajo su inquieta lucecita yo la vi
a mi pebeta luminosa como un sol.

e *¡Ay, Jalisco no te rajes!* ☐
Ay Jalisco, Jalisco, Jalisco,
tú tienes tu novia que es Guadalajara,
muchacha bonita, la perla más rara
de todo Jalisco es mi Guadalajara.
A mí me gusta escuchar los mariachis,
cantar con el alma sus lindas canciones,
oír como suenan esos guitarrones
y echarme un tequila con los valentones.

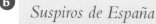

b 🔊 Escucha este programa de radio y comprueba tus respuestas.

c Busca estas canciones y otras de estos estilos en internet. ¿Cuáles te gustan más? Coméntalo con tus compañeros.

d ¿Y en tu país, cómo es? Habla con tu compañero.

1 ¿Qué tipo de música es la más popular?
2 ¿De qué temas tratan las letras?
3 ¿Cuál es el baile típico?
4 ¿Cuál es la canción más famosa?
5 ¿Qué cantantes famosos hay?

■ *La música más conocida de Portugal es el fado. Normalmente, lo canta una sola persona con un guitarrista. Los temas de las canciones son un poco tristes. Amália Rodrigues es una de las cantantes más conocidas.*
● *¿Se puede bailar?*
■ *No, normalmente no se baila.*

11 CINCO PASOS PARA APRENDER ESPAÑOL CON CANCIONES

Te proponemos cinco pasos para aprender español con canciones.
¿Estás de acuerdo con el orden? ¿Hay algún paso que no te gusta?
¿Se te ocurre alguna otra forma de aprender español con canciones?

Aprender español con canciones

1 Tienes que seleccionar las canciones que te gustan, porque las debes escuchar muchas veces.
Si no conoces canciones en español, pregunta a tus profesores y compañeros. Es muy importante escuchar las canciones varias veces.

2 Intenta cantar sin leer las letras. En este momento no tienes que entender lo que escuchas; se trata de imitar los sonidos que oyes.

3 Busca las letras en la web. Hay muchas páginas en internet con las letras de las canciones, como www.musica.com o www.letras.com. También puedes, simplemente, escribir el título o una frase de la canción en Google y puedes encontrar la letra completa.

4 Escucha la canción y lee la letra. Es el momento de fijarse en las palabras que no conoces y tratar de comprender la canción.

5 Practica con karaoke. Es la forma perfecta de repetir una y otra vez una canción para memorizarla. Para ello te recomendamos la página es.lyricstraining.com: tiene canciones seleccionadas por nivel de aprendizaje y contiene varios ejercicios de comprensión, escritura, lectura y pronunciación. También puedes buscar tus canciones favoritas en YouTube con subtítulos.

¡QUÉ SEMANA!

15

En esta unidad vamos a aprender:

- A hablar sobre nuestra agenda semanal.

- A intercambiar información sobre acciones realizadas.

- A intercambiar información sobre acciones futuras: obligaciones y planes.

- A hablar de noticias y reaccionar ante ellas.

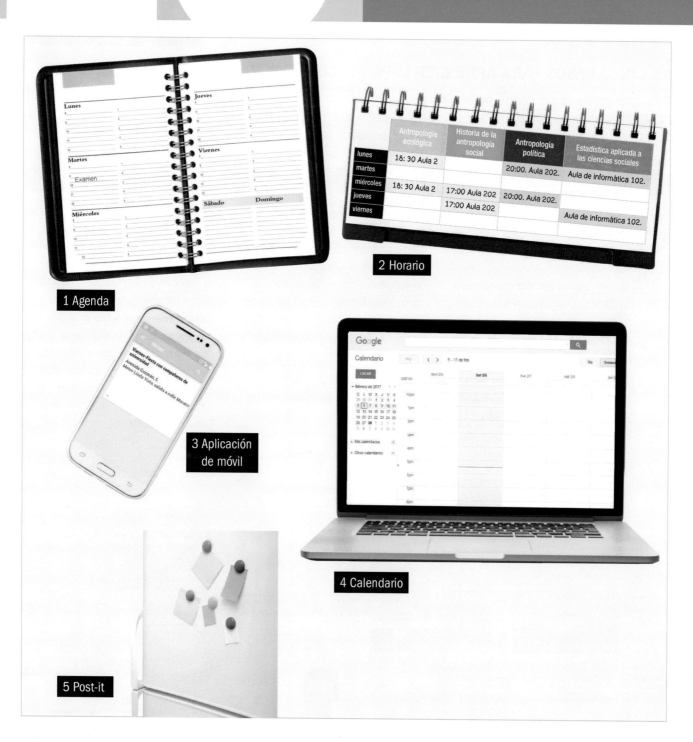

1 Agenda

2 Horario

3 Aplicación de móvil

4 Calendario

5 Post-it

1 TENGO UNA CITA

a 🔊 Estas dos personas hablan de los sistemas que usan para organizar su tiempo y sus tareas. Mira las imágenes anteriores y escucha, ¿qué sistemas utiliza cada persona?

Julia

Sebastián

Julia ....   Sebastián ....

b Escucha otra vez y marca a quién corresponden las siguientes afirmaciones:

	Julia	Sebastián
1 El viernes tengo una fiesta.		
2 Pasado mañana tengo una cita con un cliente.		
3 El sábado no tengo partido.		
4 La semana que viene tengo un examen.		
5 Mañana tengo una reunión a las diez.		
6 El día 14 tengo que acompañar a mi madre al dentista.		

c ¿Tú usas algún sistema para planificar tu semana? ¿Qué tienes en la agenda para los próximos días? Coméntalo con tus compañeros.

■ *Yo no uso agendas, pero a veces me pongo notas de aviso en el móvil.*

● *¿Y qué planes tienes para esta semana?*

■ *El jueves tengo una cena con el equipo de baloncesto y el viernes tengo que ir a buscar a mi novia a la estación.*

Hablar de actividades previstas

Tengo
- una cita.
- un compromiso.
- una cena.
- una fiesta.
- una reunión.
- un examen.
- una boda.
- un viaje.
- clase.

Tengo que
- llevar a mi hijo al colegio.
- llevar a un cliente al aeropuerto.
- acompañar a mi madre al médico.
- ir a buscar a mi hermana a la estación.
- ir a buscar a los niños al colegio.

2 LA AGENDA DE MARIO

Es viernes y en la Agencia ELE hay mucho trabajo para preparar la edición semanal del domingo. Mario, que está especialmente ocupado, no tiene un buen día. Lee y escucha.

3 ¿QUÉ PLANES TIENES?

a Es jueves por la noche y Mario está muy cansado. Antes de dormir recuerda lo que tiene que hacer, pero se confunde en algunas cosas. Con tu compañero, lee los pensamientos de Mario, compara con la agenda del cómic e identifica los errores.

- Mañana no tengo que trabajar.
- Pasado mañana voy a ir a Sevilla.
- Mañana voy a hacer unas entrevistas con Miquel.
- La semana que viene tengo que pagar el alquiler.
- Dentro de dos días voy a ir al Museo del Prado.
- Dentro de tres días tengo una boda.
- Pasado mañana vienen unos amigos argentinos.

b Imagina que hoy es martes. Con tu compañero, ordena las siguientes expresiones de tiempo, la más cercana al presente con el número 1 y la más lejana en el futuro con el número 8.

a pasado mañana ☐		e dentro de una semana ☐
b el mes que viene ☐		f el año que viene ☐
c dentro de un mes ☐		g el lunes que viene ☐
d mañana ☐		h dentro de cinco días ☐

c ¿Tienes planes u obligaciones para los momentos de la lista anterior? Compáralos con los de tus compañeros.

4 ¿YA O TODAVÍA NO?

a ¿Qué ha hecho Mario hoy a las 16.30? Lee de nuevo el cómic y, con tu compañero, completa la tabla con las acciones de la lista, siguiendo los ejemplos.

A las 16.30...		
1 Ir a buscar a sus amigos al aeropuerto.	✓	*Ya* ha ido a buscar a sus amigos al aeropuerto.
2 Comprar los billetes para Sevilla.	✗	*Todavía no* ha comprado los billetes para Sevilla.
3 Reservar las entradas para el museo.	☐	
4 Reservar la mesa en el restaurante.	☐	
5 Trabajar con Sergio.	☐	
6 Hacer las entrevistas con Miquel.	☐	
7 Poner la denuncia en la comisaría.	☐	
8 Pagar el alquiler.	☐	
9 Comprar la camisa para la boda.	☐	

b Observa los ejemplos anteriores y relaciona.

> **Hablar de acciones previstas para un momento o dentro de un plazo**
>
> 1 **¿Ya** has comprado los billetes para Sevilla?
> 2 **Ya** ha ido a buscar a sus amigos al aeropuerto.
> 3 **Todavía no** ha comprado los billetes para Sevilla.
>
> a Indica que la acción prevista no está realizada.
> b Pregunta si la acción prevista está realizada.
> c Indica que la acción prevista está realizada.

c ¿Qué has aprendido ya en español? ¿Qué has estudiado ya? Coméntalo con tu compañero y escribe tus conclusiones.

Ya hemos aprendido	Todavía no hemos aprendido

5 ACCIÓN Y REACCIÓN

a ¿Cómo reaccionan los personajes de la Agencia ELE ante estos hechos? Mira el cómic de nuevo y relaciona.

> 1 Mario tiene que levantarse a las cuatro de la mañana.
> 2 Han llegado unos amigos de Mario de Argentina.
> 3 Mario tiene demasiadas cosas que hacer: trabajar, organizar la visita de sus amigos, comprar billetes de tren, etc.
> 4 Mario ha tenido que esperar más de dos horas en la comisaría.
> 5 A Mario le han robado la cartera y no tiene móvil, tarjetas, pasaporte...
>
> a ¡Qué rollo!
> b ¡Qué problema!
> c ¡Qué estrés!
> d ¡Qué horror!
> e ¡Qué bien!

b ¿Buenas o malas noticias? Clasifica las formas de reaccionar en la tabla.

     ¡Qué rollo!

c ¿En qué parte de la tabla anterior colocas las siguientes expresiones que también sirven para reaccionar?

¡Qué interesante!   ¡Qué divertido!   ¡Qué suerte!

d ¿Cómo reaccionas tú si alguien te cuenta las siguientes cosas? Haz esta actividad con tu compañero.

1 Yo esta semana he trabajado todos los días hasta las diez de la noche.

2 Yo la semana que viene tengo que ir al dentista.

3 Tengo un virus en mi ordenador y no puedo abrir mis archivos.

4 Mañana voy a un concierto de Lady Gaga.

5 La semana pasada tuve tres fiestas, dos citas amorosas y una visita de mis padres.

6 La próxima semana empiezo un trabajo nuevo.

6 TITULARES

a En la Agencia ELE están trabajando en las noticias de la semana para su edición dominical. Estos son los titulares. Lee otra vez el cómic y señala quién está trabajando en cada noticia.

1 **La crisis financiera mundial <u>marca</u> la Cumbre Iberoamericana de principio a fin.**

2 La operación salida de agosto <u>se inicia</u> con 4,6 millones de desplazamientos.

3 Ola de calor: las altas temperaturas <u>ponen</u> en alerta a nueve provincias.

4 Un imitador de Michael Jackson <u>gana</u> el festival de Eurovisión.

b Lee los siguientes subtítulos de las noticias anteriores. ¿Qué información corresponde a cada titular?

	Titular
a Un cantante sorprende con una imitación fabulosa del rey del pop.	☐
b En Córdoba y Sevilla pueden llegar a los 45 grados.	☐
c La cumbre se cierra con la voluntad de involucrar a la juventud en el desarrollo.	☐
d Más de 9300 guardias civiles van a vigilar las carreteras durante todo el mes.	☐

c Observa otra vez los titulares de arriba: ¿en qué tiempo está el verbo subrayado en cada uno? ¿Se puede sustituir por otra forma equivalente? Piensa con tu compañero y elegid la opción más adecuada para cada titular.

Los titulares de periódico

Muchas veces el verbo del titular está en presente, pero se refiere a hechos pasados o futuros.

1 marca	2 se inicia	3 ponen	4 gana
a ha marcado	a se ha iniciado	a han puesto	a ha ganado
b va a marcar	b se va a iniciar	b van a poner	b va a ganar

d Piensa en la gente que lee las noticias de arriba. ¿Cuáles crees que son las noticias más importantes para ellos? ¿Por qué? Comenta con tu compañero.

Yo creo que la noticia más importante es...

e 🔊 Ahora escucha las entrevistas que ha hecho Mario y señala cuáles son las dos noticias más importantes para la gente. ¿Coincide con tus predicciones?

1 ....   2 ....

f Decidid entre todos cuáles son las dos noticias más importantes de esta semana en vuestra ciudad. Luego, con un compañero, escribe el titular y el subtitular para cada una. Presentadlo en clase y comparad con las propuestas de los otros grupos.

7 LAS NOTICIAS DE LA CLASE

Vais a hacer una portada de un periódico con las noticias de clase.

a Cada uno va a pensar en las dos cosas más especiales, diferentes, originales que habéis hecho en los últimos días. También tenéis que pensar en las dos cosas más especiales, diferentes, originales, que tenéis previstas para los próximos días. Anotadlas aquí.

Lo más especial que he hecho...	Lo más especial que voy a hacer...

b En grupos de cuatro, tenéis que explicar a los compañeros lo que habéis apuntado y darles toda la información detallada. Podéis hacer preguntas para completar la información.

- ■ *Para mí una noticia importante es que la semana que viene es el cumpleaños de mi hija y vamos a hacer una fiesta en casa.*
- ● *¡Qué bien! ¿Y va a ser una fiesta muy grande?*
- ■ *Vamos a invitar a unos 12 niños.*
- ● *¡Qué horror! ¿Y qué vais a hacer con ellos?*
- ■ *Voy a vestirme de Mickey Mouse y voy a hacer magia...*
- ● *¡Qué divertido!*

c Entre todos debéis seleccionar una noticia de cada uno para formar las cuatro noticias de vuestro grupo.

d Tenéis que escribir un titular y un subtítulo para cada noticia. Podéis repartir el trabajo: cada uno hace una primera versión de un titular y luego los compañeros lo revisan y comentan.

e Podéis escribir las noticias definitivas en el ordenador y crear la página de un periódico con todas ellas. Podéis buscar fotos e incluirlas.

f Presentad al resto de la clase vuestra portada con las noticias. Después, podéis juntarlas todas para crear un periódico de la clase.

8 SEMANAS ESPECIALES

a Fíjate en los carteles. ¿En qué crees que consisten estas semanas especiales? Coméntalo con tu compañero.

b Lee los textos y relaciónalos con las imágenes anteriores. ¿Qué semana especial explica cada uno?

1 La Semana .... nació en 1988, con la idea de ser un festival de nuevo tipo, una mezcla de elementos literarios con elementos lúdicos, una gran fiesta de la cultura en la calle. Inicialmente se centró en la literatura policíaca, pero después incorporó otros elementos festivos que en Asturias son tradicionales de las celebraciones político-culturales como actos solidarios, conciertos, una feria del libro, terrazas de bares, mercadillos interétnicos y oferta gastronómica.

2 La Semana .... es el mayor evento de comunicación social de la ciencia y la tecnología que se celebra en España. El Ministerio de Ciencia e Innovación apoya y coordina las actividades que se organizan en todo el territorio español. Museos, universidades, centros de investigación, parques tecnológicos o empresas organizan exposiciones, cursos, visitas, talleres, mesas redondas, excursiones o conferencias, acercando al público en general su quehacer diario, lo más llamativo y lo más desconocido.

3 En el calendario cristiano, la Semana .... es la conmemoración anual de la pasión, muerte y resurrección de Jesús de Nazaret. Da comienzo el Domingo de Ramos y finaliza el Domingo de Resurrección. Durante esta semana tienen lugar numerosas muestras de religiosidad popular a lo largo de todo el mundo, destacando las procesiones y las representaciones de la Pasión. La fecha es variable, y depende de la primera luna llena de la primavera.

4 La Semana .... es una semana no lectiva que se celebra en algunas provincias de la Comunidad Autónoma de Andalucía. Esta semana coincide con la última semana de febrero y a veces la primera de marzo, siempre coincidiendo con el día de Andalucía (28 de febrero).

5 En los grandes almacenes más importantes de España ya están de primavera. Para iniciar la temporada con unos días de precios reducidos, se estrena la semana .... que dura hasta el 27 de septiembre. En esta semana vas a encontrar descuentos en toda la ropa de esta nueva temporada, en marcas nacionales e internacionales, donde sobresalen los diseños personales muy a la moda…

c ¿Existen estas semanas especiales en tu país o en tu región? ¿Hay otras diferentes? ¿Qué se celebra? Coméntalo con tus compañeros.

■ *Nosotros también tenemos la semana blanca, mucha gente va a esquiar con la familia.*

● *Pues en Múnich celebramos el festival de Oktoberfest, pero dura más de una semana. Desde la última semana de septiembre hasta la primera semana de octubre.*

9 LEER Y ESCUCHAR

a Contesta a este cuestionario y comenta las respuestas con tu compañero.

¿Cómo trabajas con los audios y las transcripciones?	SIEMPRE	NUNCA	A VECES
1 ¿Escuchas los audios del libro fuera de la clase de español?			
2 ¿Usas las transcripciones del libro?			
3 ¿Lees antes la transcripción y después escuchas el audio?			
4 ¿Escuchas el audio y después lees la transcripción?			
5 ¿Escuchas el audio y lees la transcripción a la vez?			

b Vamos a observar juntos la utilidad de las transcripciones.

EL PAÍS SEMANAL es un suplemento del periódico español *El País*; es una revista que se ofrece con el periódico de los domingos, con la edición impresa y con la digital.

¿Qué tipo de revista crees que es este suplemento? ¿Existen en tu país suplementos dominicales de los periódicos? ¿Cómo son?

Unas personas hablan de qué es para ellos *El País Semanal*. Sigue las instrucciones:

1 🔊 Escucha y toma nota de las ideas de cada uno. Escribe las palabras que entiendes.

2 Compara tus notas con un compañero, ¿habéis recogido las mismas palabras?

3 Escucha otra vez: ¿puedes completar las ideas de cada persona con más palabras?

4 Entre todos recogemos en la pizarra las ideas y palabras de cada persona.

5 Escucha otra vez intentando reconocer todas las palabras de la pizarra.

6 Ahora vas a escuchar y leer la transcripción al mismo tiempo. Fíjate en las palabras y frases que hemos extraído antes y también en la pronunciación y entonación de los hablantes.

7 Comenta con tus compañeros qué encontráis en la transcripción, ¿notas alguna característica particular de la expresión oral?

8 Por último, haz una lectura en voz alta imitando la entonación de los hablantes nativos.

c A continuación te ofrecemos algunas estrategias para mejorar la comprensión auditiva. ¿Qué haces tú para mejorar la comprensión auditiva? ¿Y tu compañero?

CONSEJOS PARA TRABAJAR LA COMPRENSIÓN AUDITIVA

* Piensa antes en el tema o contexto del audio, para eso puedes leer las instrucciones. Activa tus conocimientos sobre el tema.

* Escucha el audio, identifica palabras y escribe todas las que entiendas.

* Fíjate en la entonación de las personas del audio. Puede darte mucha información.

* Identifica a las personas del audio.

* Lee la transcripción y busca las palabras que has escrito. Comprueba que las has escrito bien y léelas en voz alta.

* Escucha el audio y lee la transcripción a la vez.

* Al final, escucha el audio sin transcripción.

LOS VIAJES DE MI VIDA

En esta unidad vamos a aprender:

- A intercambiar información sobre experiencias relacionadas con viajes.

- A escribir un relato sobre viajes.

- A hacer valoraciones sobre viajes realizados.

1 VIAJES PARA TODOS LOS GUSTOS

a Mira las fotos y, con tu compañero, relaciona cada una con el tipo de viaje correspondiente. Luego, comentad juntos qué tipo de viaje os gusta más y por qué.

Luna de miel en el Caribe.   Viaje organizado a Disneyland.   **Viaje a París.**

Crucero por Noruega.   **Safari en Kenia.**   Turismo rural en los Pirineos.

Viaje de fin de curso a Egipto.   **Camino de Santiago.**

■ *Yo creo que la foto 3 es de un crucero por Noruega.*
● *Sí, es verdad. A mí no me gustan los cruceros, ¿y a ti?*

b 🔊 Escucha a estas personas y toma notas sobre sus preferencias para viajar.

❶

¿Dónde?

¿Cuándo?

¿Cómo?

❷

¿Dónde?

¿Cuándo?

¿Cómo?

c ¿Y tú? ¿Cómo viajas normalmente? Coméntalo con tus compañeros y descubrid vuestras preferencias sobre los aspectos de la lista. ¿Coincidís en muchas cosas? ¿Quiénes podéis ser compañeros de viaje?

■ *¿Adónde os gusta viajar?*
● *A mí me gusta viajar a ciudades monumentales.*
■ *A mí me gusta más la naturaleza, las playas, la montaña...*

Creo que Klaus y yo no podemos viajar juntos porque él normalmente viaja con su familia en noviembre y van a la playa y yo en noviembre tengo que trabajar y prefiero viajar a ciudades.

Preferencias sobre:

Destinos
Organización del viaje
Época del año para viajar
Actividades
Medios de transporte
Alojamiento

2 BLOGS DE VIAJE

a 🔊 Paloma y Sergio quieren ir al aeropuerto. Lee y escucha.

* Viaje que se hace en la mitad de los estudios universitarios.

b ¿Cuáles son los tres blogs de viajes que han visitado Sergio y Paloma? Identifícalos entre estos ocho títulos de blogs.

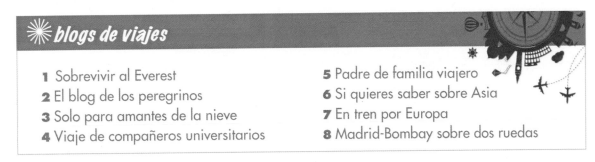

blogs de viajes

1 Sobrevivir al Everest

2 El blog de los peregrinos

3 Solo para amantes de la nieve

4 Viaje de compañeros universitarios

5 Padre de familia viajero

6 Si quieres saber sobre Asia

7 En tren por Europa

8 Madrid-Bombay sobre dos ruedas

3 ¿QUÉ PASÓ EN ESE VIAJE?

a En los blogs que miran Sergio y Paloma los viajeros dan detalles sobre sus viajes. ¿A qué viaje crees que corresponde cada dato?

☑ Fui a Calcuta.
☐ Estuve en Nueva Delhi.
☐ Comí cuscús.
☐ Tomé el sol en la playa de Varadero.
☐ Recorrí el país en coche.
☐ Hice surf cerca de La Habana.
☐ Bebí ron.
☐ Tuve un problema con el coche.

☐ Me encantó el té con menta fresca.
☐ Visité el Taj Mahal.
☐ Vi muchos templos budistas.
☐ Llegué al aeropuerto de La Habana.
☐ Compré una alfombra de pelo de camello.
☐ Viví dos meses con una familia hindú.

BLOGS viajes

❶ ¡A Cuba! Viaje de compañeros universitarios

❷ Madrid-Bombay sobre dos ruedas

❸ Felipe en Marruecos Padre de familia viajero

b Los verbos de estas frases están en pretérito indefinido. Escribe las formas verbales y sus infinitivos en el lugar correspondiente.

Verbos en –ar	Verbos en –er	Verbos en -ir
estuve → estar (irregular)	comí → comer	fui → ir (irregular)

c Completa esta tabla con las formas del pretérito indefinido.

Pretérito indefinido	Regulares			Irregulares		
	visitar	comer	vivir	estar	hacer	ser /ir
yo		comí				fui
tú	visitaste		viviste	estuviste	hiciste	
el/ella/usted	visitó	comió	vivió		hizo	fue

d Piensa en un viaje que has hecho. Escribe una lista de datos. Léeselos a tu compañero hasta que adivine dónde has estado.

■ *Comí ceviche.*
● *Ni idea. Más información, por favor.*
■ *Vale. Pues hablé en español.*

• Comí ceviche.
• Hablé en español.
• Compré un gorro de lana de llama.
• Visité ruinas incas.

4 EL VIAJE DE SARA

a 🔊 Sara le enseña las fotos de su último viaje a una amiga. Escucha a Sara y ordena las preguntas que le hace su amiga.

–¿Cuándo fuisteis? _____
–¿Cuánto tiempo os quedasteis? _____
–¿Cómo fuisteis? _1_

–¿Por qué decidisteis ir a París? _____
–¿Dónde estuvisteis? _____
–¿Qué hicisteis en París? _____

b 🔊 Escucha de nuevo y toma notas para contestar a las preguntas.

1 ....
2 ....
3 ....

4 ....
5 ....
6 ....

c Compara tu información con la de tu compañero. Utiliza las formas del cuadro.

■ *Fueron a París en...* ● *Sí. Y estuvieron...*

Pretérito indefinido	Regulares			Irregulares		
	viajar	perder	decidir	estar	hacer	ser / ir
nosotros/-as	viajamos	perdimos	decidimos	estuvimos	hicimos	fuimos
vosotros/-as	viajasteis	perdisteis	decidisteis	estuvisteis	hicisteis	fuisteis
ellos/ellas	viajaron	perdieron	decidieron	estuvieron	hicieron	fueron

5 HACE DOS AÑOS

a Paloma también tiene un blog de viajes y propone un juego. Mira las fotos y corrige los datos que aparecen en el texto. Coméntalo con un compañero.

OCTUBRE 2016 ≡

¡Hola, soy Paloma, una gran viajera!

A ver si podéis corregir TODOS los datos falsos de mis cuatro viajes:

✳ Hace ocho años estuve en Madrid para pasar las Navidades y fue muy divertido.

✳ El año pasado fui a la India a la playa. Allí tomé el sol y fui de compras.

✳ Hace dos meses estuve en Sevilla durante la Semana Santa. ¡Qué bonito todo! Comí mucho y bailé sevillanas.

✳ La semana pasada estuve en Canarias para ir a la boda de una amiga.

Sevilla, mayo 2000

Canarias, 2015

Nueva Delhi, enero 2008

Madrid, marzo 2016

b Observa el cuadro de la derecha.

Para indicar el momento de una acción pasada (con pretérito indefinido)

hace + periodo de tiempo: *Fui a Lisboa hace un mes.*

el año pasado   la semana pasada   el mes pasado

6 FUE UN VIAJE GENIAL

a Lee los textos del blog de Felipe. ¿A qué apartado corresponde cada uno? Comenta tu respuesta con tu compañero.

BLOGS **viajes** ≡
1 GASTRONOMÍA | 2 COMPRAS | 3 ACTIVIDADES | 4 CLIMA

Hicimos una excursión por el desierto de Ouzina y visitamos a una familia nómada. En el Atlas hicimos una ruta de 10 kilómetros. Fue una experiencia maravillosa. Fuimos a las cascadas de Uzud a 150 km de Marrakech. Allí nos bañamos todos y fue muy divertido. ___

En el interior del país hizo un poco de frío, pero en Marrakech la temperatura media fue de unos 25-30 grados. En el Atlas pasamos mucho frío e incluso nevó un poco. Nos gustaron mucho tantas diferencias climáticas... ___

En Casablanca tomamos *tajine*, que es un plato que se llama como el recipiente en el que se cocina. Nos encantó. Pero lo mejor fue el té a la menta, que es la bebida de la hospitalidad. ¡Buenísimo! ___

En la plaza mayor de Marrakech, Jemaa el-Fna, nos pintamos las manos con henna. Fue genial. En las tiendas tuvimos que regatear porque nada tiene un precio fijo, y al final pagamos por una alfombra un 60 % menos. Al principio regateamos varias veces, pero después nos pareció un poco aburrido. ___

b Lee los textos otra vez y busca las valoraciones de las experiencias que se mencionan. Clasifícalas en una tabla como esta.

POSITIVAS ☺	NEGATIVAS ☹
- ¡Nos encantó!	- Nos pareció un poco aburrido.

c Aquí tienes más expresiones de valoración. Escribe al lado si son positivas (+) o negativas (-).

1 fantástico/-a +   **2** maravilloso/-a   **3** increíble   **4** genial   **5** inolvidable
6 horrible   **7** aburrido/-a   **8** terrible   **9** un desastre   **10** divertido/-a

7 ¿PRETÉRITO PERFECTO O INDEFINIDO?

a Lee estos fragmentos de la conversación de Paloma y Sergio y coloca las partes subrayadas en la columna correspondiente de la tabla.

Informa o pregunta sobre experiencias en la vida de alguien (por ejemplo, *estar en la India*).	Informa o pregunta sobre hechos o experiencias situadas en un momento concreto del pasado (por ejemplo, *hace cinco años*).

¿Qué tiempo verbal se utiliza: **pretérito perfecto** o **pretérito indefinido**? _____

¿Qué tiempo verbal se utiliza: **pretérito perfecto** o **pretérito indefinido**? _____

b Piensa en las siguientes experiencias y comenta tus respuestas con un compañero.

EXPERIENCIA	SÍ /NO	¿CUÁNDO?	¿DÓNDE?
1 ¿Has perdido alguna vez un avión?			
2 ¿Has hecho algún viaje últimamente?			
3 ¿Has estado últimamente en el extranjero?			
4 ¿Has viajado alguna vez en barco?			
5 ¿Has estado en los cinco continentes?			
6 ¿Has perdido alguna vez las maletas?			

■ *Yo creo que nunca he perdido un avión, ¿y tú?*
● *Yo sí, una vez, hace tres años, llegué un poco tarde al aeropuerto y perdí el avión a Estambul.*

c Comentad a la clase vuestros puntos en común.

■ *Los dos hemos viajado alguna vez en barco.*
● *Sí, y los dos hemos hecho un viaje últimamente, los dos hicimos un viaje la semana pasada, yo estuve en la costa y Anna fue a Nueva York.*

8 CÓMO ESCRIBIR UN RELATO SOBRE VIAJES

a Estas ocho imágenes cuentan unas vacaciones de Luis. Las imágenes están en orden, lee las frases del relato de Luis y relaciona cada una con una imagen.

<table>
<tr>
<td>

a Me apunté a una jornada gastronómica de cocina malagueña. Fue muy divertido y conocí a mucha gente. _____

b No me puse suficiente crema protectora y me quemé mucho la espalda y la cara, así que no pude volver a la playa en toda la semana. _____

c Me fui a Málaga para pasar una semana de vacaciones de playa. Alquilé un apartamento en primera línea de mar. _____

</td>
<td>

d Hice una ruta por los pueblos de la región. Me encantó Ronda, ¡es espectacular! _____

e Llegué a la playa temprano y estuve nadando. _____

f Fueron unas vacaciones culturales estupendas. _____

g Recorrí todos los museos y rincones de la cuidad. Lo más interesante fue el Museo Picasso. _____

h Estuve paseando toda la mañana. _____

</td>
</tr>
</table>

b Ahora escribe un relato, relacionando las acciones. Usa los siguientes conectores y expresiones.

los últimos dos días	al final
pero	el primer día
así que	un día
el verano pasado	al principio

Consejos para contar un viaje:

1 Piensa en acciones concretas, puedes responder a preguntas del tipo: *¿Cuándo fuiste? ¿Cómo fuiste? ¿Cuánto tiempo estuviste? ¿Con quién fuiste? ¿Qué hiciste?*

2 Organiza las acciones temporalmente.

3 Haz un listado de conectores: primero, después, un día, entonces...

c Compara tu texto con el de tu compañero. ¿Habéis usado los mismos conectores?

9 LOS VIAJES DE LA CLASE

Cada uno va a escribir un pequeño texto sobre un viaje y después vais a hacer un libro de viajes de la clase: *Nuestras experiencias viajeras.*

PLANIFICA

a Elige una de las opciones.

Mi primer viaje en avión

Mi viaje más largo

Mi peor viaje

Mi mejor viaje

Mi viaje más corto

Mi primer viaje solo

Mi primer viaje al extranjero

Glaciar Perito Moreno (Argentina)

Desierto del Sahara (Marruecos)

ELABORA

b Escribe el texto. Toma como modelo los blogs de viajes que aparecen en la unidad y recuerda los consejos de la página anterior:

1 Responde a las preguntas: *¿Cuándo fuiste? ¿Cómo fuiste? ¿Cuánto tiempo estuviste? ¿Con quién fuiste? ¿Qué hiciste?*
2 Organiza las acciones.
3 Busca los conectores que necesitas.

¡Atención! No pongas título a tu relato. Tu compañero lo hará por ti.

COMPARTE

c Intercambia tu texto con el de tu compañero y, después de leerlo, escribe un título. Coméntalo con tu compañero.

d Vuestro profesor va a recoger los textos para hacer el libro de viajes de la clase.

10 CAMINO SIN LÍMITES

a ¿Qué sabes sobre el Camino de Santiago? ¿Lo has hecho alguna vez? ¿Algún familiar o algún conocido tuyo lo ha hecho? Coméntalo con tus compañeros.

Yo no he hecho nunca el Camino de Santiago, pero quiero hacerlo el año que viene con unos amigos.

b Esta es la historia de dos hermanos que han hecho el Camino de Santiago, pero de una forma especial. ¿Puedes ordenarla?

Fotografías proporcionadas por Óliver

Ya a la vuelta de Galicia, en Granada, se celebró una gran fiesta en honor de los dos hermanos pero… esta vez les acompañaron no un centenar sino miles de personas. Óliver y Juan mostraron a todos que no existen los límites y que otro mundo es posible. ____

Más de un centenar de familiares, amigos y seguidores de los dos hermanos los recibieron a su llegada a Santiago de Compostela, en Galicia, después de recorrer los 800 km que hay entre Roncesvalles y Santiago de Compostela. ____

Esta es la historia de Óliver y Juan Marfil Fernández, dos hermanos de Granada que tuvieron un sueño: hacer juntos el Camino de Santiago aunque el más joven de ellos, desde que nació, tiene una discapacidad que le obliga a usar una silla de ruedas. ____

El camino no fue fácil. Eso sí, durante los 40 días que duró, Óliver y Juan recibieron la ayuda de todos los peregrinos con los que se encontraron para poder ir superando las diferentes dificultades con las que se encontraron. ____

Estos dos hermanos comenzaron su aventura en la localidad de Roncesvalles el 13 de septiembre. Caminaron por donde lo hace todo el mundo, sin caminos alternativos. ____

c Ahora que ya has ordenado la historia de Óliver y Juan, ¿qué te parece? ¿Conoces otras historias como esta? Coméntalo con tus compañeros.

Te invitamos a conocer más de la historia de Óliver y Juan en el blog de Óliver: http://olivertrip.com.

17 ANTES ÉRAMOS ASÍ

1 SOSPECHOSOS

a La policía ha encontrado algunos objetos perdidos por una pareja de famosos ladrones. ¿Puedes ayudarlos a relacionar los objetos con las personas que aparecen en las imágenes?

- *Yo creo que las gafas de sol son del hombre con traje.*
- *¿Sí? Yo creo que son de la chica en la piscina...*

Es rubia, tiene el pelo corto.

Es moreno, tiene el pelo largo y lleva bigote.

Es castaña y lleva el pelo largo.

Es rubio, tiene el pelo corto y lleva gafas.

Es calvo y lleva barba.

Es pelirroja y tiene el pelo rizado.

b 🔊 Ahora escucha las declaraciones de los testigos. ¿De quién son los objetos? Coméntalo con tu compañero.

OBJETOS	1	2	3	4	5	6
FOTO						

c 🔊 Escucha de nuevo y toma notas. Después, escribe la descripción física de uno de los personajes. Tú compañero tiene que adivinar qué personaje has descrito.

Llevaba un vestido rojo, unos zapatos de tacón, un traje...

2 LA GENTE DE MI CLASE

Observa a las personas que hay en tu clase y contesta a las preguntas.

1 ¿De qué color tiene los ojos tu compañero?
2 ¿Hay algún compañero con pelo rizado?
3 ¿Cuántas personas son rubias? ¿Y morenas? ¿Hay pelirrojos?
4 ¿El profesor o profesora lleva gafas?
5 ¿Quién es la persona más alta de la clase?
6 ¿Alguien lleva barba o bigote?

3 CADA VIAJE CON SU MALETA

Elige uno de los siguientes viajes y haz una lista de la ropa que llevas en tu maleta. Después, enseña tu lista a tu compañero. ¿Puede adivinar cuál es tu viaje?

Diciembre
Viaje de negocios a Buenos Aires.

Enero
Vacaciones en el Caribe.

Febrero
Fin de semana en la montaña.

Septiembre
Boda de una prima en Oslo.

> **Verbos en pasado para la descripción de las personas**
>
> - Tenía los ojos verdes..., la nariz grande..., la boca pequeña...
> - Tenía/Llevaba barba, bigote, gafas, el pelo largo/corto, el pelo liso/rizado...
> - Era alto-a / bajo-a, delgado-a / gordo-a, rubio-a, moreno-a, calvo-a...

> **Ropa**
>
> un abrigo
> un bañador
> una camisa
> una camiseta
> unas chanclas
> una corbata
> una falda
> un jersey
> unos pantalones
> un sombrero
> un traje
> unos vaqueros
> un vestido
> unas zapatillas de deporte

4 DE REBAJAS

a 🔊 Son las tres de la tarde del viernes. Rocío, Paloma y Sergio van de compras. Lee y escucha.

b Mira las etiquetas y decide con tu compañero cuáles pertenecen a alguna de las prendas que han comprado Sergio y Paloma en las rebajas.

CAMISETA
Color
turquesa
T. 52

PVP. 4̶0̶ €

27 €

CALCETINES
N.º 40-43

PVP. 8 €

JERSEY
100 % lana
TALLA M

PVP. 9̶0̶ €

72 €

FALDA
Color rosa
100 % algodón

PVP. 58 €

-70 %

PAÑUELO
100 % seda

PVP. 3̶5̶ €

20 €

ABRIGO
Color gris.
T. G

PVP. 2̶0̶0̶ €

140 €

PRACTICA

5 ¿ANTES O AHORA?

a Lee las cuatro primeras viñetas del cómic y relaciona las informaciones con el momento.

1 ANTES	a Paloma era más delgada. b Juanjo no escribe cartas de amor a Paloma. c Juanjo era guapísimo. d Paloma y Juanjo eran novios. e Paloma era más divertida. f Paloma tiene el pelo más corto. g Juanjo escribía cartas de amor. h Paloma tenía el pelo largo. i Paloma y Juanjo ya no son novios. j Paloma estaba muy enamorada. k Paloma y Juanjo iban juntos a la universidad.
2 AHORA	

b Subraya los verbos de las frases correspondientes a "antes".

c Las formas que has subrayado son un tiempo de pasado que se llama pretérito imperfecto. Usa los diálogos de las dos primeras viñetas del cómic para completar la siguiente tabla.

Pretérito imperfecto	Verbos regulares			Verbos irregulares	
	Verbos en -ar	Verbos en -er	Verbos en -ir	ser	ir
	estar	tener	escribir		
yo	....	....	escribía	....	iba
tú	estabas	tenías	escribías	eras	ibas
él/ella/usted	estaba	tenía	....	....	iba
nosotros/nosotras	estábamos	teníamos	escribíamos	....	....
vosotros/vosotras	estabais	teníais	escribíais	erais	ibais
ellos/ellas/ustedes	estaban	tenían	escribían	eran	iban

6 EL JUANJO DE AYER Y DE HOY

a Rocío llama a Paloma para interesarse por su cita con Juanjo. Mira la imagen, escucha el diálogo y marca con una cruz (X) los dibujos que se refieren a la vida de Juanjo cuando era estudiante y con un círculo (O) los que se refieren a su vida actual.

b Vuelve a escuchar y toma nota de otras diferencias en la vida de Juanjo de antes y de ahora. Luego, haz con tu compañero una lista de diferencias.
- *Antes tenía el pelo muy moreno y ahora tiene el pelo casi blanco.*
- *Antes...*

c Aquí tienes otras informaciones de Juanjo en la actualidad. ¿Qué piensas de él? Completa los comentarios a cada información según tu opinión, eligiendo *muy* o *demasiado*. Luego compara con tus compañeros. ¿Tenéis todos la misma opinión?

1 Juanjo siempre cena a las 22:30.	**Yo** creo que cena muy / demasiado tarde
2 Juanjo trabaja quince horas al día.	**Yo** creo que es muy / demasiado trabajador.
3 Juanjo dice lo que piensa en cualquier situación.	**Yo** creo que es muy / demasiado sincero.
4 Juanjo siempre llega diez minutos antes.	**Yo** creo que es muy / demasiado puntual.
5 Juanjo merienda todos los días un pastel.	**Yo** creo que es muy / demasiado goloso.

● *Yo creo que cena demasiado tarde.*
■ *Pues a mí no me parece demasiado tarde.*
Yo a veces ceno a las once.

> **Demasiado**
> Utilizamos demasiado para indicar que algo sobrepasa los límites de lo que consideramos normal, aceptable o adecuado.

7 EN AQUELLOS TIEMPOS...

a Lee la carta que Juanjo escribió a Paloma hace 15 años. Después, completa con los verbos en pretérito imperfecto el correo electrónico que Juanjo ha escrito a Paloma ahora.

Madrid, 14 de febrero

Paloma, mi amor:

Tú ya sabes que yo te quiero mucho, pero ¿sabes por qué te quiero? Pues te quiero simplemente por las cosas que hacemos todos los días. Te quiero cuando estudiamos juntos, cuando salimos a bailar, cuando te espero en el bar que está cerca de tu casa... Te quiero cuando vamos al cine y te enfadas si no te gusta la película...

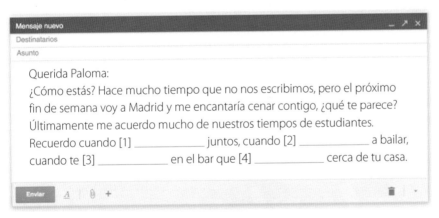

Mensaje nuevo   — ↗ ✕

Destinatarios

Asunto

Querida Paloma:

¿Cómo estás? Hace mucho tiempo que no nos escribimos, pero el próximo fin de semana voy a Madrid y me encantaría cenar contigo, ¿qué te parece? Últimamente me acuerdo mucho de nuestros tiempos de estudiantes. Recuerdo cuando [1] _____ juntos, cuando [2] _____ a bailar, cuando te [3] _____ en el bar que [4] _____ cerca de tu casa.

Enviar   A   0   +   🗑 ▾

b Relaciona los usos del pretérito imperfecto con los ejemplos.

Pretérito imperfecto para...

1 Describir personas, objetos y lugares en el pasado.	**a** Juanjo y Paloma estudiaban juntos los exámenes. **b** El bar que estaba cerca de la casa de Paloma era pequeño.
2 Referirse a acciones habituales en el pasado.	**c** Juanjo y Paloma iban al cine todos los fines de semana. **d** Juanjo era muy romántico.

8 DE COMPRAS

a Paloma no compró todo lo que necesitaba en los grandes almacenes. Al final tuvo que comprar rápidamente unos zapatos en una pequeña zapatería cerca de su casa. Ordena y completa el diálogo que tuvo con el dependiente y luego compara con un compañero. ¿Tenéis el mismo orden?

> El pretérito imperfecto también sirve para pedir algo de forma cortés:
>
> Quería probarme los zapatos negros.

> Tamaño de la ropa: talla
> Tamaño del calzado:
> número

Paloma: [1] ....

Dependiente: ¿Cuáles? ¿Los altos o los bajos?

Paloma: [2] ....

Dependiente: Vale, ¿qué número necesita?

Paloma: [3] ....

Dependiente: Sí, aquí están. Tome, son estos.

(Paloma se prueba los zapatos)

Dependiente: ¿Qué tal le quedan?

Paloma: [4] ....

Dependiente: Sí, sí, aquí tiene.

Paloma: [5] ....

Dependiente: 60 euros, están muy rebajados. Antes costaban 110.

Paloma: [6] ....

Dependiente: ¿Va a pagar con tarjeta o en efectivo?

Paloma: [7] ....

Dependiente: Pues gracias y hasta otro día.

a Vale, me los llevo.

b En efectivo, aquí tiene.

c Los altos, los de tacón.

d Pues creo que me quedan demasiado grandes. ¿Me puede dar un número más pequeño?

e Hola, buenos días, quería probarme los zapatos negros del escaparate.

f El 38.

g ¿Cuánto cuestan?

b 🔊 Escucha y comprueba.

c ¿Y cómo puede ser la conversación para comprar un vestido, unas botas o una camisa? Con tu compañero, elige una de esas cosas y escribe un diálogo como el de arriba haciendo los cambios necesarios (identificad las palabras que pueden cambiar, si son masculinas o femeninas, singular o plural).

d Imagina que vas de compras. Elige un papel, cliente o vendedor, sigue las instrucciones y representa la situación con tu compañero. Luego, podéis repetir la situación intercambiando los papeles.

CLIENTE

Elige una de estas situaciones y compra la ropa que necesitas:

1 Para ir a una fiesta en el campo.

2 Para tu primera cita con una persona que te gusta mucho.

3 Para una entrevista de trabajo.

VENDEDOR

Trabajas en esta tienda. Decide los precios de las prendas y véndele a tu compañero lo que necesita.

9 ¡CÓMO HEMOS CAMBIADO!

Vais a escribir un texto sobre cómo erais antes y cómo sois ahora.

a Piensa en cómo eras a los diez años... Seguro que has cambiado mucho.
¿Cuántos cambios en tu vida recuerdas de los siguientes aspectos?
Haz una lista.

- amigos y amigas
- música
- aficiones
- deportes
- aspecto físico
- ropa
- vacaciones
- horarios
- ciudad y casa
- relaciones familiares
- gustos de comidas y bebidas

b Ahora escribe frases con los cambios más importantes:

Cuando era pequeña no me gustaba la verdura y ahora me encanta.

Antes no hacía deporte y ahora voy al gimnasio todos los días.

Busca dos o tres fotos antiguas y llévalas a clase.

c El profesor debe recoger todos los textos y las fotos y después repartirlos.
Luego los tenéis que leer para adivinar a quién corresponde cada uno.

10 ¡QUE VIENEN LAS REBAJAS!

a Mira las imágenes y habla con tu compañero sobre lo que sabes de las rebajas en España.

¿Cuándo hay rebajas normalmente?

¿Qué tipo de productos se rebajan?

¿Por qué la gente compra más en rebajas?

b El Ministerio de Sanidad y Consumo de España da consejos para comprar en rebajas. Relaciona las dos columnas para conocer cinco de esos consejos. ¿Qué piensas sobre ellos? ¿Cuál es para ti el mejor consejo? ¿Por qué? Coméntalo con tus compañeros.

1 fijar
2 hacer una lista
3 no abusar
4 observar que el precio original
5 comprobar que la calidad

a de la tarjeta de crédito
b y el precio rebajado aparecen en la etiqueta
c un presupuesto
d es la misma, a precio rebajado
e de las compras

c ¿Se parecen las rebajas de España a las de tu país? Coméntalo con tu compañero.

Creo que se parecen, sí, pero en mi país no hay rebajas en agosto.

d Habla con tu compañero de la última vez que compraste algo en rebajas. ¿Qué era? ¿Cómo era? ¿Todavía lo usas?

11 EN EL MERCADO Y EN LA TIENDA

EN EL MERCADO

EN LA TIENDA

a Lee estas preguntas y respuestas. ¿Dónde crees que se utilizan: en el mercado (M), en una tienda de ropa (T) o en los dos sitios (D)? Coméntalo con tu compañero.

1 ■ ¿A cuánto están? ● A dos euros el kilo. _____	8 ■ ¿Qué desea? ● Dos aguacates. _____
2 ■ ¿Cómo le quedan? ● Me quedan pequeños. _____	9 ■ ¿Qué le parecen estos? ● Bien, me gustan mucho. _____
3 ■ ¿Cómo los quiere? ● Los quiero de tacón. _____	10 ■ ¿Qué le pongo? ● Una docena de huevos. _____
4 ■ ¿Cuánto vale el kilo? ● Cinco euros cincuenta. _____	11 ■ ¿Algo más? ● No gracias, nada más. _____
5 ■ ¿Cuánto cuesta? ● 39 euros. _____	12 ■ ¿Quién es el último? ● ¡Yo! _____
6 ■ ¿De qué talla? ● La 42. _____	13 ■ ¿A quién le toca? ● ¡A mí! _____
7 ■ ¿En qué puedo ayudarlo? ● Quería… _____	14 ■ ¿Con tarjeta o en efectivo? ● Con tarjeta. _____

b A continuación, encontrarás una serie de consejos para cuando vayas a comprar a un mercado y a una tienda.

CUANDO VAMOS A COMPRAR:

✳ Podemos usar el imperfecto de indicativo: *quería un kilo de tomates, quería un pantalón rojo.*

✳ En un mercado, si hay mucha gente, se pregunta *quién es el último* (esto se llama, en España, «pedir la vez»).

✳ El vendedor y el comprador se hablan normalmente de *usted.*

✳ En el mercado a menudo se paga con dinero, no con tarjeta.

✳ En las tiendas, el uso de la tarjeta es lo más usual.

18 PLANETA AGUA

18

En esta unidad vamos a aprender:

- A describir lugares y paisajes.
- A hablar del clima de un lugar.
- A referirse a acciones que están pasando en este momento.
- A dar y comprender consejos e instrucciones.

Potosí

Cumaná

Río Grande

San Pedro de Atacama

1 ¿QUÉ TIEMPO HACE?

a 🔊 Hoy es 22 de agosto y en el programa de radio "Viajando se entiende la gente" han entrevistado a cuatro personas en cuatro ciudades de América del Sur. ¿En qué países están esas ciudades? Escucha y sitúalas en el mapa.

Hoy es 22 de agosto y aquí, en Madrid, hace un calor infernal...

b Ahora, con tu compañero, lee los textos y complétalos con los nombres de las ciudades en las que están.

A Estoy en ...., frente al mar Caribe. Aquí hace hoy bastante calor, unos 30 grados. Además, ahora es temporada de lluvias y hay mucha humedad.

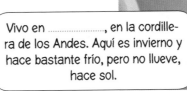

C Vivo en ...., en la cordillera de los Andes. Aquí es invierno y hace bastante frío, pero no llueve, hace sol.

B Vivo en ...., en el extremo sur del continente, en Tierra del Fuego. Hay muchísima nieve y puede haber tormentas.

D Aquí, en ...., no hay mucha diferencia entre invierno y verano... Estamos entre los Andes y la costa del océano Pacífico, muy cerquita de uno de los desiertos más secos del mundo: no llueve nunca, no hay nubes en el cielo.

c 🔊 Sigue escuchando el programa de radio y apunta en esta tabla el tiempo que hace el 22 de agosto en esas ciudades.

	CIUDAD	TEMPERATURA	OTROS DATOS
1			
2			
3			
4			

d ¿A cuál de estas ciudades prefieres viajar? ¿Por qué? Coméntalo con tus compañeros.

Yo prefiero viajar a... porque tiene playa.

e ¿Cómo es el tiempo donde tú vives? ¿Qué te gusta y qué no te gusta de ese clima? Coméntalo con tus compañeros. ¿Tenéis todos los mismos gustos?

■ *Yo vivo en Bergen, en Noruega. Tiene un clima muy húmedo, llueve casi todos los días.*
● *¿Y hace frío?*
■ *Sí, bastante. Es un clima duro, pero me gustan los veranos porque hay mucha luz...*

El clima

Clima húmedo / seco
Clima caluroso / frío
Clima suave / duro
Clima tropical / desértico

2 CONCURSO DE GEOGRAFÍA

a En la televisión hay un concurso sobre curiosidades geográficas. Estas son las preguntas, ¿sabes alguna respuesta? Habla con tu compañero e intenta contestarlas.

1 ¿Cómo es el agua de nuestro planeta?

- **a** 97 % salada, 3 % dulce ○
- **b** 73 % salada, 27 % dulce ○
- **c** 48 % salada, 52 % dulce ○

2 ¿Cuál es el océano más grande del mundo?

- **a** Atlántico ○
- **b** Pacífico ○
- **c** Ártico ○

3 ¿Cuál es la montaña más alta de Europa?

- **a** Elbrús ○
- **b** Mont Blanc ○
- **c** Aneto ○

4 ¿Cuál de las siguientes cordilleras está en África?

- **a** Atlas ○
- **b** Kuenlún ○
- **c** Andes ○

5 ¿Cuál es el desierto más seco del mundo?

- **a** Sáhara ○
- **b** Gobi ○
- **c** Atacama ○

6 De las siguientes islas, ¿cuál es la mayor?

- **a** Gran Bretaña ○
- **b** Sumatra ○
- **c** Madagascar ○

7 ¿Cuál es la catarata más alta de la Tierra?

- **a** Ángel ○
- **b** Victoria ○
- **c** Niágara ○

8 ¿Cuál de los siguientes volcanes no está en Hawái?

- **a** Mauna Loa ○
- **b** Kilauea ○
- **c** Krakatoa ○

¿El Mauna Loa está en Hawái?

Responder con certeza

- Sí, seguro, yo he estado allí.

Responder sin certeza

- Creo / me parece que sí.
- No estoy seguro/-a.

■ *El océano más grande del mundo es el Atlántico, ¿no?*

● *¿Seguro? Me parece que no, yo creo que es el Pacífico.*

b 🔊 Escucha el concurso y comprueba tus respuestas.

c ¿Has estado en algún desierto? ¿Has subido a un volcán? ¿Conoces alguna isla paradisíaca? ¿Has visto alguna catarata espectacular? Habla de tu experiencia con tus compañeros.

■ *Yo una vez fui de vacaciones a Egipto: me encantó el mar Rojo, está lleno de corales y peces de colores. También fui al desierto. Es impresionante.*

● *Pues yo he visitado el Vesubio y…*

Geografía
Desierto
Volcán
Isla
Catarata
Mar
Río
Lago

d Piensa ahora en el lugar donde vives. ¿Tiene mar? ¿Pasa algún río? ¿Hay algún lago cerca? ¿Qué relación tiene la gente del lugar con el agua? ¿Y tú?

■ *En Helsinki tenemos el mar Báltico. Le gente navega, pesca, se baña y, en invierno, patina.*

● *A mí me gusta pasear cerca del mar y ver los barcos que van y vienen.*

Helsinki (verano)

Helsinki (invierno)

3 ¡CON EL AGUA AL CUELLO!

a 🔊 En la Agencia ELE están escribiendo un reportaje sobre el agua y tienen que acabarlo rápidamente. Escucha y lee.

¡Qué raro! Son más de las 9 y no ha llegado nadie. ¡Y la reunión de hoy es muy importante!

¡RING, RING...!

¿Paloma?

Sí, Carmen, soy yo. Es que me he levantado y me he encontrado la casa llena de agua. Creo que se ha roto un grifo por la noche...

¡Qué horror!

Sí, horrible. Ahora estoy recogiendo agua y esperando al fontanero. No voy a llegar a la reunión, lo siento.

Bueno, tranquila, ve directamente al puente del río Guadaluz. Necesitamos unas fotos.

¿Del río? ¿Por qué?

CRN
VERTIDO RÍO GUADALUZ

Un vertido de una fábrica. Un desastre: peces muertos flotando...

Vale, voy para allá y hago unas fotos.

Hombre, aquí llega alguien.

Hola, Carmen, perdona por el retraso.

Pasa, pasa. Eres el primero.

Hola, lo siento, llego tarde. Hay un atasco tremendo, es que está lloviendo a mares y todo el mundo ha decidido coger el coche.

¿Sabes lo que me ha pasado? Pues, estaba duchándome y de repente se cortó el agua. Y yo allí con todo el jabón...

¿Y qué hiciste?

Vale, no pasa nada. Hoy todo el mundo tiene problemas. ¿Qué tal el reportaje sobre el agua? Tenemos mucha prisa con eso.

Estupendo, ¿sabes algo de Sergio?

Está haciendo entrevistas en la universidad, es que necesitamos unos datos para el reportaje.

Pues tuve que acabar la ducha con una botella de agua mineral que tenía en la nevera.

¡Vaya! ¡Pobre!

Sí, sí, estaba helada y, además, era agua mineral con gas.

Lo estoy acabando.

Bien, Paloma está sacando unas fotos en el río Guadaluz. Hay que entregar el reportaje hoy. Mario, ¿tú puedes ayudar a Rocío y a Sergio?

Claro, sin problema. A mí me interesa mucho el tema este del consumo responsable del agua.

Hola, aquí estoy, lo siento, es tardísimo.

Por fin. ¡Bienvenido! Estamos hablando del reportaje sobre el agua.

Sí, sí. Tenemos toda la información.

Pues a trabajar. Hay que redactarlo hoy mismo.

Fíjate, aquí dice que solo el 0,007% del agua de la Tierra es potable y que esa cantidad se reduce continuamente por la contaminación.

Sí, por eso más de 1100 millones de personas en el mundo tienen muchísimos problemas simplemente para beber agua limpia.

Millones de mujeres y niños caminan todos los días más de 10 kilómetros al día para conseguir agua.

Es muy tarde, estoy cansadísimo. Y este reportaje está deprimiéndome. Necesito salir a comer algo.

Voy contigo y me tomo una cerveza. Tengo sed y ¡agua, no gracias! ¡Qué día!

Se necesitan 5680 litros de agua para producir un barril de cerveza.

¡Vale, nada de cerveza, seguimos con el reportaje!

b Los personajes de la Agencia ELE han tenido problemas hoy con el agua. Completa estas frases con sus nombres.

Mario	Rocío
Paloma	Sergio

1 .... ha tenido problemas de tráfico debido a la lluvia.

2 .... se deprime escribiendo el reportaje sobre el agua.

3 .... ha tenido que ducharse con agua muy fría.

4 .... ha sufrido una inundación.

4 LO ESTAMOS CELEBRANDO

a 🔊 En el cómic Rocío y Carmen hablan del trabajo de Sergio y Paloma. Escucha de nuevo ese momento y completa las frases con las palabras que faltan.

Sergio está [1] .... entrevistas y Paloma está [2] .... fotos en el río Guadaluz.

> Esta forma del verbo se llama gerundio y cuando se combina con el verbo *estar* sirve para hablar de acciones que suceden en el mismo momento en el que se habla.

Para hablar de acciones que suceden en el mismo momento del que se habla → Estar + gerundio		
Verbos terminados en -ar → -ando Verbos terminados en –er ⎫ Verbos terminados en –ir ⎭ -iendo	lavar → lavando beber → bebiendo salir → saliendo	estoy ⎫ estás ⎪ está ⎬ lavando la ropa estamos ⎪ bebiendo un zumo estáis ⎪ saliendo del trabajo están ⎭

b Los compañeros de la Agencia ELE han quedado en un bar después del trabajo. Completa la descripción de la imagen con los verbos de la tabla.

> hablar   brindar   leer   salir
> despedirse → despidiéndose   dormir → durmiendo

Paloma y Sergio [1] .... Rocío [2] .... por el móvil y Carmen [3] .... el periódico. Miquel [4] .... del baño. Iñaki [5] .... y Mario [6] ....

c Mira los personajes desconocidos del bar. Ponte de acuerdo con tu compañero para elegir a los hombres o a las mujeres. Después, ponles nombre y preséntalos.

La mujer que está pagando se llama...

d Haz mímica para representar una acción. Tus compañeros te dirán lo que estás haciendo.

■ *¿Estas lavándote los dientes?*
● *Sí, muy bien. Ahora tú.*

> **Estar + gerundio y los pronombres**
>
> *Mario se está duchando / Mario está duchándose.*
> ■ ¿Has acabado el reportaje?
> ● Lo estoy acabando. / Estoy acabándolo.

5 CIERRA EL GRIFO

a Para hacer el reportaje los periodistas de la Agencia ELE han extraído información de una campaña informativa sobre el consumo responsable de agua. Solo cuatro de los siguientes consejos pertenecen a esa campaña. ¿Cuáles crees que son? Coméntalo con tu compañero.

1 <u>Llena</u> la lavadora y el lavaplatos.
2 <u>Toma</u> bebidas calientes.
3 <u>Usad</u> el jabón para lavaros las manos antes de comer.
4 <u>Bebe</u> agua frecuentemente.
5 <u>Cierra</u> el grifo cuando te laves los dientes o te afeites.
6 <u>Riega</u> las plantas con poca agua.
7 <u>Ponte</u> el gorro para bañarte.
8 <u>Usa</u> la ducha, evita bañarte.

■ *Yo creo que el 1 pertenece a la campaña de ahorro de agua.*
● *Sí, seguro. ¿Y el número 2?*

b Los verbos subrayados de los consejos e instrucciones de arriba son imperativos. Completa la tabla.

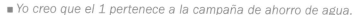

	Imperativo		
	Verbos en –ar usar	Verbos en –er beber	Verbos en –ir escribir
tú	usa	beb__	escribe
vosotros/vosotras	us____	bebed	escribid

Algunos imperativos irregulares (tú)	
- ir → ve	- salir → sal
- venir → ven	- hacer → haz
- poner → pon	- tener → ten

El **imperativo** en la forma «tú» normalmente tiene los mismos cambios en las vocales que el presente: *cierra el grifo*.

c ¿De dónde crees que proceden las otras cuatro frases de la actividad **a**?

 Normas de uso de una piscina pública

 Recomendaciones de higiene básica para los niños de una escuela

 Campaña para la prevención de los efectos del calor excesivo

 Consejos para combatir los síntomas de la gripe

d Con tu compañero escribe dos o tres recomendaciones más relacionadas con los temas de la actividad **c**. Después, leédselas a otros compañeros de clase. ¿Saben de qué tema estáis hablando?

6 VIVA LA TECNOLOGÍA

¿Tienes muchas cosas que hacer esta semana? El robot JC3002 te puede ayudar. Escribe en tu cuaderno todo lo que tiene que hacer. Lee tu lista a tus compañeros.

■ *Recoge a los niños del colegio. Tienes que estar allí antes de las cinco.*
● *Ve a la compra. Necesitamos: patatas y un...*

7 UN LUGAR ESPECIAL

En parejas, vais a preparar una presentación oral para todos los compañeros sobre un lugar especial. Puede ser un lugar especial por muchas razones: por su belleza, por su clima, por su naturaleza, por la gente que vive allí, etc.

ELABORA

a Primero, decidid en el grupo de qué lugar vais a hacer la presentación. Aquí tienes algunas ideas.

Líneas de Nazca (Perú)

Islas Galápagos (Ecuador)

Volcán Teide, Tenerife (España)

Parque nacional Tortuguero (Costa Rica)

b Después, buscad fotos, vídeos, objetos o textos sobre ese lugar. Con toda la información, escribid las razones por las que ese lugar es especial. Por último, haced una lista de consejos útiles para vuestros compañeros si deciden visitarlo.

Cómo llegar	Qué comer
Dónde alojarse	Qué ropa llevar

COMPARTE

c Presentad vuestro lugar especial a los demás grupos. No olvidéis preparar la presentación con preguntas para mantener la atención de todos.

¿Sabéis cuál es el desierto más seco del mundo? Pues hoy vamos a hablar de él...

¿Habéis entendido?   ¿Alguna pregunta?

8 CÓMO SE DIBUJA UN PAISAJE

a Un niño hizo los siguientes dibujos después de leer el poema «Cómo se dibuja un paisaje» de Gloria Fuertes. Lee el poema e identifica en los dibujos los elementos del paisaje de los que habla el texto. En tu opinión, ¿qué dibujo representa mejor el poema?

Cómo se dibuja un paisaje

Un paisaje que tenga de todo,
se dibuja de este modo:

Unas montañas,
un pino,
arriba el sol,
abajo un camino,
una vaca,
un campesino,
unas flores,
un molino,
la gallina y un conejo,
y cerca un lago como un espejo.

Ahora tú pon los colores;
la montaña de marrón,
el astro sol amarillo,
colorado el campesino,
el pino verde,
el lago azul
—porque es espejo del cielo, como tú—
la vaca de color vaca,
de color gris el conejo,
las flores…
como tú quieras las flores,
de tu caja de pinturas,
¡usa todos los colores!

Puedes encontrar más información sobre
Gloria Fuertes en www.gloriafuertes.org

1

b ¿Cómo es tu paisaje ideal? Descríbelo a tu compañero para que lo dibuje.

En mi paisaje ideal hay una playa con palmeras. Pon cinco palmeras en la playa y en el mar dibuja un barco…

2

9 DESCRIBIR UNA FOTOGRAFÍA

a Mira esta fotografía y completa el texto con las palabras del recuadro.
Coméntalo con tu compañero. ¿Habéis escrito lo mismo?

a al final de	**f** en el centro	**k** pantalón
b verano	**g** altas	**l** pueblo
c al fondo	**h** excursión	**m** una mujer
d creo que	**i** están andando	**n** morenos
e a mí me parece	**j** llevan	

En esta fotografía, en primer plano hay un hombre, [1]_____ y dos niños que [2]_____ por una calle. [3]_____ ropa cómoda. La mujer lleva un [4]_____ rojo y una camisa de cuadros y el hombre lleva unos vaqueros y un jersey. [5]_____ que están tranquilos. Los dos son [6]_____ y tienen el pelo corto. Los niños están [7]_____ y son muy pequeños. [8]_____ la calle hay dos personas sentadas. [9]_____ hay una casa y detrás de la casa hay una montaña. Hace mucho sol pero no parece [10]_____ quizá es otoño. [11]_____ están de vacaciones o de [12]_____ porque la mujer lleva una mochila. Quizá están visitando este lugar, yo creo que es un [13]_____ porque las casas son de piedra y no son muy [14]_____.

b Escribe las palabras de arriba en la columna correspondiente y busca más en el texto. Compara tu tabla con la de tu compañero.

Recursos para hablar de un lugar	Personas	Aspecto físico	Estados de ánimo	Ropa	Acciones	Lugar	Tiempo	Opinión
En primer plano								*Creo que...*

c Busca una fotografía y descríbesela a tu compañero. Puedes seguir las pautas del siguiente recuadro. Él tiene que hacer un dibujo con tu descripción. ¿Se parece su dibujo a tu fotografía?

CUANDO DESCRIBES UNA FOTOGRAFÍA, PUEDES HABLAR DE:

* Las personas que hay, qué aspecto físico tienen, qué ropa llevan, que están haciendo.
* El lugar (dónde está, cómo se llama).
* Cuándo está pasando (momento del día, estación del año...).

* Qué crees que está pasando, cómo crees que se sienten las personas...
* Recuerda usar recursos para localizar a las personas y los objetos (al fondo, en el centro, en primer plano, a la derecha, a la izquierda).

MANERAS DE VIVIR

10

En esta unidad vamos a aprender:

- A intercambiar información sobre diferentes estilos de vida y compararlos.
- A expresar deseos sobre el lugar de residencia y la vivienda.
- A pedir permiso y favores.
- A seleccionar información sobre alojamientos y hacer una reserva.

El portal de la ciudad

INICIO   AGENDA   ENLACES   INFORMACIÓN   TRÁFICO   MEDIOAMBIENTE   CONTACTA

▼ Buenos vecinos
▼ Preguntas frecuentes

PREGUNTA: ¿A quién corresponde barrer la acera?

RESPUESTA: Los servicios municipales hacen la limpieza de las calles y las aceras. Sin embargo, si recuperamos la costumbre de barrer delante de nuestro portal y consideramos que mantener limpio este espacio también es responsabilidad de los vecinos, seguro que mejoramos el aspecto de la ciudad.

¿Hay horario para regar las plantas del balcón?

¿Puedo estacionar mi coche en doble fila?

¿Puedo ir con mi perro a la playa?

¿Puedo subir la bicicleta al metro o al autobús?

1 BUENOS VECINOS

a ¿Vives en una ciudad o en un pueblo? ¿Tienes muchos vecinos? ¿Qué relación tienes con ellos? ¿Hablas frecuentemente con ellos?

■ *Yo vivo en un piso, en el centro de la ciudad, tengo muchos vecinos, pero solo conozco a dos o tres.*

● *Yo también vivo en un piso, pero tengo una casa en un pueblo y allí sí conozco a todos mis vecinos y hacemos cosas juntos…*

Pedraza, Segovia (España)

Gran Vía, Madrid (España)

b Observa a la izquierda la página web del ayuntamiento. ¿Crees que es útil y necesaria? ¿Existe algo parecido en tu ciudad? Coméntalo con tus compañeros.

En mi ciudad hay una página muy buena que ofrece…

c Con tu compañero, trata de imaginar las respuestas a las preguntas de los vecinos.

El mejor horario para regar las plantas es…

d 🔊 Además de la página, el ayuntamiento tiene un servicio de consulta telefónica. Escucha las consultas y toma notas en la tabla. Después, contrasta tus notas con las de tu compañero.

CONSULTAS	RESPUESTAS
1	
2	
3	

e ¿Son las respuestas que esperabas? ¿Son diferentes las normas de convivencia en tu país? Comenta las diferencias con tus compañeros.

2 LA ECOALDEA: UNA AVENTURA RURAL

a 🔊 Miquel y Rocío muestran a sus compañeros el reportaje que han hecho sobre las ecoaldeas y las personas que deciden repoblar pueblos abandonados. Lee y escucha.

b Selecciona el título más adecuado para el reportaje de Rocío y Miquel.

> **Las ecoaldeas,**
> una nueva forma de turismo rural, barata y llena de aventuras.

> **Un pueblo del pasado,**
> una ecoaldea del futuro:
> naturaleza y vida en comunidad.

> **Ecoaldeas,** ¿es posible sobrevivir en ellas?

3 ANTES Y AHORA

🔊 Lee estas frases sobre los vecinos de las ecoaldeas y señala si son verdaderas o falsas. Después, escucha de nuevo el reportaje y comprueba tus respuestas.

	V	F
1 Cuando llegaron, en el pueblo no vivía nadie.		
2 Trajeron todas las cosas desde las ciudades y no tuvieron que hacer nada.		
3 Querían vivir en comunidad, cerca de la naturaleza.		
4 Ahora hacen menos cosas juntos y no son tan idealistas como antes.		
5 Antes había tantos vecinos extranjeros y niños como ahora.		

4 ¿MEJOR O PEOR?

a Con tu compañero, completa las frases de Sergio sobre la vida en el campo y en la ciudad.

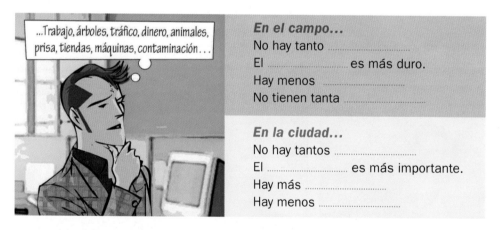

...Trabajo, árboles, tráfico, dinero, animales, prisa, tiendas, máquinas, contaminación...

En el campo...
No hay tanto ....
El .... es más duro.
Hay menos ....
No tienen tanta ....

En la ciudad...
No hay tantos ....
El .... es más importante.
Hay más ....
Hay menos ....

b Lee otra vez las frases de Sergio y subraya las palabras que expresan la comparación. ¿Con cuál de las estructuras del cuadro relacionas cada una?

LA COMPARACIÓN. COMPARATIVOS DE IGUALDAD	
tanto / tantos tanta / tantas + sustantivo + como	Hoy no hay tanto tráfico como ayer. ¡Has cortado tanta leña como yo! No tengo tantos vecinos como en la ciudad. Ya no hacemos juntos tantas cosas como antes.
tan + adjetivo / adverbio + como	Ahora no son tan idealistas como antes. En el campo se vive tan bien como en la ciudad.
verbo + tanto + como	Sergio trabaja tanto aquí como en la ciudad.

5 ¿TE PUEDO PEDIR UN FAVOR?

a Observa las imágenes y, con tu compañero, completa los diálogos para pedir objetos y favores.

1 HACE FRÍO EN CASA

■ ....

....

● Enseguida enciendo el fuego.

2 NECESITAS UN COCHE

■

● Sí, no hay problema, toma las llaves; pero no tiene mucha gasolina, ¿eh?

3 TE DUELE LA CABEZA

■ ....

....

● Sí, claro, toma.

4 LLUEVE MUCHO

■ ....

● Lo siento, es que se me rompió el otro día, pero si quieres te dejo un impermeable...

b 🔊 Escucha a Sergio pedir estos favores en la ecoaldea. ¿Ha utilizado los mismos recursos que vosotros? ¿Encuentras muchas diferencias?

> **Pedir objetos y favores**
>
> ¿Te puedo pedir un favor?
> ¿Tienes...?
> ¿Puedes darme...? / ¿Me das...?
> ¿Puedes dejarme...? / ¿Me dejas...?

6 PERMISO CONCEDIDO

a Relaciona las preguntas y las respuestas.

PEDIR PERMISO	DAR/NO DAR PERMISO
1 Hace mucho calor aquí, ¿no? ¿Puedo poner el aire?	a No, no, está prohibido.
2 Perdone, ¿puedo abrir la ventana?	b Por supuesto, siéntense.
3 Oiga, ¿se puede fumar aquí?	c Adelante, pasad.
4 ¿Podemos pasar?	d Sí, ponlo, ponlo.
5 Perdone, ¿podemos sentarnos aquí?	e No, lo siento, es que no funciona.
6 Perdone, por favor, ¿puedo usar su teléfono?	f Sí, claro, ábrala.

b Observa las respuestas e identifica. Después, compara con tu compañero.

1 ¿En qué casos se concede el permiso? ....

2 ¿Qué forma del verbo se utiliza? ....

3 ¿En qué dos casos aparecen las formas *usted* o *ustedes*? ....

> Utilizamos el imperativo para conceder permiso.

c Mira los siguientes ejemplos de imperativos con pronombres y decide cuál es la regla para la posición de los pronombres.

■ *¿Puedo guardar ya los libros?*
● *Sí, guárdelos.*

■ *¿Se puede beber el agua del grifo?*
● *Sí, bébanla, es buena.*

■ *¿Puedo usar su ordenador?*
● *Sí, úselo.*

■ *¿Podemos hacer las camas?*
● *Sí, háganlas.*

> **Colocación de los pronombres**
>
> 1 Los pronombres se colocan delante del imperativo y forman una sola palabra. ☐
> 2 Los pronombres se colocan detrás del imperativo y forman una sola palabra. ☐
> 3 Los pronombres se colocan detrás del imperativo y como una palabra independiente. ☐

d Observa los ejemplos anteriores y completa el esquema con las formas del imperativo para *usted* y *ustedes*.

IMPERATIVO		
verbos en -ar us**ar**	**verbos en -er** be**ber**	**verbos en -ir** ab**rir**
usted	us_	beba	abr__
ustedes	usen	beb__	abran

Algunos imperativos irregulares		
	usted	**ustedes**
ir	vaya	vayan
venir	venga	vengan
tener	tenga	tengan
salir	salga	salgan
hacer	haga	hagan

e Lee las siguientes frases y pide permiso a tu compañero. Él debe contestar con imperativos.

1 La música está muy alta y te molesta.
2 Tienes frío.
3 Tu teléfono no funciona.
4 Quieres ver la televisión.

■ ¿*Puedo bajar un poco la música?*
● *Sí, claro, bájala.*

7 ALOJAMIENTOS PARA TODOS LOS GUSTOS

a La familia Silvestre Palomo quiere pasar una semana de vacaciones en el campo. Lee lo que piensa cada uno y decide, con tu compañero, qué alojamiento es el mejor para ellos.

Me gustaría subir a una montaña.

Me gustaría tener tele en la habitación.

Me gustaría pasear por el bosque y no tener que cocinar.

Quiero bañarme.

Nos gustaría tener jardín y estar cerca del pueblo.

Quiero jugar en un parque.

Expresar deseos

me
te
le   gustaría + infinitivo
nos
os
les

■ *Yo creo que el mejor alojamiento para ellos es...*
● *Sí, pero...*

CASA RURAL EL RINCÓN

Propietario; Juan Muñoz
Plazas: 7-10 personas.
Servicios: garaje, jardín, terraza, columpios, barbacoa.

HOTEL EL CID

Un lugar de leyenda.
24 confotables habitaciones y una suite con *jacuzzi.*
Totalmente equipadas
Salón social.
Restaurante selecto.

HOSTAL RESIDENCIA PAZ

Para disfrutar de la montaña.
6 habitaciones confortables.
Comidas caseras.
Jardín con piscina.

HOSTAL RESTAURANTE PIRINEOS

12 habitaciones con baño y *TV.*
Comidas caseras.
En el centro del pueblo.

b 🔊 Escucha y responde. ¿Qué alojamiento han elegido?

c ¿En cuál de estos alojamientos te gustaría pasar las vacaciones con tu familia? ¿Y con tus amigos? Coméntalo con tu compañero.

8 QUERÍA HACER UNA RESERVA

🔊 La familia Silvestre reserva el alojamiento por teléfono. Escucha y marca las opciones correctas.

1 Reservan...
☐ tres habitaciones dobles y una individual.
☐ dos habitaciones triples y una individual.
☐ dos habitaciones dobles y una triple.

2 Tienen que confirmar la reserva...
☐ una semana antes.
☐ un mes antes.
☐ dos semanas antes.

3 La habitación doble cuesta...
☐ 70 euros.
☐ 80 euros.
☐ 95 euros.

4 El pueblo está...
☐ a diez minutos a pie.
☐ a dos minutos en coche.
☐ a doce minutos andando.

5 Eligen...
☐ alojamiento y desayuno.
☐ media pensión.
☐ pensión completa.

6 Las habitaciones...
☐ no tienen baño.
☐ tienen baño y TV.
☐ no tienen TV.

9 NUESTRA RESERVA

En parejas, vais a decidir un lugar donde pasar el fin de semana y vais a prepararos para hacer la reserva del alojamiento.

ELABORA

a En parejas, primero decidid todos los detalles:

☐ Cuántas personas   ☐ Cuántos días   ☐ Qué fechas

b Seleccionad uno de los alojamientos de la actividad 7 u otro que hayáis encontrado en internet como por ejemplo, los dos siguientes.

Hostal Revinuesa
(Vinuesa-Soria-España)

El Hostal Revinuesa ofrece vistas al campo y está situado a 18 km de la Laguna Negra y a 10 km del embalse de Playa Pita. Dispone de un restaurante.

Parador de Ronda
(Ronda-Málaga–España)

En el centro de la ciudad, en un lugar privilegiado, junto al emblemático Puente Nuevo de Ronda, se encuentra el Parador.

c Después, practica con tu compañero, que será el recepcionista. Podéis utilizar la transcripción de la actividad 7. Escribid vuestra conversación.

COMPARTE

d Podéis hacer la simulación de la conversación delante de vuestros compañeros. Elegid la mejor simulación: ¿por qué es la mejor: cortesía, actitud, fluidez, corrección...?

10 BARRIOS QUE CAMBIAN

a Lee este artículo sobre cómo ha cambiado el barrio de Lavapiés, en Madrid, y después completa la tabla.

Lavapiés en transformación

Hace un tiempo, Lavapiés era un barrio exótico porque lo habitaban vecinos que venían de diferentes partes del mundo. Sin embargo, en la actualidad, los extranjeros son menos de un cuarto. También ha bajado el número de los mayores de 65 años, que eran el 17 % y ahora son el 14 %.

Lo que sí sube es la población de espa-ñoles de clase media (los universitarios, por ejemplo, han pasado del 29 % al 39 %) atraídos por la variedad cultural. Los agentes inmobiliarios dicen que los pisos aquí se alquilan rapidísimo y que el año pasado el precio del metro cua-drado subió un 11 %. Es algo que ocurre en todas las grandes ciudades y no se puede parar: la gentrificación.

La gentrificación es un proceso urbano que sufren barrios que se ponen de moda y donde la vivienda es cada vez más cara. Por eso, los primeros vecinos tienen que irse. Así, en Lavapiés cada vez hay más restaurantes de diseño, librerías con cafetería y sala de exposi-ciones o alguna barbería *vintage* y me-nos comercios de los de antes.

Lavapiés antes	Lavapiés en la actualidad
Antes vivían muchos...	*En la actualidad...*

b En el texto se habla de la gentrificación de los barrios. ¿Cuál es tu opinión? ¿Ocurre lo mismo en tu ciudad o en otras ciudades en las que has vivido? Cuéntaselo a tus compañeros.

c ¿Cómo era tu barrio antes? ¿Cómo es tu barrio ahora? ¿Ha cambiado mucho? Coméntalo con tus compañeros.

Mi barrio ha cambiado mucho. Antes era...

11 INTERCAMBIO DE IDIOMAS

a ¿Has realizado un intercambio de idiomas alguna vez? En tu opinión, ¿cuáles son las ventajas e inconvenientes de esta forma de practicar un idioma? Coméntalo con tu compañero.

Hablar con un nativo

Elegir los temas de conversación

Hacer amigos de otro país

Buscar un sitio de encuentro

Ser extrovertido/introvertido

b Lee este artículo sobre diferentes tipos de intercambios. ¿Qué te parecen? ¿Cuál te gusta más y por qué? Coméntalo con tus compañeros.

INTERCAMBIOS DE IDIOMAS

Los intercambios de idiomas pueden ser una manera muy divertida de mejorar tu español mientras conoces a gente de todo el mundo.

Intercambios de idiomas en un bar

En este tipo de intercambios de idiomas, se hacen **"quedadas" en un pub o bar para practicar idiomas en grupo.** El intercambio de idiomas en un bar es ideal para personas extrovertidas, que buscan conocer a gente nueva y divertirse aprendiendo. Para sacarles todo el partido, es aconsejable tener un nivel medio de español, ya que las conversaciones de grupo, con ruido de fondo, suelen ser más difíciles de seguir.

Intercambios de idiomas en pareja

En esta modalidad, **dos personas nativas de diferentes idiomas se ponen de acuerdo para quedar y practicar** los dos idiomas. Su gran ventaja es que os permite poneros de acuerdo para practicar lo que más os interesa, hacer un seguimiento y ver vuestros progresos. Si eres un poco tímido, puede ser una buena idea para empezar a intercambiar idiomas antes de lanzarte a un grupo grande.

Intercambios de idiomas por chat o Skype

Internet nos ofrece miles de **opciones para practicar idiomas** y conocer otras culturas **sin movernos de casa**. Las facilidades que nos dan herramientas como **Skype** nos permiten participar en conversaciones gratuitas con alguien que también se encuentra aprendiendo un idioma. Hay páginas como *Italki*, donde puedes hablar por vídeo, o *Hello Talk*, una aplicación de intercambio de idiomas que nos permite practicar idiomas **desde nuestro** *smartphone* **o desde nuestra tableta**.

c A continuación, tienes una lista de consejos para practicar español, ¿se te ocurre alguno más? Coméntalo con tu compañero.

SI QUIERES PRACTICAR TU ESPAÑOL EN UN INTERCAMBIO:

* Busca en internet, hay muchas páginas especializadas en intercambios.
* Habla, no hay que tener miedo a cometer errores.
* Busca a una persona con un nivel parecido al tuyo. Así os podéis ayudar.

* Decide qué te gustaría practicar y pregunta a tu compañero lo que le gustaría practicar a él. Podéis hacer un plan de trabajo.
* Es importante conocer tus errores para poder corregirlos. Por eso tu compañero tiene que decirte cuándo no hablas correctamente.

20 EXPERIENCIAS

En esta unidad vamos a aprender:

• A valorar experiencias relacionadas con estancias en otros países.

• A hablar sobre experiencias relacionadas con la educación y el trabajo.

• A contar datos biográficos de la vida de una persona y escribir su biografía.

 ESPAÑOLES EN EL MUNDO

Programa que se acerca a destinos de todo el mundo a través de españoles que han decidido instalarse en otro país. Estos "nuevos emigrantes" ofrecen su particular punto de vista sobre el país que los ha acogido y explican sus anécdotas sobre cómo son sus vidas allí.

GUINEA
MALABO
ELENA
31 años
MADRID
5 AÑOS EN GUINEA
ESPAÑOLES EN EL MUNDO

PERÚ
LIMA
TEO
54 años
LLEIDA
9 AÑOS EN PERÚ
ESPAÑOLES EN EL MUNDO

CHIPRE
NICOSIA
DAVID
33 años
PALENCIA
5 AÑOS EN CHIPRE
ESPAÑOLES EN EL MUNDO

SHANGHÁI
SHANGHÁI
VERÓNICA
33 años
ASTURIAS
3 AÑOS Y MEDIO EN CHINA
ESPAÑOLES EN EL MUNDO

 **ESPAÑOLES EN EL MUNDO**

1 CIUDADANOS DEL MUNDO

a ¿Vives ahora o has vivido alguna vez fuera de tu país? ¿Tienes familiares o amigos que viven en otro país? ¿Conoces a extranjeros que viven en tu país? Los motivos para decidir ese cambio en la vida pueden ser diferentes. Comenta tus experiencias y los casos que conoces con tus compañeros.

- por amor
- por trabajo
- porque querían vivir nuevas experiencias
- por razones familiares
- para estudiar
- para ganar más dinero
...

■ *Yo tengo una amiga argentina que vive en Croacia.*
● *¿Ah, sí?*
■ *Sí. Se fue por amor. Conoció a un chico croata en un viaje y ahora viven juntos en Dubrovnik.*
● *Pues yo conozco a un chico italiano que vive en Londres. Se fue allí para estudiar un máster.*

b 🔊 En el programa de televisión *Españoles en el mundo* descubrimos el caso de mucha gente que ha decidido irse a vivir fuera de su país, como las cuatro personas de las fotos. Lee sus datos y escucha sus entrevistas. Toma notas de sus historias en tu cuaderno.

	Elena	David	Verónica	Teo
1 ¿Por qué decidieron instalarse en el país?				
2 ¿A qué se dedican?				
3 ¿Se fueron solos?				
4 ¿Están contentos?				

c Pensando en las experiencias que has escuchado y en las que tú conoces, ¿qué aspectos positivos crees que tiene vivir en otra cultura? Discútelo con tus compañeros.

2 LA VIDA ES ASÍ

a Mira las fotos que guarda Alejandro en el ordenador. ¿En qué orden cronológico crees que van?

b 🔊 Escucha la entrevista que le hacen a Alejandro y comprueba tus hipótesis a partir de las explicaciones que da sobre su vida.

c 🔊 Escucha otra vez la entrevista y escribe en qué orden oyes estos verbos y expresiones.

	Morir		Cambiar de trabajo		Empezar a estudiar	Terminar la carrera		Casarse		Tener hijos
1	Nacer		Irse a vivir a otra ciudad		Licenciarse	Ganar una beca		Conocer a alguien		Separarse

d Escribe en un papel seis datos esenciales de tu vida y dáselo a tu profesor. Él te dará el papel de otro compañero. Léelo: ¿sabes quién lo ha escrito?

3 SORPRESAS EN EL "AÑO DE LA CIENCIA"

a 🔊 Este año es el «Año de la Ciencia» y la Agencia ELE prepara un reportaje sobre este tema. Lee y escucha.

b Completa los títulos de los dos reportajes.

Especial Ciencia

.... ,

descubridor
de un antídoto
contra serpientes
y escorpiones.

①

ENTREVISTA
a Pedro Conde, _____ de
la Estación Espacial Internacional.

②

4 DOS VIDAS, DOS PASADOS

a Cuando contamos la vida de una persona mencionamos las acciones que realizó y, muchas veces, también añadimos información sobre la situación, el "escenario" en el que ocurrieron. Observa cómo se separan los dos tipos de información sobre la vida de Pedro Conde en la siguiente tabla. Observa el primer dato y completa el resto con los verbos que aparecen entre paréntesis.

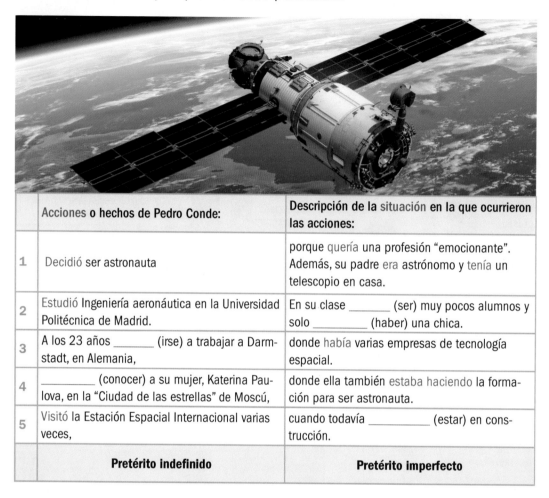

	Acciones o hechos de Pedro Conde:	Descripción de la situación en la que ocurrieron las acciones:
1	Decidió ser astronauta	porque quería una profesión "emocionante". Además, su padre era astrónomo y tenía un telescopio en casa.
2	Estudió Ingeniería aeronáutica en la Universidad Politécnica de Madrid.	En su clase _____ (ser) muy pocos alumnos y solo _____ (haber) una chica.
3	A los 23 años _____ (irse) a trabajar a Darmstadt, en Alemania,	donde había varias empresas de tecnología espacial.
4	_____ (conocer) a su mujer, Katerina Paulova, en la "Ciudad de las estrellas" de Moscú,	donde ella también estaba haciendo la formación para ser astronauta.
5	Visitó la Estación Espacial Internacional varias veces,	cuando todavía _____ (estar) en construcción.
	Pretérito indefinido	**Pretérito imperfecto**

b Ahora, con tu compañero, decidid qué tiempo del pasado (imperfecto o indefinido) es conveniente para esta información de Vital Brazil. Completad el texto.

Vital Brazil

_____ (licenciarse) en Medicina en 1891 en Río de Janeiro.
Cuando _____ (tener) 34 años, _____ (descubrir) una sustancia contra el veneno de las serpientes americanas. Gracias a esta vacuna _____ (disminuir) al 2 % el número de muertes por mordedura de serpiente. Antes de su invención la mortalidad _____ (ser) del 25 %.

5 RECUERDOS DEL COLEGIO

¿Te acuerdas del colegio? ¿Te gustaba? Comenta con tu compañero cómo era esa época.

Yo iba a un colegio público en mi pueblo y...

> ### Para hablar del colegio
>
> - Era un colegio **mixto/de chicas/público/privado/religioso**.
> - **Mi profesora favorita** era la de Geografía.
> - **Mi mejor amiga** se llamaba Claudia y era muy divertida.
> - **Mi asignatura preferida** era la Historia.
> - **La asignatura que menos me gustaba** eran las Matemáticas.
> - En los exámenes **sacaba** (muy) **buenas/malas notas**.

6 MOMENTOS IMPORTANTES

Piensa en dos momentos importantes o especiales de tu vida. ¿Qué hiciste? ¿Qué recuerdas de aquellas situaciones? Escribe los datos en esta ficha como en el ejemplo, pregunta por esos hechos a un compañero y luego responde a sus preguntas.

Hecho importante	*El día que conocí a mi novia.*		
¿Cuándo fue?	*El año pasado, en febrero.*		
¿Qué hiciste? ¿Qué pasó?	*Un chico nos presentó. Empezamos a hablar y bailar.*		
Descripción de la situación · ¿Cuántos años tenías?	*21*		
¿Qué tiempo hacía?	*Hacía frío y llovía.*		
¿Dónde estabas? ¿Con quién? ¿Cómo eran?	*Estaba en casa de Ulrike, en una fiesta. Había mucha gente.*		
¿Qué ropa llevabas?	*No me acuerdo, pero Katia llevaba un jersey azul.*		

> ■ *A ver, un momento importante de tu vida, Günter.*
> ● *El día que conocí a mi novia.*
> ■ *Vale... ¿Cuándo fue?*
> ● *El año pasado, en febrero.*
> ■ *¿Y qué pasó?*
> ● *Pues un chico nos presentó y empezamos a hablar y a bailar. Lo pasamos genial.*
> ■ *¿Cuantos años tenías?*
> ● *Veintiuno.*

> ### Momentos importantes
>
> Primer encuentro con tu pareja
> Primer día de trabajo
> Celebración de un cumpleaños especial
> Nacimiento de tu hijo/-a
> Nacimiento de tu hermano/-a
> Tu boda
> Etc...

7 EXPERIENCIAS INTERESANTES

a ¿Has hecho alguna vez alguna de estas cosas? En caso afirmativo, márcala.

☐ Vivir en otro país.
☐ Prestar primeros auxilios a alguien.
☐ Trabajar de voluntario.
☐ Dirigir un grupo de teatro.
☐ Participar en un proyecto cultural.
☐ Dar clases particulares.

☐ Colaborar con una ONG.
☐ Practicar deportes de riesgo.
☐ Trabajar de canguro.
☐ Ganar un campeonato de fútbol, tenis u otro deporte.
☐ Viajar con poco dinero.

b 🔊 Escucha estas conversaciones. ¿Qué actividades de las anteriores han hecho las personas que hablan? Márcalas con un círculo. Luego compara las respuestas con un compañero.

c Lee las transcripciones de los diálogos anteriores e intenta completarlas utilizando el tiempo verbal correspondiente (pretérito perfecto, pretérito indefinido o pretérito imperfecto).

DIÁLOGO 1

- Oye, ¿tú (trabajar) .... como voluntario alguna vez?
- Eh… pues sí, una vez, pero hace muchos años, en Francia.
- ¿En Francia? ¿Y cómo fue eso?
- Pues… yo (estudiar, yo) .... en el Instituto Francés de Barcelona, y un día la profesora (llegar, ella) .... a clase y nos (comentar, ella) .... la posibilidad de ir al sur de Francia como voluntarios, en verano, para hacer excavaciones arqueológicas.
- ¡Excavaciones arqueológicas! ¡Qué interesante!
- Sí, muy interesante. La verdad es que (aprender, yo) .... muchas cosas.
- ¿Sí? ¿Cómo qué, por ejemplo?
- Bueno, primero, cómo (vivir, ellos) .... los hombres prehistóricos, pero sobre todo, (aprender, yo) .... a trabajar en grupo y a convivir con otras personas.

DIÁLOGO 2

- Pues yo (trabajar) .... de canguro bastantes veces, la verdad.
- ¿Ah, sí? Cuenta, cuenta.
- Pues… bueno, nada especial. Es que mi hermana tiene dos niños y cuando (ser, ellos) .... pequeños y mi hermana y su marido (salir, ellos) .... por la noche, pues yo (ir) .... a su casa.
- ¿Y qué (hacer, tú) ....?
- Pues nada, (jugar, yo) .... con ellos, les (contar, yo) .... cuentos, les (dar, yo) .... la cena…
- ¿Y nunca (pasar) .... nada? Quiero decir, ¿un accidente o algo?
- ¡Ah, sí, sí, sí!, una vez mi sobrina Sara (romper) .... el cristal de una mesa que (haber) .... en el salón con la cabeza. ¡Qué susto!
- ¡No me digas! ¿Y qué (hacer, tú) ....?
- Pues la (llevar, yo) .... corriendo al hospital y (llamar, yo) .... a mi hermana, claro.

d 🔊 Escucha y comprueba.

e Pregúntales a tus compañeros si han hecho alguna de las actividades del ejercicio **a**. Luego, comenta en clase la experiencia más interesante que has averiguado de alguno de tus compañeros.

Usos del pretérito perfecto, indefinido e imperfecto

- El **pretérito perfecto** se usa para referirse a acciones que el hablante relaciona con el momento en el que habla.

  ¿Has trabajado como voluntario alguna vez?

- El **pretérito indefinido** se usa para referirse a acciones que tienen lugar en un momento concreto del pasado, no relacionado con el momento en el que se habla.

  Trabajé como voluntario hace muchos años.

- El **pretérito imperfecto** se usa para describir las situaciones en las que se enmarcan las acciones pasadas.

  Jugaba con mis sobrinos, les contaba cuentos, les daba la cena.

8 SE BUSCAN VOLUNTARIOS

Varias ONG están buscando voluntarios para sus actividades en distintos países. Los requisitos son: ser mayor de 18 años y tener un mes de disponibilidad para trabajar en otro país. Vais a presentaros a una entrevista para colaborar con ellas.

PARA EMPEZAR

a Formad grupos de cuatro. Elegid una ONG. Buscad información sobre qué tipo de actividad desarrolla (salud, infancia, educación, etc.) y en qué lugares.

b Vais a trabajar con otro grupo de cuatro. Los dos grupos os informáis mutuamente de cuál es vuestra ONG.

c Formad nuevos grupos con dos personas de cada grupo. Ahora, hay dos candidatos que quieren colaborar con una de las ONG y otras dos personas los van a entrevistar.

Los entrevistadores tienen que preparar una lista de preguntas para los candidatos a voluntarios, preguntas sobre su motivación, intereses, vida, estudios, profesión y experiencias, para averiguar su perfil y su potencial para su ONG.

Los que van a ser entrevistados tienen que preparar su perfil, imaginar qué preguntas les van a hacer los entrevistadores y qué van a responder.

ELABORA

d Los entrevistadores realizan las entrevistas y seleccionan al candidato más adecuado para la ONG.

COMPARTE

e Los grupos presentan los nuevos miembros de las ONG al resto de la clase y explican por qué los han seleccionado.

9 LAS AVENTURAS DE CERVANTES

a ¿Conoces la vida de Cervantes, el autor de *Don Quijote de la Mancha*? Lee los siguientes párrafos y numéralos para ordenar su biografía.

A ☐ Miguel de Cervantes nació en Alcalá de Henares en 1547. Era hijo de Rodrigo Cervantes y de Leonor Cortinas, y tenía seis hermanos. Pertenecía a una familia con poco dinero y muchas deudas.

B ☐ En 1605 publicó la primera parte de *El ingenioso hidalgo don Quijote de La Mancha,* y en 1615, la segunda. Considerada la primera novela moderna, obtuvo un gran éxito tanto en España como en Europa: la primera parte se tradujo al inglés en 1612, al francés en 1614 y poco después a otras lenguas, pero Cervantes ganó poco dinero con la publicación y las traducciones de su novela.

C ☐ Unos años más tarde, en 1575, durante un viaje de Nápoles a España, unos corsarios atacaron el barco en el que viajaban él y su hermano Rodrigo. Los hicieron prisioneros y los llevaron a Argel, que en aquel momento era uno de los centros de comercio más ricos del Mediterráneo. Allí estuvo cinco años en prisión.

D ☐ Tuvo muchos problemas con la justicia. En 1592 fue a la cárcel, acusado de vender trigo ilegalmente, y en 1597, cuando era recaudador de impuestos, fue enviado nuevamente a prisión, acusado de robar dinero público. Fue en estas difíciles circunstancias cuando, probablemente, comenzó la redacción de *El Quijote*.

E ☐ Murió en Madrid el 23 de abril de 1616, en la misma fecha que William Shakespeare. En 2015 se descubrió su tumba en un convento en el centro de Madrid.

F ☐ Hombre de fuerte carácter, intentó escapar en cuatro ocasiones, pero no lo consiguió hasta que, finalmente, su familia consiguió reunir el dinero suficiente para pagar el rescate. Volvió a España en 1580. Tenía treinta y tres años y había pasado los últimos diez entre la guerra y la prisión.

G ☐ Al volver de Argel conoció a Ana Villafranca, con quien tuvo una hija. Después se casó con Catalina Salazar y Palacios (1584), pero el matrimonio fue un fracaso y no tuvieron hijos.

H ☐ Cuando tenía 22 años se fue a Italia. Allí entró en el ejército y participó en la batalla de Lepanto (1571), en la que el imperio otomano y el español luchaban por el dominio del Mediterráneo. Durante la batalla, en la que participaron 200 000 hombres y murieron más de 40 000, recibió tres heridas, dos en el pecho y otra que le dejó inútil la mano izquierda. Por eso a Cervantes se le conoce como «el manco de Lepanto».

Casa natal de Cervantes

b Piensa en un personaje histórico famoso en tu país, busca información sobre él o ella en internet, incluso en tu propia lengua, y escribe su biografía de forma breve, para una enciclopedia. Dale el texto a tu profesor para que lo cuelgue en la pared de la clase y lee las biografías que han escrito tus compañeros. ¿Qué personaje te parece más interesante?

10 ¿QUÉ SÉ HACER YA EN ESPAÑOL?

a El *Portfolio europeo de las lenguas* es un documento personal del Consejo de Europa en el que puedes anotar tu experiencia lingüística y cultural y reflexionar sobre ella. Lee el siguiente texto para conocerlo mejor.

El Portfolio consta de 3 partes:

✱ Pasaporte de lenguas:
Es tu identificación para saber qué lenguas conoces y lo que sabes hacer con ellas (hablar, leer, escuchar o escribir). Puedes autoevaluarte. También contiene información sobre los diplomas que tienes y cursos a los que has asistido.

✱ Biografía lingüística:
En ella vas a anotar tus experiencias con el español y la cultura española y te va a servir como guía para planificar y evaluar tu progreso.

✱ Dosier:
Contiene ejemplos de tus trabajos personales para mostrar lo que eres capaz de hacer en español. Aquí puedes poner tus trabajos escritos, proyectos, grabaciones en audio, vídeo, presentaciones, etcétera.

---

b Aquí tienes las descripciones que se usan en el pasaporte de lenguas para el perfil de un estudiante que ha superado el nivel A2. Ahora que estamos en la última unidad del libro, marca lo que tú ya has conseguido y lo que todavía no.

		SÍ	NO
	Comprendo frases y el vocabulario más habitual sobre información personal y familiar muy básica, compras, lugar de residencia y trabajo o estudios.	☐	☐
	Soy capaz de leer textos muy breves y sencillos. Sé encontrar información en escritos sencillos y cotidianos como anuncios publicitarios, prospectos, menús y horarios y comprendo cartas personales breves y sencillas.	☐	☐
	Puedo comunicarme en tareas sencillas y habituales que requieren un intercambio simple y directo de información sobre actividades y asuntos cotidianos. Soy capaz de realizar intercambios sociales muy breves, aunque todavía no puedo tener una conversación.	☐	☐
	Utilizo una serie de expresiones y frases para describir con términos sencillos a mi familia y otras personas, mis condiciones de vida, mis estudios y mi trabajo actual o el último que tuve.	☐	☐
	Soy capaz de escribir notas y mensajes breves y sencillos relativos a mis necesidades inmediatas. Puedo escribir cartas personales muy sencillas, por ejemplo agradeciendo algo a alguien.	☐	☐

c ¿Qué te gustaría mejorar de tu español? Coméntalo con tus compañeros.

d Puedes ir a www.oapee.es/iniciativas/portfolio/index.html si quieres hacer tu porfolio en línea.

Unidad 1

El abecedario o alfabeto

A a a	**B b** be	**C c** ce	**D d** de	**E e** e
F f efe	**G g** ge	**H h** hache	**I i** i	**J j** jota
K k ka	**L l** ele	**M m** eme	**N n** ene	**Ñ ñ** eñe
O o o	**P p** pe	**Q q** cu	**R r** erre	**S s** ese
T t te	**U u** u	**V v** uve	**W w** uve doble	**X x** equis
Y y i griega	**Z z** zeta			

C H ch che	**L L ll** elle

Números

0 cero	4 cuatro	8 ocho
1 uno	5 cinco	9 nueve
2 dos	6 seis	10 diez
3 tres	7 siete	

Sustantivos y artículos: género (masculino y femenino) y número (singular y plural)

Masculino

singular	plural
el restaurante	los restaurantes
el profesor	los profesores
el teléfono	los teléfonos

Femenino

singular	plural
la playa	las playas
la mujer	las mujeres
la familia	las familias

Verbos *ser* y *llamarse*

	ser	llamarse
yo	soy	me llamo
tú	eres	te llamas
él/ella	es	se llama

Presentarse

- Hola, me llamo Iñaki.
- Hola, soy Rocío.
- Soy de Madrid.

Preguntar el nombre, el teléfono y el correo electrónico

- ¿Cómo te llamas?
- ¿Cuál es tu número de teléfono?
- ¿Cuál es tu correo electrónico?

Comunicación en clase

- No entiendo.

- ¿Qué significa «cerrado»?
- *Closed*.

- Perdón, ¿puede/s repetir?

- ¿Cómo se dice *hello* en español?
- «Hola»

- Más despacio, por favor.

- ¿Cómo se escribe «gente»?
- Ge-e-ene-te-e.

- ¿Cómo se pronuncia «mujer»?

Unidad 2

Saludar y despedirse

Saludar
- ¡Hola!
- ¿Qué tal?
- ¡Hola! ¿Qué tal?

- Buenos días.
- Buenas tardes.
- Buenas noches.

- Hola, buenos días.
- Hola, buenas tardes.
- Hola, buenas noches.

Despedirse
- ¡Adiós!
- Adiós, buenos días.
- Adiós, buenas tardes.
- Adiós, buenas noches.

- Hasta luego.
- Hasta mañana.
- Hasta el lunes.

Pedir y dar información personal

- ■ ¿Cómo te llamas?
- ● (Me llamo) Alejandro.

- ■ ¿Qué haces? / ¿A qué te dedicas?
- ● Soy | abogado /-a.
        | profesor /-a.

- ● Trabajo en | un restaurante.
             | una empresa de transportes.

- ● Estudio | Medicina.
- ● Soy estudiante de | Económicas.

- ● No trabajo, | estoy en paro.
              | estoy jubilado.

- ■ ¿Estás | ● Sí, sí, estoy casado.
  casado? | ● No, estoy soltero.
           | ● No, estoy divorciado.

- ■ ¿De dónde eres?
- ● Soy | marroquí.
        | español, de Barcelona.
        | de aquí.

- ■ ¿Qué lenguas / idiomas hablas?
- ● (Hablo) Francés, árabe y un poco de español.

Presentar a otra persona

- ■ Mira, | este es Luis, mi novio.
  (tú) | esta es Silvia, la directora.
         | te presento a Luis.

- ■ Mire, | estos son los señores García.
  (usted) | le presento a los señores García.
           | estas son las profesoras.

- ● Encantado/-a.
- ● Mucho gusto.
- ● Hola, ¿qué tal?

Identificar

- ■ ¿La señora María Jiménez, por favor?
- ● Sí, soy yo.

Presente de indicativo

	Verbos en –ar		
	hablar	trabajar	estar
yo	hablo	trabajo	estoy
tú	hablas	trabajas	estás
él/ella/usted	habla	trabaja	está
nosotros/nosotras	hablamos	trabajamos	estamos
vosotros/vosotras	habláis	trabajáis	estáis
ellos/ellas/ustedes	hablan	trabajan	están

	Verbos en –ar (reflexivos)		
	llamarse	dedicarse	ser
yo	me llamo	me dedico	soy
tú	te llamas	te dedicas	eres
él/ella/usted	se llama	se dedica	es
nosotros/nosotras	nos llamamos	nos dedicamos	somos
vosotros/vosotras	os llamáis	os dedicáis	sois
ellos/ellas/ustedes	se llaman	se dedican	son

El artículo indeterminado

	Masculino	Femenino
singular	un compañero	una escuela
plural	unos amigos	unas profesoras

Género y número en adjetivos de nacionalidad

Terminado en vocal -o /-a

masculino	femenino
egipcio/s	egipcia/s
italiano/s	italiana/s
jordano/s	jordana/s
ruso/s	rusa/s
argentino/s	argentina/s
brasileño/s	brasileña/s

Consonante

masculino	femenino
español/es	española/s
francés/es	francesa/s
alemán/es	alemana/s
inglés/es	inglesa/s
danés/es	danesa/s
portugués/es	portuguesa/s

**No cambia
masculino y femenino**

estadounidense/s
canadiense/s
marroquí/s/(íes)
belga/s
israelí/s/(íes)

Unidad 3

Números

1	uno	20	veinte
2	dos	30	treinta
3	tres	40	cuarenta
4	cuatro	50	cincuenta
5	cinco	60	sesenta
6	seis	70	setenta
7	siete	80	ochenta
8	ocho	90	noventa
9	nueve	21	veintiuno
10	diez	22	veintidós
11	once	23	veintitrés
12	doce	24	veinticuatro
13	trece	25	veinticinco
14	catorce	26	veintiséis
15	quince	27	veintisiete
16	dieciséis	28	veintiocho
17	diecisiete	29	veintinueve
18	dieciocho		
19	diecinueve		Una palabra

31	treinta y uno	61	sesenta y uno
32	treinta y dos	72	setenta y dos
41	cuarenta y uno	83	ochenta y tres
42	cuarenta y dos	94	noventa y cuatro
51	cincuenta y uno		
52	cincuenta y dos		Tres palabras

Preguntar cantidades

Cuántos + sustantivo masculino plural
Cuántas + sustantivo femenino plural

- ¿Cuántos hijos tiene/s?
- ¿Cuántas hermanas tiene/s?

Preguntar por qué

- ¿Por qué viene/s a la fiesta?
- Porque vivimos cerca.
- Por mi nieto.

Posesivos

Posesivos	
singular	**plural**
mi madre	mis padres
tu hermano	tus hijos
su mujer	sus hermanos

Verbos tener, venir y vivir

	tener *	venir *	vivir
yo	tengo	vengo	vivo
tú	tienes	vienes	vives
él/ella/usted	tiene	viene	vive
nosotros/nosotras	tenemos	venimos	vivimos
vosotros/vosotras	tenéis	venís	vivís
ellos/ellas/ustedes	tienen	vienen	viven

* Los verbos tener y venir son irregulares.

Pedir y dar información sobre la edad y el domicilio.

- ¿Cuántos años tiene/s?
- Tengo 38.

- ¿Dónde vive/s?
- Vivo en Málaga.

Pedir y dar información sobre la apariencia física y el carácter.

Ser + adjetivos

- ¿Cómo es (tu madre)?
- Es alta y bastante delgada.
- Es muy simpática.

- ¿Cómo son tus padres?
- Son altos.
- Son muy simpáticos.

Cuantificadores

- Mi padre es muy alto.
- Mi hermana es bastante guapa.
- Yo soy un poco* bajo.

*un poco se utiliza con adjetivos que se consideran negativos.

Tú y usted

Se utiliza la misma forma verbal para usted que para él o ella.

- Tú tienes un hermano.
- Usted tiene un hermano.
- Él/ella tiene un hermano.

Unidad 4

Expresar frecuencia

■ Voy a nadar ■ Juego al baloncesto	todos los días. (todos) los lunes / martes. a veces. dos veces por semana. una vez por semana.

■ No voy a nadar ■ No juego al baloncesto	casi nunca. nunca.

singular	plural
el lunes	los lunes
el martes	los martes
el sábado	los sábados
el domingo	los domingos
el fin de semana	los fines de semana

Presente de indicativo: verbos con formas irregulares

1. Cambios vocálicos

	jugar	querer	preferir
yo	juego	quiero	prefiero
tú	juegas	quieres	prefieres
él/ella/usted	juega	quiere	prefiere
nosotros/nosotras	jugamos	queremos	preferimos
vosotros/vosotras	jugáis	queréis	preferís
ellos/ellas/ustedes	juegan	quieren	prefieren

2. Forma *yo* irregular

	hacer	salir
yo	hago	salgo
tú	haces	sales
él/ella/usted	hace	sale
nosotros/nosotras	hacemos	salimos
vosotros/vosotras	hacéis	salís
ellos/ellas/ustedes	hacen	salen

	conocer	ver
yo	conozco	veo
tú	conoces	ves
él/ella/usted	conoce	ve
nosotros/nosotras	conocemos	vemos
vosotros/vosotras	conocéis	veis
ellos/ellas/ustedes	conocen	ven

3. Totalmente irregular

	ir
yo	voy
tú	vas
él/ella/usted	va
nosotros/nosotras	vamos
vosotros/vosotras	vais
ellos/ellas/ustedes	van

Pedir información sobre gustos

■ ¿Te gusta bailar?
● Sí, me gusta mucho.

■ ¿Te gusta el cine?
● Sí, me gusta bastante.

■ ¿Te gustan los deportes?
● No, no me gustan.

■ ¿Te gusta jugar al fútbol?
● ¡Me encanta!

■ ¿Te gustan las matemáticas?
● ¡Me encantan!

GUSTA + infinitivo
GUSTA + sustantivo singular
GUSTAN + sustantivo plural

Pedir y dar información sobre preferencias

■ ¿Qué prefieres, el cine o el teatro?
● Prefiero el cine, ¿y tú?
■ Yo también.

Proponer a alguien hacer una actividad

■ ¿Quieres ir al cine?
● ¿Vamos a jugar al tenis esta tarde?

Unidad 5

Hay: existencia

■ Hay	un bar con terraza en mi calle. bares y discotecas en el centro. mucha gente en la Plaza Mayor. muchas terrazas en esta avenida.

Estar: localización

■ El bar Pepe ■ La comisaría	está	cerca de la plaza. al lado del cine.
■ Los cines Ideal ■ Las tiendas de ropa	están	lejos del metro. en el centro.

Cuantificadores

Verbo ser + muy + adjetivo
- Es una ciudad muy bonita.

Verbo + (mucho/-a/-os/-as) / (bastante/-s) /
(poco/-a/-os/-as) + sustantivo.
- Mi ciudad tiene muchos restaurantes.
- En mi barrio hay bastantes tiendas.
- Mi país tiene poca población.

Localizar

Está
- ... a la derecha
- ... a la izquierda
- ... enfrente de
- ... al lado de
- ... al final de la calle
- ... entre X y X

- El museo está al lado del hotel.

Los números

101	ciento un(o)/-a
102	ciento dos
103	ciento tres
104	ciento cuatro
105	ciento cinco

Ciento un libros
Ciento una personas

110	ciento diez
111	ciento once
112	ciento doce
...	
120	ciento veinte
121	ciento veintiuno
122	ciento veintidós
...	
130	ciento treinta
140	ciento cuarenta
150	ciento cincuenta
160	ciento sesenta
170	ciento setenta
180	ciento ochenta
190	ciento noventa

200	doscientos/-as
205	doscientos/-as cinco
210	doscientos/-as diez
220	doscientos/-as veinte
...	

300	trescientos/-as
400	cuatrocientos/-as
500	quinientos/-as
600	seiscientos/-as
700	setecientos/-as
800	ochocientos/-as
900	novecientos/-as

Setecientos libros
Setecientas personas

1000	mil
1001	mil un(o)/-a
1010	mil diez
1050	mil cincuenta
1100	mil cien
1150	mil ciento cincuenta

Mil libros / Mil personas

1200	mil doscientos/-as
1300	mil trescientos/as
1400	mil cuatrocientos/-as
1500	mil quinientos/-as
...	
2000	dos mil
3000	tres mil
4000	cuatro mil
...	
20 000	veinte mil
50 000	cincuenta mil
100 000	cien mil
200 000	doscientos/-as mil
300 000	trescientos/-as mil
400 000	cuatrocientos/-as mil
500 000	quinientos/-as mil
600 000	seiscientos/-as mil
700 000	setecientos/-as mil
800 000	ochocientos/-as mil
900 000	novecientos/-as mil
1 000 000	un millón

Cien mil personas

Un millón de personas

Pedir y dar la hora

- Perdone, ¿tiene hora?
- (Sí,) es la una y cinco.
  son las seis y veinticinco.

- ¿Qué hora es? • Es la una y cuarto.
  • Son las nueve y media.

Pedir y dar información sobre horarios

- ■ ¿A qué hora es la manifestación?
- ● A las nueve y media.
- ■ ¿A qué hora abre la discoteca?
- ● A las doce.
- ■ ¿A qué hora cierra la terraza el bar?
- ● A la una.

Agradecer

- ■ ¿Tienes hora?
- ● Las cuatro y media.
- ■ Muchas gracias.
- ● De nada.

Disculparse

- ■ ¡Lo siento!
- ■ Perdón.

Citarse

Preguntar hora y lugar

- ■ ¿Cómo quedamos?
- ■ ¿Cuándo quedamos?
- ■ ¿Dónde quedamos?

Proponer hora y lugar

- ■ ¿Quedamos mañana a las once?
- ■ ¿Quedamos en el Café Central?

Aceptar una propuesta

- ■ Vale.
- ■ Muy bien.
- ■ De acuerdo.
- ■ Por mí, bien.
- ■ Vale, muy bien.
- ■ Muy bien, de acuerdo.

Para aceptar, es frecuente unir dos o más expresiones.

Rechazar una propuesta

- ■ Lo siento, por la tarde no puedo.

Para rechazar, hay que dar una justificación.

Proponer una alternativa

- ■ ¿Qué tal mañana por la noche?
- ■ ¿Qué tal el sábado?
- ■ ¿Qué tal un poco más tarde? ¿A las doce?

Sistema horario

	El sistema horario
12.00	Las doce
13.00	La una
14.00	Las dos
15.05	Las tres y cinco
16.15	Las cuatro y cuarto
18.30	Las seis y media
18.40	Las siete menos veinte
21.45	Las diez menos cuarto
22.55	Las once menos cinco

Partes del día
La mañana
La tarde
La noche
La madrugada
Las doce de la mañana
La tres de la tarde
Las doce de la noche
La tres de la madrugada

12.00 = 12:00

Unidad 6

Comidas del día

Momento del día
por la mañana
a mediodía
por la tarde
por la noche

Sustantivo
el desayuno
la comida
la merienda
la cena

Verbo
desayunar
comer
merendar
cenar

- ■ Por la mañana desayuno en casa y a mediodía como en la cafetería de la universidad.

Hablar sobre alimentos y bebidas

Verbo llevar:
- ■ El arroz a la cubana lleva arroz y huevo frito.

Formas de tomar una bebida:

solo/-a	sin azúcar
con leche	con gas
con azúcar	sin gas

- ■ ¡Un café con leche, por favor!

Uso de *tú* o *usted*

Tú → - formal
Usted → + formal

Factores

Diferencia de edad:
Tratamiento más formal para personas mayores.

Relación entre las personas:
Tratamiento más formal para desconocidos.

Situación y papel de las personas:
Tratamiento más formal con clientes.

- ¿Tú comes en casa o fuera?
- ¿Vosotros coméis en el trabajo o en casa?

- ¿Usted come en casa o fuera?
- ¿Ustedes comen en el trabajo o en casa?

Recursos para pedir en el restaurante

Para llamar al camarero
- ¡Oiga, por favor!
- ¡Camarero, por favor!

Para decir los platos elegidos
- De primero, sopa y, de segundo, salmón.
- De postre, quiero un flan.

Para pedir algo que falta en la mesa
- ¿Puede traer un poco de pan, por favor?

Para pedir la cuenta
- La cuenta, por favor.
- ¿Puede traer la cuenta, por favor?

El camarero y el cliente
- ¿Qué van a tomar?
- ¿Qué hay para comer?
- De primero hay sopa o ensalada.

Recomendar

- Tienes que comer menos lácteos.
- Señor Gómez, tiene que tomar más verdura.

Unidad 7

Describir un lugar

Es un parque nacional.
Es un lugar ideal para descansar.
Ocupa 20 kilómetros.
Se considera la mayor reserva ecológica
    de Europa.
Está en el norte.

Preguntar e informar sobre intenciones y planes

- ¿Qué vas a hacer este fin de semana?
- Voy a salir con mis amigos.

- ¿Donde vas a ir de vacaciones?
- Voy a ir a Cádiz, a la playa.

- ¿Con quién vais a ir al cine esta tarde?
- Vamos a ir con unos compañeros de clase.

	Presente de ir + a + infinitivo		
yo	voy		
tú	vas		
él/ella/usted	va	a	infinitivo
nosotros/nosotras	vamos		
vosotros/vosotras	vais		
ellos/ellas/ustedes	van		

Para planes inmediatos, también se utiliza el presente de indicativo:
- Esta noche me quedo en casa.
- Pues yo ceno con unos amigos.

Expresar deseos

Quiero conocer Colombia.
Quiero aprender chino.   **Querer + INFINITIVO**
Quiero ir a un hotel con piscina.
Quiero estudiar piano.

Me gustaría ir a Costa Rica.
Me gustaría aprender árabe.   **Me gustaría + INFINITIVO**
Me gustaría ir a un restaurante japonés.
Me gustaría estudiar piano.

Preposiciones

Con verbos de movimiento

Ir Viajar Subir	a Gerona a la costa	a + lugar de destino
	de Madrid a Huesca	de + origen a + destino
	en coche en avión	en + forma de transporte

Con verbos de localización

| Estar Quedarse Alojarse | en Madrid en España en el campo |

Opinar

■ Yo creo que este es un lugar ideal para hacer deporte.
● Sí, es verdad, pero también para descansar.
▲ Para mí, no es un buen lugar para ir de vacaciones.

Para hablar del tiempo

| Hace | calor. frío. sol. viento. |

| Hay | tormenta. | También se dice: *Hay sol.* *Hay viento.* |

Llueve.
Nieva.

Unidad 8

Adjetivos de colores

Singular: -o/-a	Plural: -os/-as
amarillo amarilla	amarillos amarillas
negro negra	negros negras
rojo roja	rojos rojas
blanco blanca	blancos blancas

Singular: -e	Plural: -es
verde	verdes

Los adjetivos que no indican colores siguen las mismas reglas:
pequeño → *pequeños*   *grande* → *grandes*   *útil* → *útiles*
pequeña → *pequeñas*

Singular: -a	Plural: -as
naranja rosa	naranjas rosas

Singular: consonante (-n, -s, -l)	Plural: -es
marrón	marrones
gris	grises
azul	azules

Demostrativos

Eso
¿Qué es eso? ¿Son los muebles nuevos?
¿Eso es la puerta del baño?

> Una o más cosas que no se puede identificar.

Ese / Esa / Esos / Esas
¿Esa puerta es la del baño?
Ese es el armario de la cocina.
Esos son los libros de María.
Esas sillas son para el comedor.

> Una o más cosas que se pueden identificar.

Permiso y prohibición

■ ¿Se puede fumar aquí?
● No, no se puede.
● No, está prohibido.

■ ¿Se puede venir con amigos a la piscina?
● Sí, (no hay problema).
● Sí, pero hay que avisar al portero.

> *Sí, pero* + obligación
> indica una condición necesaria
> para tener permiso.

Verbos reflexivos

	ducharse
yo	me ducho
tú	te duchas
él/ella/usted	se ducha
nosotros/nosotras	nos duchamos
vosotros/vosotras	os ducháis
ellos/ellas/ustedes	se duchan

Otros verbos reflexivos:
lavarse, levantarse, acostarse...

Presente de indicativo: verbos con formas irregulares

	O → UE	E → I
	Presente de *poder*	Presente de *vestirse*
yo	puedo	me visto
tú	puedes	te vistes
él/ella/usted	puede	se viste
nosotros/nosotras	podemos	nos vestimos
vosotros/vosotras	podéis	os vestís
ellos/ellas/ustedes	pueden	se visten

«Nosotros» y «vosotros» mantienen la o.

«Nosotros» y «vosotros» mantienen la e.

El orden de las cosas

■ Primero me levanto, después me ducho y al final lavo los platos.
● Pues yo, primero desayuno, después lavo los platos y al final me ducho.

Unidad 9

Preguntar la opinión

¿Qué opinas de tu trabajo? → Opinar + de (un tema)

¿Crees que es interesante? → Creer + que (una idea)

Introducir una opinión

Para mí, es muy importante el horario. → Para mí, + opinión

Creo que es un trabajo muy duro. → Creer que + opinión

Mostrar acuerdo / desacuerdo con una opinión

OPINIÓN
■ Creo que el trabajo de oficina es cómodo pero aburrido.

ACUERDO
■ Estoy de acuerdo.

DESACUERDO
● No estoy de acuerdo.

→ (No) Estar de acuerdo

ACUERDO PARCIAL
■ Es verdad, pero puede ser interesante.
● Estoy de acuerdo, pero puede ser interesante.

También / tampoco: expresar coincidencia

Afirmación
■ Trabajo en casa.
● Yo también.
● Yo no.

Negación
■ No trabajo en casa.
● Yo tampoco.
● Yo sí.

Comparar

■ El curso regular es más barato que el intensivo.
■ El horario es menos importante que el sueldo.

X es más adjetivo + que Y
X es menos adjetivo + que Y

■ El curso de la Escuela Oficial dura más que el de la academia.
■ El curso en internet cuesta menos que el de la Escuela Oficial.

X verbo más que Y
X verbo menos que Y

Hablar de cualidades profesionales

ser + adjetivo
■ En mi profesión hay que ser disciplinado.

tener + sustantivo
■ Para ser profesor es necesario tener paciencia.

saber + verbo
■ Para ser un buen político hay que saber hablar en público.

Hay que / no hay que: expresar necesidad

■ En mi trabajo hay que hablar mucho y también hay que ir a muchas reuniones, pero no hay que trabajar los fines de semana.

→ (no) hay que + infinitivo

Unidad 10

Fechas y referencias al pasado

Fecha completa (día + mes + año)
Paloma nació el 14 de abril de 1979.

Solo el mes
En diciembre hizo un viaje de fin de curso.

Solo el año
Alquiló una casa en Galicia en 2008.

Periodo de tiempo
Desde 1984 hasta 1991 vivió en Buenos Aires.

Edad
Empezó a trabajar a los 33 años.

El pretérito indefinido: verbos regulares

	ganar	conocer	recibir
yo	gané	conocí	recibí
tú	ganaste	conociste	recibiste
él/ella/usted	ganó	conoció	recibió
nosotros/nosotras	ganamos	conocimos	recibimos
vosotros/vosotras	ganasteis	conocisteis	recibisteis
ellos/ellas/ustedes	ganaron	conocieron	recibieron

- Las terminaciones de los verbos en –er y en –ir son iguales.
- La sílaba acentuada siempre está en la terminación.

El pretérito indefinido: verbos irregulares

Son irregulares porque:
- Las terminaciones son iguales para todos los verbos acabados en -ar, -er, -ir.
- La sílaba acentuada cambia en la primera y tercera persona del singular. El resto de las sílabas acentuadas queda igual que en los verbos regulares.
- Cambia la raíz (por ejemplo: verbos venir: ven → vin; tener: ten → tuv).

	estar	hacer
yo	estuve	hice
tú	estuviste	hiciste
él/ella/usted	estuvo	hizo
nosotros/nosotras	estuvimos	hicimos
vosotros/vosotras	estuvisteis	hicisteis
ellos/ellas/ustedes	estuvieron	hicieron

	venir	tener
yo	vine	tuve
tú	viniste	tuviste
él/ella/usted	vino	tuvo
nosotros/nosotras	vinimos	tuvimos
vosotros/vosotras	vinisteis	tuvisteis
ellos/ellas/ustedes	vinieron	tuvieron

	poner	poder
yo	puse	pude
tú	pusiste	pudiste
él/ella/usted	puso	pudo
nosotros/nosotras	pusimos	pudimos
vosotros/vosotras	pusisteis	pudisteis
ellos/ellas/ustedes	pusieron	pudieron

	decir	traer
yo	dije	traje
tú	dijiste	trajiste
él/ella/usted	dijo	trajo
nosotros/nosotras	dijimos	trajimos
vosotros/vosotras	dijisteis	trajisteis
ellos/ellas/ustedes	dijeron	trajeron

El pretérito indefinido de *ir* y *ser*

	ser	ir
yo	fui	fui
tú	fuiste	fuiste
él/ella/usted	fue	fue
nosotros/nosotras	fuimos	fuimos
vosotros/vosotras	fuisteis	fuisteis
ellos/ellas/ustedes	fueron	fueron

- El pretérito indefinido de *ir* y *ser* es igual.
- En la primera y tercera persona del singular, *ir* y *ser* tienen terminaciones diferentes al resto de los verbos irregulares.

Pronombres personales de objeto directo

	masculino	femenino
singular	lo	la
plural	los	las

- ■ ¿Cuándo compraste esta casa?
- ● La compré en 2003.

- ■ ¿Dónde conociste a tu marido?
- ● Lo conocí en la universidad.

- ■ ¿Cuándo terminaste los estudios?
- ● Los terminé en 2015.

- ■ ¿Cuándo viste a tus hermanas?
- ● Las vi ayer.

Unidad 11

Expresar frecuencia

+
- Varias veces al día
- Todos los días
- Dos o tres veces a la semana
- Una vez a la semana
- Algunas veces al mes
- Casi nunca
–
- Nunca

- No escucho la radio casi nunca.
- Veo la tele todos los días.

Partes del día

- Por la mañana
- Al mediodía
- Por la tarde
- Por la noche

- Leo el periódico por la mañana.

Hablar por teléfono

Preguntar por una persona
- ¿Está María, por favor?
- ¿Puedo hablar con María, por favor?

Identificarse
- Soy Carlos.
- Sí, soy yo.

Responder al teléfono
- ¿Sí?
- ¿Dígame? / ¿Diga?

Preguntar quién llama
- ¿De parte de quién?

Pedir a una persona que espere
- Un momento, por favor.

- ¿Diga?
- ¿Puedo hablar con María, por favor?
- ¿De parte de quién?
- Soy Carlos, un compañero de clase.
- Un momento, por favor.
- ¿Sí?
- ¿Está María?
- Sí, soy yo.
- Hola, soy Carlos...

Verbos irregulares en la primera persona (yo)

-go		-zco	
hacer:	hago, haces...		
poner:	pongo, pones...		
salir:	salgo, sales...	parecer:	parezco, pareces...
valer:	valgo, vales...	conocer:	conozco, conoces...
traer:	traigo, traes...	producir:	produzco, produces...
caer:	caigo, caes...		

otros	
ver:	veo, ves...
dar:	doy, das...
saber:	sé, sabes...
decir:	digo, dices...

Verbos que combinan varios tipos de irregularidades

Tener:	tengo, tienes, tiene, tenemos, tenéis, tienen
Venir:	vengo, vienes, viene, venimos, venís, vienen

Expresar coincidencia y falta de coincidencia

COINCIDENCIA (=)
- (Yo) Escucho la radio.
- Yo también.
- (Yo) No escucho la radio.
- Yo tampoco.

NO COINCIDENCIA (≠)
- (Yo) Escucho la radio.
- Yo no.
- (Yo) No escucho la radio.
- Yo sí.

Verbo gustar, *encantar, interesar*...

COINCIDENCIA (=)
- (A mí) Me gustan los documentales.
- A mí también.
- (A mí) No me gustan los documentales.
- A mí tampoco.

NO COINCIDENCIA (≠)
- (A mí) Me gustan los documentales.
- A mí no.
- (A mí) No me gustan los documentales.
- A mí sí.

Los interrogativos

Preguntar por

COSAS	QUÉ
	QUÉ TIPO DE
	CUÁL

¿Qué periódico lees normalmente?
¿Qué quieres tener en tu tele ideal?
¿Qué tipo de programas te gusta?
¿Cuál prefieres (Yahoo o Google)?

PERSONAS QUIÉN / QUIÉNES

¿Quién escucha la radio por la mañana?
¿Quiénes van a jugar el partido de fútbol?

LUGAR DÓNDE / ADÓNDE

¿Dónde te conectas a internet, en casa o en un cibercafé?
¿Adónde vais a ir de vacaciones este año?

| TIEMPO | CUÁNDO |
| | A QUÉ HORA |

¿Cuándo lees el periódico?
¿A qué hora empiezan las noticias?

| MODO | CÓMO |
| | QUÉ TAL |

¿Cómo estás?
¿Qué tal estás?

CANTIDAD CUÁNTO/-A/-OS/-AS

¿Cuánto cuesta este curso?
¿Cuánta gente hay en la fiesta?
¿Cuántos hermanos tienes?
¿Cuántas horas al día ves la televisión normalmente?

CAUSA POR QUÉ

¿Por qué no te gusta este programa?
¿Por qué estudias español?

Referencias temporales

Antes de + infinitivo
- ¿Cuándo haces los deberes?
- Normalmente los hago antes de cenar.

Mientras + presente
- Veo la televisión mientras ceno.

Después de + infinitivo
- Después de cenar escucho música o hago los deberes.

Unidad 12

Verbo doler

me duel**e** el pie	me duel**en** los pies
te duel**e** la muela	te duel**en** las muelas
le duel**e** la pierna	le duel**en** las piernas

El verbo doler funciona como el verbo gustar.
- Me duele + (nombre singular)
- Me duelen + (nombre plural)

El presente del verbo doler es irregular (o>ue).

Usos del verbo estar: localización y estados físicos y de ánimo

Para localizar
Estar en + nombre
- Rocío está en el examen.

Para indicar estados físicos y de ánimo
Estar + adjetivo
- Rocío está nerviosa.

Participios regulares e irregulares

PARTICIPIOS REGULARES
Verbos en -ar
llama~~r~~ + ado → llamado

Verbos en -er/-ir
tene~~r~~ + ido → tenido
dormi~~r~~ + ido → dormido

ALGUNOS PARTICIPIOS IRREGULARES
decir → dicho   escribir → escrito
hacer → hecho   ver → visto

El pretérito perfecto

	llamar	tener	dormir
yo	he llam**ado**	he ten**ido**	he dorm**ido**
tú	has llam**ado**	has ten**ido**	has dorm**ido**
él/ella/usted	ha llam**ado**	ha ten**ido**	ha dorm**ido**
nosotros/nosotras	hemos llam**ado**	hemos ten**ido**	hemos dorm**ido**
vosotros/vosotras	habéis llam**ado**	habéis ten**ido**	habéis dorm**ido**
ellos/ellas/ustedes	han llam**ado**	han ten**ido**	han dorm**ido**

El pretérito perfecto es un tiempo compuesto: **presente del verbo haber + participio.**

- El verbo auxiliar y el participio no se separan.
- El participio no cambia:
  - ¿Ha venido Juan?
  - No, ha venido María.

Uso del pretérito perfecto

El **pretérito perfecto** se usa para hablar de acciones terminadas en el presente.

- <u>Hoy</u> he tenido un examen.
- <u>Este fin de semana</u> he visitado a mi familia.
- <u>Esta semana</u> he ido al cine.
- <u>Este año</u> he estudiado mucho.

Estos son los **marcadores temporales** que acompañan al pretérito perfecto con este uso.

esta mañana	ahora mismo	esta semana
esta tarde	estos días	este fin de semana
esta noche	hoy	este año

Unidad 13

Pronombres de objeto directo

	singular	plural
masculino	lo	los
femenino	la	las

El pronombre sustituye al nombre para no repetirlo.

- ¿Cómo haces normalmente el pescado?
- Siempre lo hago a la plancha, porque es más sano.

Posición del pronombre de objeto directo

Cuando el verbo está conjugado
- *Lo ha traído Sergio.* → Pronombre + Verbo conjugado

Cuando el verbo está en infinitivo
- *Decorarlo con trocitos de tomate.* → Infinitivo Pronombre

Cuando hay dos verbos, uno conjugado y otro en infinitivo
- *Mario lo quiere probar.* → Pronombre + Verbo conjugado + Infinitivo
- *Mario no quiere probarlos.* → Verbo conjugado + Infinitivo Pronombre

Secuenciar

Primero	Primero cortas la cebolla,
Luego	luego exprimes un limón,
Despúes	después cortas el aguacate
Por último	y por último, lo mezclas todo.

Recetas

- En las recetas escritas es habitual utilizar el infinitivo.
- Mezclarlo todo y añadir la sal.

- En las recetas orales es habitual utilizar la segunda persona del presente.
- Por último, añades trocitos de tomate.

Habilidades y hábitos en la cocina

HABILIDADES
- No sabe cocinar.
- Cocina bastante bien.
- Sabe limpiar el pescado.
- Sabe hacer tortilla de patatas.
- Sabe hacer guacamole.

Habilidades: saber + infinitivo

HÁBITOS
- Siempre cocina en casa.
- Prepara el guacamole sin picante.
- Cocina en las grandes ocasiones.

Adjetivos derivados de verbos

Algunos adjetivos proceden de verbos, como por ejemplo:
freír: frito/-a/-os/-as
asar: asado/-a/-os/-as
cocer: cocido/-a/-os/-as

Unidad 14

Preguntar por gustos y responder

Para preguntar por gustos: gustar / interesar:
- ¿*Te gusta* el flamenco?
- ¿Qué tipo de música *te gusta/te interesa*?

Para preguntar por preferencias: preferir / gustar más / interesar más:
- ¿Qué tipo de música *prefieres* para bailar?
- ¿Qué grupo de música *te gusta/te interesa más*?
- ¿*Prefieres* la música clásica o la música moderna?
- ¿Cuál es tu grupo favorito?

Para responder:
- Me encanta.
- Me gusta mucho.
- Me gusta bastante.
- Me gusta un poco.
- No me gusta nada.
- Lo odio.

Más

Menos

Valorar una experiencia

Para valorar una experiencia realizada utilizamos el pretérito perfecto o el pretérito indefinido.
- El concierto me ha gustado mucho. El coro ha sido fantástico.
- El sábado fuimos a ver un musical y nos encantó. Fue increíble.

Expresar y preguntar por planes

IR + A + INFINITIVO
- ¿Vais a cenar esta noche?
- No, vamos a ir a un concierto.

- ¿Qué vas a hacer la semana que viene?
- Voy a estudiar. ¿Y tú?
- Yo, la próxima semana voy a ir al festival de Benicasim.
- ¡Qué suerte!

La semana que viene = La próxima semana
El mes que viene = El próximo mes
El año que viene = El próximo año
El curso que viene = El próximo curso

Proponer, rechazar y aceptar invitaciones

Para proponer
- ¿Por qué no...?
- ¿Qué tal si...?

Para aceptar
- Vale, de acuerdo.
- Sí, muy bien, pero...

Para rechazar
- Lo siento mucho, no puedo porque...
- Gracias, pero no puedo porque...

Cuando se rechaza una invitación, normalmente se tiene que explicar la razón.

El verbo QUEDAR se utiliza para acordar y concretar los datos de una cita: qué día, a qué hora, dónde, con quién, etc.
- Muy bien, quedamos el lunes. ¿Dónde quedamos?
- Esta tarde he quedado con Antonio.

- ¿Por qué no vienes el sábado al concierto de Juanes con nosotros?
- Muchas gracias, pero no puedo porque el sábado voy a cenar con mi familia.

- ¿Qué tal si vamos esta noche al teatro?
- Vale, de acuerdo. ¿Cómo quedamos?
- ¿A las siete en mi casa?
- Muy bien.

Comprar entradas

- Buenos días, ¿qué desea?
- Quería dos entradas para el concierto de...
- ¿Para qué día?
- Para el día 15.
- ¿Cerca del escenario?
- De acuerdo. ¿Cuánto es?
- Son 60 euros.

Unidad 15

Planes y obligaciones

Preguntar a alguien sobre sus planes, normalmente con la idea de proponer un encuentro
- ¿Tienes algo que hacer el sábado?
- ¿Tienes planes para el sábado?
- ¿Qué vas a hacer el sábado por la tarde?

Preguntar a alguien sobre la disponibilidad de tiempo para hacer algo
- ¿Tienes tiempo para tomar un café?
- ¿Tienes un rato para hablar de una cosa?
- ¿Tienes un minuto?
- ¿Tienes prisa?

Dar información sobre los planes u obligaciones que uno tiene:
1. Expresar que una acción es un plan: *ir a* + infinitivo
- El sábado por la tarde voy a ir de compras con mi madre.
- El fin de semana que viene voy a ir a Sevilla.
- El sábado voy a limpiar toda la casa.
- El sábado por la tarde vamos a ir a ver a mis padres.

2. Para expresar una obligación: *tener que* + infinitivo
- Tengo muchas cosas que hacer.
- No tengo nada que hacer.
- Tengo que llevar a un cliente al aeropuerto.
- Tengo que acompañar a mi madre al dentista mañana por la mañana.

Expresiones de tiempo para el futuro

mañana
pasado mañana
dentro de tres días/un mes / dos años...
la semana /el mes /el año que viene
la semana /el mes /el año próximo/-a
- Pasado mañana tengo que ir al médico.
- Dentro de tres días tenemos el examen final del curso.

Ya y *Todavía no*

Para dar o pedir información sobre la realización de acciones que están previstas para un momento o dentro de un plazo:

1. Usamos **ya** para **preguntar** si las acciones están realizadas.

- ¿Has puesto ya la denuncia?
- ¿Ya has terminado?
- ¿Habéis comprado ya las entradas?

El tiempo del pasado más usado para esta situación es el PRETÉRITO PERFECTO.

2. Usamos **ya** para indicar que las acciones **están realizadas**.

- Sí, ya la he puesto.
- Ya hemos terminado las entrevistas.
- He ido ya al aeropuerto.

3. Usamos **todavía no** para indicar que las acciones **no están realizadas**.

- Todavía no he llamado al banco para cancelar las tarjetas.
- No he comprado todavía los billetes para Sevilla.

Las partículas pueden estar **antes o después del verbo**. Pero nunca entre el auxiliar y el participio:
Hemos ya terminado

Reaccionar

Para reaccionar cuando alguien nos cuenta algo, es frecuente utilizar la estructura: ¡*Qué* + sustantivo/adjetivo!

- ¡Qué rollo!
- ¡Qué problema!
- ¡Qué estrés!
- ¡Qué horror!
- ¡Qué bien!
- ¡Qué suerte!
- ¡Qué interesante!
- ¡Qué divertido!

- Mañana nos vamos de vacaciones.
- ¡Qué bien!

Usos del presente

En titulares de noticias: el verbo que está en presente puede referirse a hechos o situaciones pasadas o futuras:

- España está en la final. = España va a estar en la final.
- La crisis financiera mundial marca la Cumbre Iberoamericana de principio a fin. = La crisis financiera mundial marcó la Cumbre Iberoamericana de principio a fin.

Unidad 16

El pretérito indefinido

VERBOS REGULARES		
verbos en -ar	verbos en -er	verbos en -ir
viajar	comer	vivir

	viajar	comer	vivir
yo	viajé	comí	viví
tú	viajaste	comiste	viviste
él/ella/usted	viajó	comió	vivió
nosotros/nosotras	viajamos	comimos	vivimos
vosotros/vosotras	viajasteis	comisteis	vivisteis
ellos/ellas/ustedes	viajaron	comieron	vivieron

Las terminaciones de los verbos regulares en *-er* e *-ir* son iguales.

VERBOS IRREGULARES			
ser/ir	estar	tener	hacer
fui	estuve	tuve	hice
fuiste	estuviste	tuviste	hiciste
fue	estuvo	tuvo	hizo
fuimos	estuvimos	tuvimos	hicimos
fuisteis	estuvisteis	tuvisteis	hicisteis
fueron	estuvieron	tuvieron	hicieron

Situar en el tiempo una acción pasada (marcadores temporales para el pretérito indefinido)

- El año pasado
- La semana pasada
- El mes pasado
- El verano pasado
- El lunes pasado
- El fin de semana pasado
- Ayer
- El otro día

Contraste pretérito indefinido y pretérito perfecto

PRETÉRITO PERFECTO:
Informar o preguntar si alguien ha tenido o no una experiencia a lo largo de su vida, incluyendo el momento presente.

- ¿Has estado alguna vez en la India?
- Yo no he estado en los cinco continentes porque nunca he estado en Oceanía.

PRETÉRITO INDEFINIDO:
Informar o preguntar sobre hechos o experiencias situadas en un momento concreto del pasado.

- Fui a la India en 1995, de luna de miel.
- El fin de semana pasado estuvimos en un hotel precioso.
- Volví de la playa hace dos semanas.

También los utilizamos para valorar una experiencia:

- Hemos estado en Cuba y ha sido un viaje genial.
- La reunión de ayer fue un desastre.

Conectores

Al escribir un relato utilizamos diferentes conectores.

- En una tienda tuvimos que regatear por una alfombra y al final pagamos un 60 % menos.
- Al principio regateamos en varias tiendas, pero después nos pareció un poco aburrido.
- En la playa me quemé la espalda, así que no pude volver a tomar el sol al día siguiente.

Unidad 17

El pretérito imperfecto

VERBOS REGULARES		
verbos en –ar	**verbos en –er**	**verbos en –ir**
escuchar	tener	escribir
yo escuchaba	tenía	escribía
tú escuchabas	tenías	escribías
él/ella/usted escuchaba	tenía	escribía
nosotros/nosotras escuchábamos	teníamos	escribíamos
vosotros/vosotras escuchabais	teníais	escribíais
ellos/ellas/ustedes escuchaban	tenían	escribían

- Las formas de la primera persona (yo) y la tercera (usted, él, ella) del singular son iguales.
- Las terminaciones de los verbos en –ER y en –IR son iguales.

VERBOS IRREGULARES	
ser	**ir**
yo era	iba
tú eras	ibas
él/ella/usted era	iba
nosotros/nosotras éramos	íbamos
vosotros/vosotras erais	ibais
ellos/ellas/ustedes eran	iban

Usos del pretérito imperfecto

1. Describir personas, lugares y objetos del pasado:
- Cuando tenía 20 años, Marta era rubia y tenía el pelo rizado.
- La casa de mi abuela tenía un jardín muy grande.
- De pequeño, mi pijama preferido era rojo y verde.
- El hombre llevaba barba y gafas de sol.

2. Referirse a acciones habituales en el pasado:
- Cuando era joven, jugaba al fútbol todos los sábados.

3. Contrastar el pasado con el presente:
- Antes leía muchos libros, pero ahora solo lee el periódico.
- En aquella época Juan era muy delgado, en cambio ahora es bastante gordito.
- Los zapatos costaban 60 € pero ahora, en rebajas, solo 45 €.

Muy / demasiado

Usamos **muy** delante de un adjetivo para aumentarlo o añadir intensidad.
- Mi hermana lleva el pelo muy largo.

Utilizamos **demasiado** para indicar que, en nuestra opinión, algo sobrepasa los límites de lo que consideramos normal, aceptable o adecuado.
- Mi padre trabaja demasiado. Siempre llega tarde a casa.

Comprar ropa en una tienda

CLIENTE
Pedir ropa en una tienda
- Quería unos pantalones negros.
- Quería un vestido de la talla 40.

Preguntar el precio
- ¿Cuánto vale/n?
- ¿Cuánto cuesta/n?

Expresar insatisfaccion
- ¡Qué caro!
- ¡Es muy pequeña!
- ¡Es demasiado grande!

Expresar satisfaccion
- ¡Qué bonita!
- ¡Son muy cómodos!

Indicar que va a realizar la compra
- Vale, me lo/la/los/las llevo.

Entregar un objeto (por ejemplo, el dinero o la tarjeta al pagar)
- Tome.
- Aquí tiene.

VENDEDOR
Preguntar por las características de una prenda
- ¿De qué talla?
- ¿De qué color?

Tamaño de la ropa: talla
Tamaño del calzado: número

Decir el precio
- Son 100 euros.

Entregar un objeto (por ejemplo, el producto que ha comprado el cliente)
- Tome.
- Aquí tiene.

Unidad 18

Expresar distintos grados de certeza cuando respondemos a preguntas

¿El clima de Cumaná es tropical?

- Sí, seguro   Seguridad

- No estoy seguro/-a.
- Creo que...
- Sí, parece que sí.
- Quizás.   Falta de seguridad.
- Puede ser.
- Es posible.
- Es probable.

Hablar de acciones que ocurren en el momento del que se habla: *estar* + gerundio

Formación del gerundio
Bailar + -ando → bailando
Comer + -iendo → comiendo
Salir + - iendo → saliendo

Combinación con estar		
yo	estoy	
tú	estás	
él/ella/usted	está	bailando
nosotros/nosotras	estamos	comiendo
vosotros/vosotras	estáis	saliendo
ellos/ellas/ustedes	están	

- Estas son las fotos de nuestra boda. En esta foto estamos cortando la tarta.

Estar + gerundio y la colocación de los pronombres

Delante de estar

La tarta era enorme. En esta foto la estamos cortando.   Más informal

Detrás del gerundio formando una sola palabra

La tarta era enorme. En esta foto estamos cortándola.   Más formal

Dar instrucciones con imperativo

	Verbos en –ar	Verbos en –er	Verbos en –ir
	lavar	comer	escribir
tú	lava	come	escribe
vosotros/-as	lavad	comed	escribid

La forma *tú* del imperativo normalmente tiene las mismas irregularidades vocálicas que el presente: cerrar > cierra; contar > cuenta; pedir > pide.
La forma *vosotros* siempre es regular.
- Usa la lavadora solo cuando está llena.
- Come algo antes de salir de casa.
- Abrid la ventana, por favor.

Imperativos irregulares					
	ir	venir	poner	salir	hacer	tener
tú	ve	ven	pon	sal	haz	ten

Unidad 19

Comparativos de igualdad

X... verbo + *tanto* + como... Y
- Los niños en la ciudad no juegan tanto como en el campo.

X... *tan* + adverbio/adjetivo + como... Y
- En el campo se vive tan bien como en la ciudad.
- Mi casa no es tan grande como la tuya.

X... *tanto/tanta/tantos/tantas* + sustantivo + como... Y
- María tiene tanto dinero como Luis.
- En el pueblo no tengo tantos vecinos como en la ciudad.
- Leo tantas revistas como libros.
- En el salón hay tanta luz como en la cocina.

Permiso

Pedir permiso

¿Se puede + INFINITIVO? →
- ¿Se puede fumar?
- No, aquí está prohibido, pero puede ir a la terraza.   No dar permiso

¿Puedo + INFINITIVO? →
- ¿Puedo salir un momento?   Dar permiso
- Sí, claro, salga, salga.   (Imperativo)

Pedir objetos y favores

- ■ ¡Cómo pesa! ¿Me ayudas?
- ● ¡Sí, claro!

- ■ Me voy a la biblioteca...
- ● Oye, ¿te puedo pedir un favor? Es que tengo que devolver este libro y llego tarde a clase...

- ■ Papá, ¿tienes un bolígrafo?
- ● Sí, toma.

- ■ ¡Qué bonito! ¿Me lo das?
- ● No, te lo dejo.

Imperativo: formas usted/ustedes

	verbos en -ar lavar	verbos en -er comer	verbos en -ir escribir
usted	lave	coma	escriba
ustedes	laven	coman	escriban

Imperativos irregulares

ir	venir	poner	salir	hacer	tener
vaya	venga	ponga	salga	haga	tenga
vayan	vengan	pongan	salgan	hagan	tengan

Colocación de los pronombres con imperativo

Los pronombres se colocan detrás del imperativo y **forman una sola palabra.**

- ■ ¿Puedo usar su ordenador?
- ● Sí, úselo.

- ■ ¿Podemos hacer las camas?
- ● Sí, háganlas.

Expresar deseos: *me gustaría...*

Pronombre + gustaría + INFINITIVO

| me | te | le | nos | os | les |

- ■ ¿No te gustaría vivir en el campo?
- ● ¿En el campo? No, no, me gustaría vivir en una gran ciudad.

Unidad 20
Expresar causa o intención

Expresar causa o intención

Por y **porque** expresan causa.
- ■ Se fue a Argentina por amor.
- ● Volvimos a nuestro país porque mi madre se puso enferma.

Para expresa intención.
- ■ Se fue a Austria para estudiar música.

Contrastes entre pasados: pretéritos indefinido, imperfecto y perfecto

Cuando se narran hechos o experiencias pasadas:

1 Se usa el **pretérito indefinido** para referirse a las acciones que tienen lugar en un momento concreto del pasado, que el hablante no relaciona con el momento actual.
- ■ Se licenció en Medicina en 1891 en Río de Janeiro, donde vivía su familia.

2 Se usa el **pretérito imperfecto** para describir las situaciones en las que se enmarcan las acciones pasadas, los escenarios que contextualizan esas acciones.
- ■ Se licenció en Medicina en 1891 en Río de Janeiro, donde vivía su familia.

3 Se usa el **pretérito perfecto** para referirse a acciones que tienen lugar en un momento del pasado que el hablante relaciona con el momento actual.

A Oye, ¿tú has trabajado de voluntario alguna vez?
B No, nunca he trabajado de voluntario.

Los hablantes *A* y *B* relacionan todos los momentos pasados de la vida de *B* con el momento en el que hablan. Usan el pretérito perfecto.

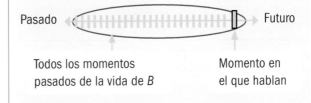

Todos los momentos pasados de la vida de *B* — Momento en el que hablan

A Oye, ¿tú has trabajado de voluntario alguna vez?
B Sí, trabajé de voluntario una vez, en Francia, hace diez años.

El hablante *B* no relaciona el momento en el que trabajó de voluntario con el momento en el que habla. Usa el pretérito indefinido.

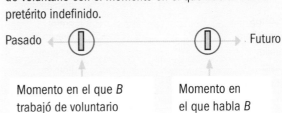

Momento en el que *B* trabajó de voluntario — Momento en el que habla *B*

LÉXICO

UNIDAD 1

Números
cero
uno
dos
tres
cuatro
cinco
seis
siete
ocho
nueve
diez

Lugares
el apartamento
el aeropuerto
la ciudad
la clase
la estación
la farmacia
el hotel
el museo
la playa
la plaza
el restaurante
la universidad
el zoo

Objetos
la agenda
la guitarra
el teléfono

Información
el anuncio
la arroba
el correo electrónico
la ficha
la foto
la letra
la lista
el nombre
el número de teléfono
el país
la palabra
el punto
el texto

Personas
el compañero
la familia
la mujer
el/la profesor(a)

Intereses
el arte
el cine
la comida
el deporte
la educación
la fiesta
el fútbol
la moda
la naturaleza
los negocios
la televisión

Instrucciones
completa
escribe
escucha
habla
lee
marca
mira
pregunta
observa
piensa
relaciona

UNIDAD 2

Dar información personal
dedicarse
estar
hablar
llamarse
ser
trabajar

Nacionalidades
alemán/-ana
argentino/-a
australiano/-a
belga
brasileño/-a
colombiano/-a
español(a)
estadounidense
inglés/-esa
japonés/-esa
marroquí
ruso/-a

Lenguas
alemán
árabe
chino
español
francés
inglés
italiano
japonés
portugués
ruso

Profesiones
el actor
la actriz
el/la administrativo/-a
el/la arquitecto/-a
el/la camarero/-a
el/la cantante
el/la científico/-a
el/la cocinero/-a
el/la dentista
el/la empresario/-a
el/la escritor(a)
el/la estudiante
el/la fotógrafo/-a
el/la funcionario/-a
el/la futbolista
el/la ingeniero/-a
el/la jubilado/-a
el/la médico/-a
el/la periodista
el/la profesor(a)
el/la redactor(a)
el/la reportero/-a
(estar) en paro

Lugares de trabajo
la agencia
el banco
el colegio
la empresa
la escuela
el hotel
la oficina
el restaurante
la tienda

Estado civil
estar | casado/-a
      | divorciado/-a
      | soltero/-a

Relaciones
el/la amigo/-a
el/la compañero/-a | de trabajo
                   | clase
el/la jefe/-a
el/la novio/-a

Productos
el aguacate
el café
la carne
el caviar
el chocolate
el jamón
el mango
el salmón

la pasta
el plátano
el queso
el té
el vino

Los días de la semana
el lunes
el martes
el miércoles
el jueves
el viernes
el sábado
el domingo

Saludos
dar un beso
dar la mano

UNIDAD 3
La familia
el/la abuelo/-a
el/la hermano/-a
el/la hijo/-a
la madre
el marido
la mujer
el/la nieto/-a
el padre
el/la primo/-a
el/la sobrino/-a
el/la tío/-a

Periodismo
la entrevista
la pregunta
el reportaje

Adjetivos de descripción física
alto/-a
bajo/-a
delgado/-a
feo/-a
gordo/-a
guapo/-a
joven
mayor
moreno/-a
rubio/-a

Adjetivos de carácter
alegre
divertido/-a
inteligente
serio/-a
simpático/-a
sociable
tímido/-a
trabajador(a)

Los meses
enero

febrero
marzo
abril
mayo
junio
julio
agosto
septiembre
octubre
noviembre
diciembre

Fiestas
el cumpleaños
el día de | la madre
| del padre
la Navidad

UNIDAD 4
Actividades de ocio
andar por la montaña
bailar
cenar fuera
chatear
cocinar
conocer sitios
correr
escuchar música
esquiar
estar en casa
hacer | deporte
| fotos
| judo
| yoga
ir al | campo
| cine
| gimnasio
| teatro
| de compras
jugar | al golf
| al tenis
| al fútbol
| al baloncesto
leer el periódico
nadar
navegar por internet
pescar
relajarse
salir | por la noche
| de la ciudad
ver | los deportes
| los informativos
| la tele
| series de televisión
| vídeos
visitar un museo

Cine
el cine fantástico
la comedia
el festival

la película | de aventuras
| de ciencia ficción
| romántica
| de terror
la rueda de prensa

Hábitos culturales
el cine
el deporte
la economía
el espectáculo
la música
la política
la radio
el teatro
la televisión

UNIDAD 5
Describir un lugar
agradable
animado/-a
antiguo/-a
bonito/-a
colonial
cómodo/-a
grande
interesante
moderno/-a
pequeño/-a
turístico/-a

Ubicación
a la derecha de...
a la izquierda de...
al lado de..
al final de...
cerca de...
en | la costa
| el interior
enfrente de...
entre
lejos de...

Lugares
el aparcamiento
el ayuntamiento
el banco
el bar
el barrio
el castillo
el cine
el colegio
la comisaría de policía
la estación | de tren
| de metro
la fuente
la gasolinera
el gimnasio
el hospital
el jardín
la montaña
el monumento

el museo
la oficina de turismo
el palacio
el parque
el paseo marítimo
la playa
la plaza
el puerto
el río
el teatro
la terraza
la tienda
la universidad
la zona verde

UNIDAD 6

Las comidas del día

el desayuno
desayunar
la comida
comer
la merienda
merendar
la cena
cenar

Las partes del día

por la mañana
a mediodía
por la tarde
por la noche

Alimentos

el aceite
el arroz
el azúcar
el bacón
el bollo
el calamar
la carne
el cereal
el chocolate
los churros
los embutidos
la ensalada
la fruta
la galleta
la hamburguesa
el huevo
los lácteos
la leche
las legumbres
la mantequilla
la mermelada
el pan
la pasta
el pescado
el pollo
el queso
el sándwich
la tarta
la verdura
el yogur

Platos

las albóndigas
el arroz a la cubana
el bocadillo
los calamares a la romana
los macarrones con tomate
la paella
las patatas fritas
el plato combinado
el pollo con patatas
el salmón a la plancha
la sopa
la tortilla de patatas
la tostada

Bebidas

el agua
el café
la cerveza
la leche
el té
el vino | blanco
      | tinto
      | rosado
el zumo

UNIDAD 7

Geografía y espacios naturales

el bosque
la cascada
la duna
el embalse
el espacio | natural
        | protegido
la frontera
la isla
el lago
la laguna
la montaña
el océano
el parque nacional
la península
la playa
la reserva natural
el río
la región
el valle

Describir un lugar

antiguo/-a
bello/-a
bonito/-a
ideal
natural
restaurado/-a
tranquilo/-a

Clima

el calor
el frío
llover
la lluvia

nevar
la niebla
la nieve
la nube
el sol
la tormenta
el viento
llover nevar

Los puntos cardinales

el norte
el sur
el este
el oeste

Las estaciones

la primavera
el verano
el otoño
el invierno

Actividades en vacaciones

alojarse en un hotel
comprar un billete
conocer gente
descansar
desconectar
desplazarse
hacer | deporte
     | *rafting*
     | senderismo
     | una actividad al aire libre
     | un pícnic
     | una reserva
     | una ruta
ir | de vacaciones
  | de viaje
montar en bicicleta
nadar
practicar deportes náuticos
pasar unos días en un lugar
recorrer un lugar
subir a una montaña
visitar | edificios históricos
      | monumentos
      | museos

Alojamiento

el albergue
el apartamento
el bungaló
el *camping*
la casa rural
el hotel

Transportes

el autobús
el barco
la bicicleta
el coche
la moto
el taxi
el tren

Internet
chatear
descargar
guardar
resetear
trolear
tuitear
la carpeta
la contraseña
el correo electrónico
el navegador
el selfi
el usuario

UNIDAD 8
Las partes de la casa
el baño
la cocina
el comedor
el dormitorio
la habitación
el jardín
la piscina
el salón
la terraza

Instalaciones
el aire acondicionado
el ascensor
la calefacción
el garaje

Viviendas
el apartamento
la casa
el estudio
el piso

Describir una vivienda
amueblado/-a
bien comunicado/-a
caro/-a
céntrico/-a
con capacidad para
con vistas
equipado/-a con
ideal
luminoso/-a
moderno/-a
nuevo/-a
pequeño/-a
sencillo/-a
tranquilo/-a

Muebles
el armario
la cama
la estantería
la lavadora
el lavavajillas
la mesa

el microondas
la nevera
la silla
el sillón
el sofá
la televisión

Colores
amarillo
azul
blanco/-a
gris
marrón
naranja
negro/-a
rojo/-a
rosa
verde

Actividades en una casa
cenar
comer
compartir
desayunar
dormir la siesta
ducharse
hacer | la comida
      | ejercicio
lavar la ropa
lavarse (los dientes)
leer
pedir permiso
poner | música
      | la lavadora
prohibir
tener animales
ver la tele
vestirse

UNIDAD 9
Profesiones
(el/la) abogado/-a
(el/la) administrativo/-a
(el/la) arquitecto/-a
(el/la) bombero/-a
(el/la) camarero/-a
(el/la) cocinero/-a (el/la) enfermero/-a
(el/la) estudiante
(el/la) periodista
(el/la) profesor(a)
(el/la) taxista

Describir un trabajo
aburrido/-a
agradable
bonito/-a
bueno/-a
cómodo/-a
desagradable
difícil
divertido/-a
duro/-a

estresante
fácil
incómodo/-a
interesante
malo/-a
tranquilo/-a

Trabajo
buscar soluciones
cambiar de trabajo
corregir
dominar un idioma
escribir | correos electrónicos
        | informes
ganar dinero
hablar | idiomas
      | en público
      | por teléfono
ir | a congresos
   | a cursos
irse de un trabajo
ofrecer formación continuada
pagar
ser | disciplinado/-a
     | estudioso/-a
     | fuerte
     | licenciado/-a
     | valiente
tener | continuidad
       | conocimientos de
       | experiencia
       | paciencia
       | permiso de conducir
       | tiempo libre
       | un buen sueldo
       | un horario fijo
       | un horario flexible
trabajar | en equipo
         | a tiempo parcial
viajar

Exámenes
el/la candidato/-a
el centro de examen
el certificado
el dominio
el examen
el nivel
la nota
la prueba
la puntuación
el título

UNIDAD 10
Momentos especiales
alquilar una casa
aprobar el carné de conducir
celebrar un aniversario
comprar una casa
estudiar
ir | a una fiesta
   | al colegio

hacer un viaje
irse | a vivir a otro país
| a vivir solo/-a
tener un hijo
terminar los estudios

Objetos
el álbum de fotos
el billete
la caja
la camiseta
la carpeta
el disco
la entrada
la foto
el imán
la moneda
el periódico
la postal
el recuerdo
el regalo
el vídeo

Deporte
el campeonato
la carrera deportiva
la competición
correr
empezar a jugar
la final
ganar
hacer historia
jugar
el partido
pilotar
el /la piloto
el premio
la prensa
ser campeón
tener un accidente
el torneo
triunfar
el trofeo
vencer
la victoria

Describir viajes y lugares
aburrido/-a
caro/-a
divertido/-a
exótico/-a
interesante
largo/-a
romántico/-a

UNIDAD 11
Medios de comunicación
el/la internet
la prensa
la radio
la televisión
el vídeo

Programas de radio y televisión
el boletín de noticias
el coloquio
el concurso
el debate
los dibujos animados
el documental
la entrevista
el informativo
la noticia
la película
el programa de | cine
| cocina
| deportivo
| musical
| humor
del corazón
el reportaje
la serie
la tertulia

Secciones de un periódico
Ciencia
Cultura
Deportes
Economía
Internacional
Nacional
Opinión
Tecnología
Televisión
Vídeo

Internet
el buscador
el comercio electrónico
el correo electrónico
la descarga de archivos
el grupo de Whatsapp
la página
las redes sociales

UNIDAD 12
Síntomas
doler
dormir mal
tener | calor
| dolor de cabeza
| frío
| gripe
| sueño

Consejos y remedios
bañarse en agua | helada
| caliente
beber | agua
| limón con miel
comer fruta
estar en la cama
hacer deporte
hacerse un masaje
ir al médico

ponerse | una pomada
| una crema
tomar | una aspirina
| una manzanilla
| un jarabe

Partes del cuerpo
el brazo
la cabeza
el cuello
el dedo
la espalda
la garganta
la mano
la muela
el oído
el pie
la pierna

Estados físicos y de ánimo
estar | aburrido/-a
| cansado/-a
| contento/-a
| enfermo/-a
| nervioso/-a
| preocupado/-a
| tranquilo/-a
| triste

Actividades cotidianas
comer
comprar
desayunar
ducharse
escuchar música
estudiar
hablar por teléfono
ir en | autobús
| metro
jugar
leer
levantarse
tomar café / té
trabajar
salir de casa

Para aprender lenguas
actuar como un niño
admitir los errores
cantar
dibujar un cómic
escribir | un correo electrónico
| un poema
escuchar la radio
jugar en la nueva lengua
mantener la motivación
practicar todos los días
sumergirse en la cultura

UNIDAD 13
Comida
el alfajor
el aperitivo
el arroz (integral)
el asado
la berenjena
el bocadillo
el boquerón
la carne
la cebolla
el ceviche
el cocido
el dulce de leche
la enchilada
la ensalada
el entrecot
el frijol
la fruta
los garbanzos
el guacamole
la guayaba
el huevo
las legumbres
las lentejas
el marisco
la mantequilla
la mermelada
los nachos
las natillas
el pan (de ajo)
la pasta
la patata
el pescado
la pizza
el plato de cuchara
el pollo
el pulpo
el queso
la sopa
el solomillo
el taco
la tapa
el tiramisú
el tomate
la tortilla de patatas
la zanahoria
la verdura

Describir platos
caliente
difícil de hacer
dulce
fácil de hacer
frío/-a
fuerte
ligero/-a
picante
salado/-a

Utensilios de cocina
el horno
la olla
la parrilla
la plancha
la sartén

Cocinar
añadir
cortar en | trozos
          | cuadraditos
decorar
exprimir
hervir
mezclar
pasar por harina
probar
poner en un plato
servir

Especias y aliños
el aceite (de oliva)
el chile
el cilantro
la harina
el picante
el pimentón
la pimienta
la sal (gorda)
el vinagre

Maneras de cocinar
a la plancha
asado/-a
cocido/-a
crudo/-a
frito/-a
hervido/-a
en rodajas
en vinagre

Bebidas
el café
la cerveza
el cóctel
el jugo
la margarita
el mate
el ron
la sangría
el tequila
el zumo

Cantidades
la cucharada
el gramo
el litro

Comidas del día
la cena
la comida
el desayuno

Tipos de cocina
cocina | creativa
       | de supervivencia
       | exótica
       | extranjera
       | internacional
       | moderna
       | tradicional
       | vegetariana

Ambientes
cómodo
divertido
exclusivo
familiar
formal
informal
relajado
romántico
tranquilo

El restaurante
la carta
la cena
el menú | con precio cerrado
        | familiar
        | infantil
la oferta
el producto de temporada
el salón privado
el servicio
la terraza

UNIDAD 14
Espectáculos
el *ballet*
el concierto
la danza
el festival de música
el musical
la ópera
el teatro

Estilos de música
el *blues*
el cha-cha-cha
el flamenco
el *jazz*
el mambo
la música | clásica
          | *country*
          | electrónica
          | fusión
          | latina
          | pop
el pasodoble
el rap
el *reggae*
el *rock*
la ranchera
la rumba
la salsa

el son
el tango

Ir a un espectáculo
el asiento
el auditorio
la cartelera
la entrada
el escenario
la fila
la sala
la taquilla

Describir un espectáculo
aburrido/-a
alegre
caro/-a
complicado/-a
divertido/-a
impresionante
increíble
interesante
raro/-a
sensual
triste

Música
el baile
el cajón
la canción
el/la cantante
el cante
las castañuelas
la guitarra
el/la guitarrista
el instrumento
la letra
las palmas
el ritmo

UNIDAD 15
Organización del tiempo
la agenda
el horario
el móvil
el ordenador
el pósit

Actividades
la boda
la cena
la cita
la clase
el compromiso
el examen
la fiesta
la reunión
el viaje

**Reaccionar ante un hecho
o un comentario**
¡Qué bien!

¡Qué divertido/-a!
¡Qué estrés!
¡Qué horror!
¡Qué interesante!
¡Qué problema!
¡Qué rollo!
¡Qué suerte!

Ocupaciones
acompañar a alguien a un lugar
comprar un billete de tren/avión
ir a buscar a alguien a un lugar
llevar a alguien a un lugar
pagar el alquiler
poner una denuncia
reservar una entrada
trabajar

Prensa
el dominical
la edición (impresa)
la entrevista
la información
la noticia
el periódico
la portada
el reportaje
la revista
el subtítulo
el suplemento (dominical)
el titular

UNIDAD 16
Tipos de viaje
el Camino de Santiago
el crucero
la luna de miel
el safari
el viaje | cultural
         | de fin de curso
         | de paso del Ecuador
         | organizado
         | sobre dos ruedas

Viajar
el aeropuerto
el alojamiento
la aventura
el avión
la bici
la bicicleta
el coche
el destino
la época del año
el extranjero
el GPS
el medio de transporte
el metro
la montaña
la naturaleza
la organización

el/la pasajero/-a
el/la peregrino/-a
la playa
la ruta
la temperatura

Actividades
alquilar un apartamento
bañarse
caminar
comer
comprar
hacer | surf
      | una excursión
      | una ruta
ir de compras
llegar a un lugar
nadar
pagar
pasar | un fin de semana
      | un tiempo
pasear
perderse
quedarse un tiempo
quemarse
recorrer
regatear
tomar el sol
visitar
volver

Valorar
aburrido/-a
(un) desastre
divertido/-a
espectacular
fantástico/-a
genial
horrible
increíble
inolvidable
maravilloso/-a

UNIDAD 17
Descripción física
llevar/tener | barba
             | bigote
             | el pelo | largo
             | | liso
             | gafas
tener | la boca pequeña
      | la nariz grande
      | los ojos | azules
      | | verdes
ser | alto/-a
    | bajo/-a
    | calvo/-a
    | delgado/-a
    | gordo/-a
    | moreno/-a
    | rubio/-a

Ropa

el abrigo
el bañador
las botas
la bufanda
los calcetines
la camisa
la camiseta
las chanclas
la corbata
la falda
las gafas de sol
la gorra
el guante
el jersey
los pantalones
el pañuelo
el sombrero
el traje
los vaqueros
el vestido
las zapatillas (de deporte)
los zapatos de tacón

Describir la ropa

barato/-a
caro/-a
corto/-a
moderno/-a
oscuro/-a
pequeño/-a
rebajado/-a

Compras

costar
el/la dependiente/-a
el escaparate
la etiqueta
los grandes almacenes
el kilo
el mercado
el número (de zapatos)
pagar | con tarjeta
| en efectivo
el precio
el probador
probarse
el producto
quedar | bien
| grande
| mal
| pequeño/-a
las rebajas
la talla
la tienda
la zapatería

UNIDAD 18

Estaciones del año

la primavera
el verano
el otoño
el invierno

El tiempo

haber | humedad
| nieve
| tormenta
hacer | calor
| frío
| sol
la luz
llover (a mares)
nevar
las nubes
la temporada de lluvias

Geografía

el agua | salada
| dulce
la catarata
el cielo
el continente
la cordillera
la costa
el desierto
el glaciar
la isla
el lago
el mar
la montaña
el océano
el paisaje
el planeta
la playa
la selva
la Tierra
el río
el sol
el volcán

Clima

caluroso
desértico
duro
frío
húmedo
seco
suave
tropical

Actividades

afeitarse
bañarse
caminar
celebrar
lavarse | los dientes
| las manos
navegar
pasear
patinar
pescar
salir a comer

Problemas y accidentes

el atasco
la contaminación
cortarse el agua
el desastre
la inundación
el retraso
romperse un grifo
tener problemas de tráfico
el vertido de una fábrica

Consumo responsable

cerrar el grifo
evitar bañarse
llenar | la lavadora
| el lavaplatos
regar las plantas con poca agua
usar la ducha

UNIDAD 19

Convivencia

la acera
el agente inmobiliario
la aldea
el ayuntamiento
barrer
el barrio
la clase media
la contaminación
la ecología
la ecoaldea
estacionar (en doble fila)
establecerse
la gentrificación
el horario
la infraestructura
limpiar las calles
la limpieza
mantener limpio un espacio
mejorar el aspecto de un lugar
la organización asamblearia
el piso
el portal
la prisa
el pueblo (abandonado)
regar las plantas
la tienda
el tráfico
el turismo rural
el vecino
la vida en comunidad
vivir en el campo

Alojamientos

el baño
la casa rural
la comida casera
el desayuno
la habitación | doble
| individual
| triple

el hostal
el hotel
el jardín
el *jacuzzi*
la media pensión
el parador
la pensión completa
la piscina
la reserva
el salón social
la *suite*
las vistas

Intercambio de idiomas
cometer errores
corregir
conocer gente
divertirse
elegir un tema de conversación
hablar con un/-a nativo/-a
hacer | amigos
      | un seguimiento
lanzarse
moverse de casa
quedar en un lugar
ponerse de acuerdo
practicar
seguir una conversación
ser | extrovertido/-a
    | introvertido/-a

UNIDAD 20
Vivir en otro país
acoger
el cambio de vida
convivir con alguien
crear una empresa
emigrar
el/la extranjero/-a
instalarse en otro país
irse a vivir fuera
tener disponibilidad
vivir nuevas experiencias

Momentos de la vida
la boda
cambiar de trabajo
casarse
celebrar un cumpleaños especial
conocer a alguien
empezar a estudiar
ganar una beca
irse a vivir a otra ciudad
licenciarse

morir
nacer
el nacimiento
tener hijos
terminar la carrera
separarse

Ciencia
el antídoto
el/la astronauta
el/la astrónomo/-a
el/la científico/-a
el/la descubridor(a)
descubrir
disminuir
la ingeniería (aeronáutica)
la invención
la sustancia
reducir
seleccionar
la tecnología (espacial)
el telescopio
la vacuna
el veneno

El colegio
la asignatura (favorita)
el colegio | de chicas
           | mixto
           | privado
           | público
           | religioso
el examen
el/la mejor amigo/-a
el/profesor(a) (favorito/-a)
sacar | buenas notas
      | malas notas

Experiencias
colaborar con un ONG
dar clases
dirigir
hacer excavaciones
ganar un campeonato
participar en un proyecto
poner una inyección
prestar primeros auxilios
trabajar | de voluntario
         | de canguro

Entrevistar
la disponibilidad
la entrevista
el entrevistador

los estudios
la experiencia
la ONG
la organización no gubernamental
el perfil
el potencial
el requisito

Publicar
la novela
obtener éxito
la publicación
la redacción
la traducción
traducir

Justicia
acusar
atacar
la cárcel
escapar
estar en prisión
hacer prisionero/-a
la prisión
el/la prisionero/-a
el rescate
robar
tener problemas con la justicia
vender algo ilegalmente

Guerra
la batalla
el ejército
luchar
participar en una batalla
recibir una herida

Portfolio europeo
la autoevaluación
autoevaluarse
la biografía lingüística
el diploma
la grabación
evaluar
la experiencia | lingüística
               | cultural
la identificación
mejorar
el pasaporte de lenguas
el proyecto
el progreso
la reflexión
ser capaz de algo

TRANSCRIPCIONES

UNIDAD 1
PISTA 1
Atención, preparados, empieza la cuenta atrás: diez, nueve, ocho, siete, seis, cinco, cuatro, tres, dos, uno, ¡¡cero!!

PISTA 2
1. la playa; 2. la mujer; 3. el restaurante; 4. la familia; 5. la estación; 6. el teléfono; 7. la plaza; 8. la universidad; 9. la guitarra; 10. el hotel.

PISTA 3
a, e, i, o, u.

PISTA 4
fiesta, museo, autobús, aeropuerto, ciudad, farmacia, agua, apartamento, fútbol.

PISTA 5
Paloma: Hola, llamo por el anuncio...
Iñaki: Sí, claro, ¿cómo te llamas?
Paloma: Me llamo Paloma Martín Burmann.
Iñaki: Paloma Martín Bur... ¿Cómo se escribe?
[Voz de Paloma que sale del teléfono]: be-u-erre-eme-a-ene-ene.
Iñaki: ¿Cuál es tu número de teléfono?
[Voz de Paloma que sale del teléfono]: Seis, siete, uno, dos, tres, cinco, cuatro, ocho, tres.
Iñaki: ¿Correo electrónico?
[Voz de Paloma que sale del teléfono]: pamabur arroba tumail punto com.

PISTA 6
a, be, ce, de, e, efe, ge, hache, i, jota, ka, ele, eme, ene, eñe, o, pe, cu, erre, ese, te, u, uve, uve doble, equis, i griega, zeta.

PISTA 7
ca, que, qui, co, cu / za, ce, ci, zo, zu / ga, gue, gui, go, gu / ja, ge (je), gi (ji), jo ju.

PISTA 8
Londres, Mánchester, Nueva York, Pekín, Lisboa, Atenas, Florencia, Génova, Rabat, Jerusalén, Moscú, El Cairo, Ámsterdam, París, Río de Janeiro.

PISTA 9
1. i – te – a – ele – i – a
2. efe – erre – a – ene – ce – i – a
3. e – ge – i – pe – te – o
4. erre – u – ese – i – a
5. i – ene – ge – ele – a – te – e – erre – erre – a
6. eme – a – erre – erre – u – e – ce – o – ese
7. ge – erre – e – ce – i – a
8. hache – o – ele – a – ene – de – a
9. a – ele – e – eme – a – ene – i – a
10. che – i – ene – a

PISTA 10
1. Italia; 2. Francia; 3. Egipto; 4. Rusia; 5. Inglaterra; 6. Marruecos; 7. Grecia; 8. Holanda; 9. Alemania; 10. China.

UNIDAD 2
PISTA 11
Amiga: ¡Hola María! ¿Qué tal tu clase?
María: Muy bien, tengo un grupo muy interesante.
Amiga: Ah, ¿sí?
María: Sí, mira, tengo una cantante de ópera, dos científicas, un médico, tres estudiantes y un jubilado.
Amiga: ¿Y de dónde son?
María: Pues los estudiantes son chinos, el médico es de Senegal, la cantante es rusa, las dos científicas son de Holanda y el jubilado es alemán.

PISTA 12
Carmen Torres: Esta es Paloma, Paloma Martín, la nueva fotógrafa.
Paloma Martín: Hola, ¿qué tal?
Rocío: ¡Hola!
Miquel: Hola, ¿qué tal?
Luis: Bienvenida.
Sergio Montero: ¡Hola!
Carmen Torres: A ver, te presento... Este es Luis, redactor de Cultura, el madrileño del equipo...
Esta es Rocío, la redactora de Sociedad. Es de Málaga... Y este es Miquel, el cámara.
Luis: Mucho gusto.
Rocío: ¡Hola!
Miquel: Encantado.
Paloma Martín: Encantada.
Carmen Torres: Y este es Sergio Montero, nuestro reportero...
Paloma Martín: Hola.
Sergio Montero: Hola, ¿qué tal?
Carmen Torres: Y hoy trabajas con él en un reportaje, ¿no, Sergio?

Sergio Montero: Sí, sí, necesito fotos para el reportaje.
Sergio Montero: Es un reportaje sobre la gente de Madrid, personas diferentes...
Paloma Martín: ¿Quién es la persona de hoy?
Sergio Montero: Es Ernesto Cocco, un músico de *jazz*, toca en un club...
Paloma Martín: ¿Es español?
Sergio Montero: No, es argentino, pero está casado con una española.
Paloma Martín: ¡Anda!, mi madre también es argentina...
Sergio Montero: Buenos días. ¿El señor Cocco, por favor?
Ernesto Coco: Sí, soy yo.
Sergio Montero: Hola, soy Sergio Montero, de la Agencia ELE.
Paloma Martín: Yo soy Paloma Martín
Ernesto Coco: ¡Ah, sí! ¡Hola!

PISTA 13
Carmen: ¿Paloma Martín, por favor?
Paloma: Sí, soy yo.
Carmen: Hola, soy Carmen Jiménez, la directora de la agencia.

Paloma: Hola, ¿eres Iñaki?
Iñaki: Sí, ¿y tú eres...?
Paloma: Soy Paloma Martín, la nueva fotógrafa.

PISTA 14
El supermercado *Sogilam* le recuerda que en nuestro *Rincón del Gourmet* puede encontrar la más completa y selecta variedad de productos nacionales y de importación a los mejores precios. Visite la sección de bebidas, donde encontrará una extensa gama de vinos españoles, franceses, chilenos o de California. Llene de sabor y lujo sus platos degustando las mejores carnes argentinas y de Nueva Zelanda, el salmón noruego, el caviar iraní, el jamón español, la pasta italiana o los exquisitos quesos españoles, franceses e italianos. Sorprenda a su familia y amigos con frutas venidas de los más exóticos países: bananas de Costa de Rica, mangos de la India, papayas de Venezuela y aguacates de México y Perú. Saboree el insuperable aroma de nuestros cafés de Colombia, Guatemala y Kenia, y el té de la India. En nuestro *Rincón del Gourmet* los más golosos encontrarán deliciosos

chocolates belgas y suizos. Visítenos hoy mismo.

Paloma: Adiós, muchas gracias.
Señor Cocco: Adiós.

Paloma: Buenos días.
Señora: Hola, buenos días.

Sergio: Este es mi amigo Antonio.
Paloma: Hola, ¿qué tal?

Paloma: Buenas tardes.
Dependiente: Buenas tardes.

Rocío: ¡Adiós! ¡Hasta mañana!
Luis: Adiós.

UNIDAD 3
PISTA 16

María: Mis abuelos son Isabel y Francisco. Mis padres son Carlos y Rosa. Mi marido se llama Miguel. Tengo una hija que se llama Silvia. Mi tío, el hermano de mi madre, se llama Javier.

PISTA 17

Mujer 1: ¡Mira, esta es mi hija Isabel y su familia!
Mujer 2: Sí, qué guapos, ¿cuántos años tiene su marido?
Mujer 1: ¿Su marido? Tiene 29 años.
Mujer 2: Ella tiene unos años más, ¿no?
Mujer 1: Sí, tiene cinco años más... 34.
Mujer 2: ¿Y dónde viven? ¿En Argentina?
Mujer 1: No, no, él es uruguayo, pero viven aquí, en España.

PISTA 18

Sergio Montero: Mira, Paloma, vamos a hacer un reportaje sobre la fiesta de la bicicleta.
Paloma Martín: ¿Cuándo es?
Sergio Montero: Este domingo, a las 11.
Paloma Martín: Vale, muy bien, ¿y qué tipo de reportaje?
Sergio Montero: Pues, entrevistas a la gente para saber quiénes son, por qué van a la fiesta...
Sergio Montero: Oiga, perdone, por favor...
Pepe Ruiz: ¿Sí?
Sergio Montero: Soy periodista, ¿puedo hacerle unas preguntas?
Pepe Ruiz: Sí, sí.
Sergio Montero: ¿Cómo se llama?
Pepe Ruiz: Pepe, Pepe Ruiz.
Sergio Montero: ¿Cuántos años tiene?
Pepe Ruiz: 74.

Sergio Montero: ¿Viene solo a la fiesta?
Pepe Ruiz: No, no, vengo con mi nieto. Es este chico.
Sergio Montero: ¿Y por qué viene?
Pepe Ruiz: Por mi nieto. Vienen muchos niños de su edad...
Sergio Montero: Oye, ¿te puedo hacer unas preguntas? Es para un reportaje...
Laura: ¡Vale!
Sergio Montero: ¿Cómo te llamas?
Laura: Laura, me llamo Laura.
Sergio Montero: ¿Y cuántos años tienes?
Laura: 18.
Sergio Montero: ¿A qué te dedicas?
Laura: Soy estudiante.
Sergio Montero: ¿Vienes sola a la fiesta?
Laura: No, vengo con mis hermanas.
Sergio Montero: ¿Cuántas sois?
Laura: Somos tres.
Sergio Montero: ¿Y por qué venís a la fiesta?
Hermana 1: Yo, por el ambiente, y por hacer deporte.
Laura: Yo también.
Hermana 2: Pues yo vengo porque soy ecologista. ¡Y porque es una fiesta muy divertida!
Sergio Montero: Oye, perdona.
María José: ¿Sí?
Sergio Montero: Hola, soy de la Agencia ELE, ¿te puedo hacer unas preguntas?
María José: Sí, claro.
Sergio Montero: ¿Cómo te llamas?
María José: María José.
Sergio Montero: ¿Cuántos años tienes?
María José: 42.
Sergio Montero: ¿Estás casada?
María José: No, estoy divorciada.
Sergio Montero: ¿Vienes sola?
María José: No, vengo con mis hijos y con unos amigos.
Sergio Montero: ¿Y cuántos hijos tienes?
María José: Tengo dos. Son estos: Jaime, de ocho años, y Natalia, de seis.

PISTA 19

Sergio Montero: Oye, perdona.
María José: ¿Sí?
Sergio Montero: Hola, soy de la Agencia ELE, ¿te puedo hacer unas preguntas?
María José: Sí, claro.
Sergio Montero: ¿Cómo te llamas?
María José: María José.
Sergio Montero: ¿Cuántos años tienes?
María José: 42.
Sergio Montero: ¿Estás casada?
María José: No, estoy divorciada.
Sergio Montero: ¿Vienes sola?
María José: No, vengo con mis hijos y con unos amigos.

Sergio Montero: ¿Y cuántos hijos tienes?
María José: Tengo dos. Son estos: Jaime, de ocho años, y Natalia, de seis.
Sergio: ¿Y por qué vienes a la fiesta de la bicicleta?
María José: Pues por hacer deporte y también por los niños, les gusta mucho montar en bici.

PISTA 20
Sergio: ¿Y estas fotos?
Paloma: Son de mi familia.
Sergio: ¿Quiénes son? who are they
Paloma: Esta es mi madre y este es mi hermano.
Sergio: ¿Cómo se llaman? what are they called
Paloma: Mi madre se llama Silvia y mi hermano, Germán.
Sergio: Tu madre es muy guapa. ¿Cuántos años tiene tu hermano? Parece muy joven.
Paloma: Tiene 34 años, es mayor que yo.
Sergio: ¡Ah! ¿Y está casado?
Paloma: Sí, sí, y tiene dos hijos, un niño y una niña.
Sergio: ¿Y este? ¿Es tu padre?
Paloma: Sí, este es mi padre.
Sergio: ¿Y viven en España?
Paloma: No, mis padres están divorciados. Mi madre y mi hermano viven en Argentina y mi padre vive en España.

UNIDAD 4
PISTA 21

Rocío: Venga, Luis, te voy a hacer la encuesta.
Luis: Vale, venga.
Rocío: ¿Qué haces en casa para relajarte?
Luis: Leo el periódico.
Rocío: ¿Qué prefieres el cine o el teatro?
Luis: Los dos me gustan.
Rocío: ¿Museos o tiendas?
Luis: Museos.
Rocío: ¿Tele o internet?
Luis: Tele, veo los deportes y los informativos.
Rocío: ¿Qué haces para estar en forma?
Luis: Juego al golf los domingos.
Rocío: ¿Te gusta salir de la ciudad los fines de semana?
Luis: Sí, voy a pescar.
Rocío: Ahora, tú, Paloma, ¿lista?
Paloma: Claro.
Rocío: ¿Qué haces en casa para relajarte?
Paloma: Leo una buena novela histórica.
Rocío: ¿Qué prefieres el cine o el teatro?
Paloma: Teatro.
Rocío: ¿Museos o tiendas?
Paloma: Me gustan las tiendas de segunda mano y de cosas antiguas.

Rocío: ¿Tele o internet?

Paloma: Tele.

Rocío: ¿Qué haces para estar en forma?

Paloma: Voy a correr casi todos los días y juego al tenis.

Rocío: ¿Te gusta salir de la ciudad los fines de semana?

Paloma: Sí, me gusta conocer sitios nuevos y hacer fotos.

Rocío: Bueno, Miquel, es tu turno.

Miquel: Adelante.

Rocío: ¿Qué haces en casa para relajarte?

Miquel: Escucho música y cocino.

Rocío: ¿Qué prefieres el cine o el teatro?

Miquel: Cine.

Rocío: ¿Museos o tiendas?

Miquel: Tiendas, me encanta ir de compras.

Rocío: ¿Tele o internet?

Miquel: Internet.

Rocío: ¿Qué haces para estar en forma?

Miquel: Voy al gimnasio y juego al fútbol.

Rocío: ¿Te gusta salir de la ciudad los fines de semana?

Miquel: Sí, me gusta esquiar o andar por la montaña.

PISTA 22

Sergio Montero: ¿Tú qué haces hoy, Luis? ¿Qué película vas a ver?

Luis: Hoy estoy muy contento: voy a ver la de Guillermo del Toro.

Sergio Montero: ¡Ah, sí! Es una de terror, ¿no?

Luis: No, no, no es de terror, es fantástica. Es buenísima. Es de una niña que...

Sergio Montero: Ya veo que te gusta el cine fantástico, ¿no?

Luis: Sí, me encanta, ¿a ti no?

Sergio Montero: Bueno, sí, me gustan las de ciencia ficción, pero prefiero el cine de aventuras. ¿Y tú, Paloma?

Paloma Martín: ¿Yo? Pues, no sé, me gustan las comedias, Woody Allen, por ejemplo. Luego, pues, me gusta el cine argentino...

Luis: Bueno, ¿y vosotros qué hacéis hoy?

Sergio Montero: Yo voy a la rueda de prensa del director del festival.

Paloma Martín: Yo quiero hacer fotos de los actores en el hotel, pero, si quieres, voy contigo y hago fotos en la rueda de prensa.

Sergio Montero: ¡Ah, vale, perfecto!

Sergio Montero: ¿Quieres ir a tomar algo?

Paloma Martín: ¡Ah, sí, estupendo! ¿Dónde vamos? Yo no conozco San Sebastián, ¿y tú?

Sergio Montero: Un poco, el casco viejo... Si quieres podemos tomar unos pinchos en una taberna por esa zona, ¿o prefieres ir a un restaurante?

Paloma Martín: No, no, mejor vamos a probar los famosos pinchos vascos, ¿no?

Sergio Montero: Sí, sí, a mí me encantan...

PISTA 23

■ ¿Quieres ir al cine esta tarde?

● Ah, sí, vale, ¿y qué película quieres ver?

■ No sé..., si quieres vemos la última de Guillermo del Toro.

● Pues..., ¡puff!... yo prefiero una comedia.

■ ¿Qué prefieres, una argentina o la de Woody Allen?

● Mejor la argentina.

PISTA 24

Rocío: Ahora tú, Carmen, tienes que responder la encuesta.

Carmen: Está bien.

Rocío: ¿Qué haces en casa para relajarte?

Carmen: Hago yoga y escucho música.

Rocío: ¿Qué prefieres, el cine o el teatro?

Carmen: Teatro.

Rocío: ¿Museos o tiendas?

Carmen: Tiendas.

Rocío: ¿Tele o internet?

Carmen: Tele, veo los informativos y las películas.

Rocío: ¿Qué haces para estar en forma?

Carmen: Voy al gimnasio dos veces: los lunes y los miércoles.

Rocío: ¿Te gusta salir de la ciudad los fines de semana?

Miquel: Sí, voy a la playa con mis hijos.

PISTA 25

La cultura de un país tiene relación con la situación económica y política. El Ministerio español de Cultura ha publicado una encuesta de hábitos culturales en España; un estudio sobre la cultura en la sociedad. Según este estudio, escuchar música es la actividad cultural favorita de los españoles: casi un 90% lo hace. El cine es el espectáculo cultural preferido: más del 50% de los encuestados ha ido al cine el último año. Por otro lado, ha aumentado el público del teatro: un 30% de los encuestados va al teatro a menudo. A los españoles les gusta leer: casi un 30% lee textos por placer, textos no relacionados con el trabajo. Son muy importantes los medios de comunicación. El 90% de los españoles escucha la radio, y casi el 100% ve la televisión. El tiempo dedicado a ver la tele es de casi tres horas diarias. Los informativos son los programas preferidos de los españoles. También les gustan las películas, los documentales y las series.

UNIDAD 5

PISTA 26

Persona 1: A ver, primero, el museo está al lado de la oficina de turismo.

Persona 2: Vale...

Persona 1: El museo está a la izquierda y el hotel también.

Persona 2: Vale...

Persona 1: El parque está a la derecha, al final de la calle.

Persona 2: Muy bien.

Persona 1: Y la comisaría también a la derecha.

Persona 2: Sí, muy bien.

Persona 1: El aparcamiento está enfrente del parque, al lado del hotel.

Persona 2: ¿A la derecha?

Persona 1: No, a la izquierda, el aparcamiento está al final de la calle, enfrente del parque.

Persona 2: Ah, sí, sí, ya lo sé, es la calle...

PISTA 27

Sergio: ¿Comemos juntos el sábado antes de la manifestación?

Miquel: Vale, muy bien. ¿Cómo quedamos?

Sergio: ¿A las dos y media al lado del metro?

Paloma: ¿Qué tal un poco más tarde? ¿A las tres?

Miquel: Por mí, bien.

Sergio: De acuerdo. ¿Quedamos en la cervecería Cruz Blanca? Está al lado del metro.

Miquel y Paloma: Vale.

Vecino 1: En este barrio hay muchos coches, mucha gente y mucho ruido a todas horas.

Vecina 1: En mi calle hay una discoteca que abre a las once de la noche y cierra a las siete de la mañana. ¡Y un bar con terraza al lado de la discoteca que abre a las siete y media de la mañana!

Vecina 2: Hay mucho tráfico, y faltan zonas verdes protegidas para los niños y los ancianos.

Vecina 2: Sí, hay mucho ambiente, pero no hay lugares tranquilos ni policías en la calle para vigilar y mantener el orden.

Vecina 3: ¡Eso, eso! ¿Dónde están los policías? ¿Y dónde está el ayuntamiento?

PISTA 28

Entre las ciudades españolas que hemos seleccionado, la mayor distancia es entre Málaga y La Coruña. Las dos ciudades que están más cerca son Barcelona y Valencia, que están a 349 km. Barcelona está a 995 km de Sevilla; de la Coruña está un poco más lejos, a 1087 km. Madrid está en el centro del país, a 398 km de Bilbao, en el norte, a 597 km de La Coruña, en el noroeste, y a 528 km de Málaga, en el sur. De norte a sur tenemos la distancia entre Bilbao y Sevilla, que es de 863 km. Atención, todas estas distancias son por carretera, no en línea recta.

PISTA 29

Bienvenido a MADRID VISIÓN, la forma más atractiva de conocer Madrid. Todos los días del año, los autobuses de MADRID VISIÓN recorren la ciudad, con horario continuo, de diez de la mañana a nueve de la noche.

Con MADRID VISIÓN usted puede conocer las principales calles de la capital y admirar cómodamente desde el segundo piso los edificios más importantes. En cualquier momento usted puede parar y visitar monumentos y museos, o parar para comer y descansar.

¡Por solo 20 euros! Durante dos días puede disfrutar de su visita con MADRID VISIÓN. ¡Y los niños menores de 6 años gratis! Elija su ruta: el Madrid Moderno o el Madrid Histórico, dos opciones que se complementan...

PISTA 30

Estamos en la calle Mayor y la próxima parada es frente a la plaza de la Villa, donde pueden admirar la antigua sede del Ayuntamiento, construida alrededor de 1650. Desde aquí pueden pasear por las estrechas calles del Madrid de los Austrias y visitar la plaza Mayor, cerrada al tráfico...

Estamos en la Puerta del Sol, kilómetro cero de las carreteras españolas y corazón de la ciudad. A la derecha pueden ver el edificio de la Casa de Correos, con el famoso reloj que cada 31 de diciembre marca el inicio del nuevo año...

Nuestra próxima parada es en Museo del Prado, una de las más importantes pinacotecas del mundo. Delante del edificio, un bello palacio de estilo neoclásico, se encuentra la estatua del pintor Diego Velázquez...

Estamos en la plaza de la Independencia, donde se encuentra la entrada principal al Retiro, y donde pueden admirar, a su izquierda, la Puerta de Alcalá, una de las antiguas puertas de la ciudad...

Nuestra última parada es en la fuente de la diosa Cibeles, uno de los monumentos más queridos por los madrileños y donde se reúnen los seguidores del Real Madrid para celebrar sus victorias deportivas. Esta fuente, dedicada a la diosa Cibeles, símbolo de la Tierra...

PISTA 31

Chica joven: Perdón, ¿me puede decir la hora?
Señora: Sí, claro, son las cinco en punto.
Chica joven: Muchas gracias.
Señora: De nada.

Señor: ¡Uy! ¡Lo siento!
Chico joven: ¡Perdón!

Señor: Aquí tiene sus billetes.
Señora: Muchas gracias.
Señor: A usted.

Señor: Perdón, ¿va a salir?
Señor: No.
Señor: ¿Me permite, por favor?

UNIDAD 6
PISTA 32

Camarero: Hola, buenos días, ¿qué van a tomar?
Cliente 1: Dos cafés con leche, por favor.
Cliente 2: Por favor, ¿me pone un agua sin gas?
Camarero: Muy bien
Camarero: Buenos días, ¿qué va a tomar?
Cliente 3: Un vino blanco, por favor.
Camarero: Buenos días, ¿qué van a tomar?
Cliente 4: Pues, una Coca-Cola y un té con limón.

PISTA 33

Luis: ¿Vais a desayunar?
Rocío: No, no, vamos a hacer las entrevistas para el reportaje sobre los hábitos para las comidas...
Iñaki: Por cierto, vosotros, ¿dónde coméis hoy?
Paloma: Yo como aquí, en la cocina.
Iñaki: ¡Ah! ¿Te traes la comida de casa?
Paloma: Sí, casi siempre. Es más sano y más barato. Mira, hoy tengo, de primero, sopa, y, de segundo, pollo.
Luis: Pues yo voy a comer, como siempre, el menú del día de Los Arcos. Es bueno y, además, prefiero salir de la oficina.

Iñaki: Ah, sí, Los Arcos, nosotros también vamos a comer allí hoy.
Rocío: Sí, nos vemos allí sobre las dos, ¿vale?
Rocío: Perdonen, ¿pueden contestar unas preguntas? ¿Dónde van a comer hoy? ¿Qué van a comer?
Señor 1: Yo, el menú del día, en el restaurante.
Señor 2: Pues, yo como en casa, no sé qué, algo bueno, espero.
Rocío: Perdona, ¿comes en un restaurante o en casa?
Chica: Yo como en la oficina, me llevo la comida de casa. Hoy llevo macarrones y un poco de fruta.
Rocío: Perdone, señora, ¿usted come en casa o fuera?
Señora: Casi siempre fuera, normalmente un plato combinado en la cafetería de la esquina.
Rocío: ¿Y vosotros, vais a comer a casa?
Chica: No, comemos en la facultad, un bocadillo, normalmente.
Paloma: ¿Qué hay de menú?
Luis: ¿Y tu comida de casa?
Paloma: No funciona el microondas, ¡y no me gusta la sopa fría!
Iñaki: No pasa nada, mujer, mira, aquí también puedes comer sopa y pollo.

PISTA 34

Luis: ¡Oiga, por favor!
Camarero: Un momentito, por favor. Sí, ¿qué van a tomar?
Luis: Sí, a ver, de primero, ensalada del día y, de segundo, salmón a la plancha.
Rocío: Yo..., yo también, ensalada y salmón.
Camarero: Muy bien, ¿y ustedes?
Iñaki: Pues..., yo de primero, macarrones con tomate y, de segundo, albóndigas.
Camarero: De acuerdo...
Paloma: Pues yo, de primero sopa de pescado y, de segundo, pollo.
Camarero: ¿Para beber?
Luis: Agua, por favor.
Camarero: ¿Agua para todos?
Iñaki, Paloma y Rocío: Sí, sí, agua.
Iñaki: Perdone...
Camarero: ¿Sí?
Iñaki: ¿Puede traer un poco más de pan?
Camarero: Ahora mismo.
Camarero: ¿Toman postre o café? De fruta hay melón.
Paloma: Yo café, café solo, por favor.
Iñaki: Yo, postre..., fruta.
Luis: Sí, yo también fruta.
Rocío: Para mí, un café con leche.
Paloma: Perdone, por favor...

Camarero: ¿Sí?

Paloma: La cuenta, por favor.

Camarero: Sí, en seguida.

PISTA 35

Luis: Y me siento cansado, cada día estoy más gordo...

Doctor: La alimentación es fundamental. Hay que comer bien...

Luis: Ya, no comer dulces ni nada rico.

Doctor: No, hombre, no, es cuestión de comer de todo pero en las cantidades adecuadas: mira, cada día, pero cada día, ¿eh?, hay que tomar, por lo menos, cuatro porciones de fruta y verdura, cuatro, ¿tú lo haces?

Luis: Bueno, yo, la verdad es que fruta no tomo nunca. Verdura sí, ¿eh? Tres veces a la semana, más o menos...

Doctor: Tienes que tomar más verdura Luis, e hidratos de carbono, bueno, ya sabes, pan, arroz, pasta..., esta es la base de la alimentación, ¡y si son integrales, mejor!

Luis: Pues pan, pan tomo mucho, en el desayuno, la comida, la cena..., y pasta y arroz también, casi todos los días.

Doctor: Muy bien eso, muy bien. ¿Y el grupo de las proteínas: carne, pescado, huevos, legumbres?

Luis: Carne y huevos, sí, todos los días, pero pescado, nunca, no me gusta.

Doctor: Pues tienes que variar, y también legumbres, ¿eh?

Luis: Legumbres, pues, tomo fabada un día a la semana.

Doctor: Eso es poco... ¿Y los lácteos?

Luis: ¡Uy, sí! Los lácteos me encantan, tomo leche con los cafés, yogures y queso de postre siempre.

Doctor: Pues de eso solo hay que tomar dos porciones al día, así que tienes que sustituir algún lácteo por fruta de postre.

Luis: Menos lácteos, sí...

PISTA 36

Periodista: Vamos a investigar cómo son los desayunos en un céntrico café de Madrid. Hablamos con Fernando. Fernando Vera es camarero, hijo del propietario del Café Comercial de Madrid. Fernando, buenos días.

Fernando: Hola, buenos días.

Periodista: ¿A qué hora empieza el servicio?

Fernando: A las siete y media de la mañana.

Periodista: Siete y media, ¿eh? Y a partir de ese momento, ¿cuántos cafés servís en un desayuno, habitualmente?

Fernando: Pues... miles de cafés.

Periodista: ¿Miles?

Fernando: Sí, sí, sí.

Periodista: ¿Y cuál es el favorito, Fernando?

Fernando: El café con leche. El café con leche es el favorito de los clientes del local.

Periodista: ¿Café con leche verdadero, descafeinado, o...?

Fernando: No, no. Verdadero, el verdadero.

Periodista: Y churros o porras, ¿no?

Fernando: Churros. En el Comercial hacemos churros.

Periodista: O sea que, Fernando, café con leche y churros es el desayuno típico del Café Comercial.

Fernando: Café con leche y churros, sí. Y el chocolate, también.

Periodista: Chocolate con churros, pero más para la merienda, ¿no?

Fernando: Sí..., pero algunos clientes también lo toman para el desayuno.

Periodista: Fernando, ¿cuánto tiempo estamos desayunando? ¿Cinco minutos, diez...?

Fernando: Pues durante la semana, muy poco tiempo. Entre cinco y diez minutos... El fin de semana, un poco más, con el periódico...

Periodista: Oiga, Fernando, ¿y quién es el último en desayunar? ¿Hasta qué hora se puede desayunar?

Fernando: Entre semana, a la una o una y cuarto. Y los fines de semana, no hay horarios...

UNIDAD 7
PISTA 37

Este parque tiene un clima suave de tipo mediterráneo, que se caracteriza por tener inviernos relativamente húmedos y veranos muy secos. Cuando llueve más es en primavera y especialmente en otoño. En cambio, en invierno llueve poco y no nieva. Las temperaturas son suaves durante todo el año. En invierno no hace mucho frío (unos 14 grados), y en verano sí hace bastante calor (30 grados).

PISTA 38

Yo hablo de vacaciones cuando tengo como mínimo una semana, pero normalmente intento hacer planes de diez días o dos semanas, sobre todo en verano.

Me encanta viajar, ir a sitios nuevos, a otros países, hacer turismo, hacer alguna ruta de ciudades o pueblos, visitar monumentos, museos y todo eso. Estos viajes culturales me gustan para las vacaciones más cortas, por ejemplo, una semana en primavera o en invierno.

Pero si tengo que elegir un plan ideal para diez o quince días en verano, por ejemplo, prefiero pasarlos en un lugar bonito, lejos de la ciudad, en contacto con la naturaleza... Yo en vacaciones necesito descansar, desconectar, relajarme...

Me gustan los pueblitos al lado del mar, con playa..., pero la verdad es que prefiero el campo y la montaña.

Normalmente voy de vacaciones con mi pareja, pero a veces nos juntamos con un grupo de amigos. Y, claro, buscamos sitios donde podemos disfrutar de la naturaleza y la tranquilidad, pero también hacer paseos bonitos o practicar algún deporte. Lo que no nos gustan son los *campings*, preferimos un apartamento, una casa rural o ir a un hotel, eso es lo mejor para mí: no tienes que ocuparte de nada, solo de relajarte y disfrutar.

PISTA 39

Rocío: Entonces, ¿te vas de vacaciones mañana? ¡Qué suerte!

Sergio: No, no, me voy de viaje, pero no de vacaciones. Me voy con Paloma a hacer un reportaje sobre lugares de vacaciones en el Pirineo.

Rocío: ¡Ah! ¿Y cuántos días vais?

Sergio: Vamos a estar cinco días en total: dos días en... el Pirineo aragonés y luego vamos a pasar los otros tres en el Pirineo catalán.

Rocío: ¿Qué lugares vais a visitar? ¿A qué pueblos vais a ir?

Sergio: Vamos a empezar en un pueblo que se llama Ligüerre de Cinca, y luego queremos ir a Jaca para recorrer el valle de Benasque...

Rocío: ¿Dónde está Ligüerre de Cinca?

Sergio: Aquí, en el Pirineo aragonés, en la provincia de Huesca. Es un pueblo antiguo restaurado como centro de vacaciones. Es un lugar muy tranquilo, al lado de un embalse, está muy cerca del Parque Nacional de Ordesa...

Rocío: Es que no conozco esa parte del Pirineo...

Sergio: Pues es una zona muy bonita: hay montañas muy altas, pueblos antiguos, buena comida...

Rocío: ¿Y después de Huesca?

Sergio: Pues no sabemos, Paloma quiere visitar algunas iglesias románicas del Pirineo catalán, y a mí me gustaría conocer las estaciones de esquí.

Rocío: ¡Qué bien! Me gustaría mucho ir con vosotros... ¿Y qué tiempo hace ahora?

Sergio: Depende... Normalmente, en septiembre hace buen tiempo y no llueve mucho. Arriba en las montañas hace más frío y a veces nieva, pero en el valle no. Pero la verdad es que en el Pirineo el tiempo es imprevisible.

Iñaki: ¡Sergio, Sergio! Mira, hay una noticia sobre Ligüerre. No sé si es buena idea hacer el viaje ahora.

PISTA 40

Atención, un momentito, por favor... ¡Buenos días a todos! Quería recordarles el plan de actividades que la agencia tiene organizado para hoy. Hoy va a ser un día tranquilo, no vamos a subir montañas, hoy lo vamos a dedicar a descubrir el valle, vamos a visitar los edificios históricos de Ligüerre y a disfrutar del lago...

Después de desayunar, a las once, vamos a ir a la zona antigua, donde vamos a realizar una visita guiada de la Abadía y del Torreón. A la una, más o menos, vamos a andar un poquito, vamos paseando hasta la ermita de Santiago. Como hace buen tiempo, vamos a aprovechar que allí hay una zona verde estupenda, y nuestros compañeros del restaurante van a llevarnos allí la comida, ¡un delicioso *picnic*! Para las cuatro tenemos organizado un paseo por el embalse, entonces iremos andando desde la ermita hasta el embarcadero, donde nos espera el barco. La ruta en barco termina más o menos a las seis y media de la tarde. Un día bien completo, ¿eh? Espero que las actividades les parezcan interesantes... ¿Alguna pregunta?... ¿no?... Pues les veo a todos a las once. ¡Hasta luego!

UNIDAD 8
PISTA 41

Me encanta mi nueva casa de vacaciones... Bueno, es un apartamento, pero muy muy grande. Tiene una terraza enorme con unas vistas preciosas al mar. Habitaciones solo hay dos, pero también son grandes. Nosotros somos cuatro, pero luego siempre se apunta alguno más, la abuela, los primos y hay sitio para todos. Además tiene piscina, que en esta zona viene muy bien, porque hace mucho calor y no siempre te apetece ir a la playa, y garaje, que es comodísimo...

PISTA 42

Paloma: ¿Y dónde están los muebles?

Empleado 1: Son esos.

Sergio: ¿Y esa puerta es de la cocina?

Empleado 1: No, la del baño.

Sergio: ¿Y eso qué es? ¿Un armario?

Empleado 1: No, eso es la cocina.

Empleado 2: ...Primero vamos a ver el piso, después la piscina y por último el garaje. ¿El piso es para ustedes dos?

Paloma: Sí, señor.

Sergio: ¿Y cuánto cuesta el alquiler?

Empleado 2: 1600 euros al mes, con tres meses por adelantado.

Sergio: ¿La piscina es solamente para los vecinos?

Empleado 2: Sí. Bueno, se puede venir con amigos, pero hay que hablar con el portero.

Paloma: ¿Se puede fumar aquí?

Empleado 2: Lo siento, no se puede. Está prohibido.

Paloma: Ese piso está muy bien, pero..., ¡es muy caro!

Sergio: Sí. ¡Qué difícil es encontrar un piso en condiciones a un precio razonable!

Paloma: Sí, es verdad. Pero creo que no hay que ver más pisos. Ya tenemos suficiente información.

Sergio: Sí. Creo que el reportaje va a ser muy interesante... ¡Ah! ¿Quieres un caramelo? Es bueno para no fumar...

Paloma: No, gracias.

PISTA 43

Señor: ¿Sí? ¿Dígame?

Laura: Hola, buenos días, llamo por el anuncio del piso para compartir.

Señor: Sí, diga.

Laura: ¿Tiene ascensor?

Señor: Sí, claro.

Laura: Ah, ¿y lavavajillas?

Señor: No, lavavajillas, no.

Laura: ¿Tiene calefacción?

Señor: Sí, sí, tiene calefacción central. Lo que no tiene es aire acondicionado.

Laura: Entiendo. ¿Puedo ir a verlo y me explica un poco más...?

PISTA 44

1. Mi nueva casa es céntrica, tranquila y está bien comunicada, con metro y autobús muy cerca. ¡Qué contenta estoy!

2. Tengo muebles nuevos en el salón. Los colores son muy bonitos: un sofá azul y una mesa amarilla, con sillas azules y amarillas.

3. Me gusta mucho la nueva cocina de la casa de Juan. Es moderna y está bien equipada. La nevera y la lavadora son nuevas, grandes, muy elegantes, de color blanco. Pero el salón es un poco pequeño. ¡Y no tiene televisión, ni DVD!

4. Las estanterías del despacho son marrones, y la mesa es blanca. Para la silla, ¿qué color es mejor?

PISTA 45

1. Mi casa es mi refugio y el de mi familia, mi mujer y mis tres niños. En ella encontramos calor y alegría. Siguiendo un estilo bastante tradicional de mi país, en el interior, la casa está llena de colores muy vivos en las paredes y también en el techo: el salón es azul y naranja; el baño verde, los dormitorios en distintos tonos de rosa o amarillo y la cocina amarilla. Además, me gustan mucho los muebles y los objetos decorativos, así que tengo muchas cosas: grandes muebles de madera y muchas piezas de artesanía mexicana para llenar los diferentes espacios. Las ventanas son grandes y además tenemos un pequeño patio lleno de plantas y de luz..., y también de color: el suelo es azul y rojo.

2. Yo soy escritor y, claro, mi casa es también mi lugar de trabajo. Por eso necesito vivir en un lugar tranquilo donde pueda concentrarme y trabajar pero también relajarme... Para mí también era esencial tener aire fresco y mucha luz natural. Por eso para mí es perfecto este estilo de las casas de la isla...Y esta casa es así: sencilla, luminosa, nada me distrae. No tengo muchos muebles, ni adornos..., me gustan las formas simples, producen armonía y paz. El blanco que domina todo y los materiales naturales crean una atmósfera de comodidad y relax. Y el paisaje..., la casa con varios espacios abiertos, como habitaciones exteriores o terrazas, es parte del paisaje, una continuación de la luz del mar, que casi lo puedo sentir dentro.

UNIDAD 9
PISTA 46

Me llamo Ana. Soy enfermera y trabajo en un hospital. Es un trabajo duro, pero ayudar a la gente es muy bonito.

Me llamo Pedro. Soy funcionario del Ministerio de Economía. Trabajo en una oficina, en el departamento de Créditos. Es un trabajo muy tranquilo, a veces un poco aburrido.

Soy Julián, y soy profesor de literatura en un instituto de Bachillerato. Es un trabajo interesante y me gusta, pero a veces es difícil.

Soy Susana, y soy camarera en un restaurante muy bueno. De mi trabajo me gusta el contacto con la gente, pero los horarios son muy malos porque trabajo por las noches.

PISTA 47

1 En el hospital, hay que trabajar en equipo con el médico y las demás enfermeras. Eso es lo más bonito.

2 Trabajo solo, pero todos los días hablo por teléfono con mucha gente y respondo correos electrónicos. También escribo cartas y muchos informes. No me gusta mucho mi trabajo, la verdad. Me gustaría cambiar de departamento.

3 Tengo 18 horas de clase a la semana. Además, a veces voy a congresos sobre literatura del Siglo de Oro. Es mi especialidad. ¿Lo que menos me gusta de mi trabajo? Corregir exámenes y deberes.

4 Me gustaría tener mi propio restaurante. Por eso hago cursos de formación sobre cocina y hostelería. También es importante viajar y conocer restaurantes famosos, en España y fuera de España.

PISTA 48

Rocío: Hoy charlamos con Carlos Guisbert, Director General de *Mejor Vida*. Señor Guisbert. ¿Qué es *Mejor Vida*?

Guisbert: *Mejor Vida* es una empresa especializada en mejorar la relación entre vida y trabajo en las grandes empresas.

Rocío: ¿Puede poner un ejemplo?

Guisbert: Sí, claro; nosotros buscamos soluciones para los problemas familiares de los empleados: cuidado de hijos pequeños, asistencia a los padres enfermos; también proponemos horarios más flexibles...

Iñaki: Oye, Rocío, ¡qué interesante esta entrevista!

Rocío: ¿Sí? ¿Te gusta de verdad? Gracias...

Iñaki: Sí, sí, está muy bien. Creo que es un tema actual y muy importante.

Paloma: Yo estoy de acuerdo, porque todos tenemos ese tipo de situaciones.

Iñaki: Es verdad, por ejemplo, para mí es más importante tener un buen horario que ganar mucho dinero...

Paloma: ¡Ah! ¿Sí? Entonces estás muy contento aquí, ¿no? Ganamos poco y trabajamos mucho.

Rocío e Iñaki: Ja, ja.

Iñaki: Pues ese es el problema, que trabajamos sin horario fijo...

Rocío: Entonces, ¿crees que es mejor un trabajo de oficina de 9 a 5?

Iñaki: No, eso es muy aburrido.

Paloma: Sí, pero es cómodo y te deja las tardes libres.

Rocío: Yo creo que el horario no es lo único importante. En este trabajo conocemos gente interesante, viajamos..., y la empresa nos ayuda mucho... Por ejemplo, a mí me paga un curso de árabe.

Iñaki: Sí, todo eso es verdad, pero...

Paloma: Pero Iñaki no está contento. ¡Yo creo que quiere cambiar de trabajo!

Iñaki: Pues últimamente lo pienso, sí.

Rocío: ¿Sí? ¿En serio? ¿Te quieres ir de Agencia ELE?

Iñaki: No sé, es que mi pareja y yo queremos adoptar un niño y...

PISTA 49

■ Entonces tú, Sonia, ¿a qué te dedicas?

● Soy Directora Comercial, trabajo en una multinacional.

■ ¡Vaya, qué interesante! Supongo que te gusta tu trabajo, ¿no?

● Sí, mucho. Es un trabajo muy variado y con bastante responsabilidad. Yo soy una persona muy dinámica: para mí es perfecto.

■ ¿Y cómo es tu trabajo, día a día? ¿Qué haces, exactamente?

● Bueno... Casi siempre estoy muy ocupada con mil cosas: reuniones, presentaciones, comidas de trabajo, negociaciones... Tenemos oficinas en otros países así que también viajo mucho al extranjero.

■ Entonces me imagino que no tienes un horario fijo... ¿Trabajas muchas horas?

● Sí, sí..., muchas. Empiezo a trabajar muy temprano y nunca sé a qué hora voy a salir.

■ ¿Es posible, en tu caso, conciliar trabajo y vida familiar?

● Pues... No es fácil, no. Por suerte mi marido tiene un trabajo más flexible, compatible con los horarios de los niños... Tenemos dos hijos.

■ Para ti, ¿qué es lo mejor de este trabajo?

● Supongo que el contacto con la gente, trabajar en equipo... Además tengo un buen sueldo, eso también es importante.

■ ¿Y lo peor?

● Pues... A veces puede ser un poco estresante. También me gustaría trabajar menos horas. Pero bueno, en general estoy contenta.

PISTA 50

A ver, a ver, este, sí, *Academia Al Ándalus, aprende árabe en Marruecos*, ¡qué bien! Y solo dura quince días, ¿Cuánto cuesta? ¡1800 €, qué barbaridad! No, no, necesito uno más barato...

A ver, otro, *Primero de árabe, Escuela Oficial de Idiomas*, suena bien, sí de octubre a ¡¡junio!! ¡Uy, no! Este dura demasiado y, sí, es más barato que el de *Al Ándalus*, solo 120 €, pero... ¿Y este otro? Un curso *on line*, por internet, no es mala idea; 300 €: es más caro que el de la Escuela Oficial, pero dura menos tiempo, no sé, sin profesor...

¡Este suena bien! *Pandilinguas, Árabe intensivo.* ¿Cuánto dura? 120 horas, tres horas al día, es más intensivo, sí y..., ¿cuánto cuesta? 600 €, bueno, es más caro, pero...

UNIDAD 10
PISTA 51

Rocío: Mira, Sergio, ya tengo la información de Rafa Nadal, ¡y las fotos!

Sergio: Estupendo, yo también tengo los datos de Fernando Alonso, ¿lo vemos juntos?

Rocío: Sí, vamos.

Rocío: Pues, fíjate, Nadal empezó a jugar a los cuatro años, mira esta foto de pequeño, y ganó su primera competición oficial a los ocho. Increíble, ¿verdad?

Sergio: Pues como Alonso, que empezó a correr en *Karts* a los tres años y su primera victoria en un campeonato fue a los siete años.

Rocío: Mira, ¡qué pequeño! Por cierto, ¿en qué año nació Alonso?

Sergio: Nació en..., un momento..., en 1981. ¿Y Nadal? Es más joven, ¿no?

Rocío: Sí, un poco, nació en el 86.

Sergio: La verdad es que los dos tienen una carrera deportiva excepcional. ¡Alonso fue el piloto más joven en ganar un gran premio de Fórmula 1! Lo ganó en..., 2003. Y en 2005, con 22 años, hizo historia como el piloto más joven en ganar el campeonato mundial.

Rocío: ¡Ah! Sí, me acuerdo, y recibió el Premio Príncipe de Asturias de los Deportes ese año, ¿no?

Sergio: Sí y además volvió a ser campeón del mundo en 2006... Nadal también triunfó muy joven, ¿no?

Rocío: Sí, también en 2005 ganó su primer trofeo de Grand Slam, en París. Mira, aquí, con 19 años...

Sergio: ¡Que joven!

Iñaki: Hola, ¿de qué habláis?... ¡Ah, de Rafa Nadal!... ¿Sabéis que lo conozco?

Rocío: ¿Sí? ¿En serio?

Iñaki: Sí, es que estuve en París en la final del 2007.

Rocío: ¡Ah! Lo viste jugar...

Iñaki: No, no, lo conocí y hablé con él. Estuvimos juntos en la fiesta con la prensa.

Sergio: ¡Qué suerte! ¿Tienes fotos?

Iñaki: Sí, me hice alguna foto con él, pero no la tengo aquí. Luego te la envío por correo electrónico.

PISTA 52

hablé, nací, empezó, viví, ganó, jugó, empecé, aprobé, nació, recibió, terminé, volvió, escribí, vi, habló, terminó.

PISTA 53

Durante los años que viví en Argentina no viajé mucho al extranjero; el viaje más especial que recuerdo de esos años fue a Brasil. Fui con el instituto, como viaje de fin de curso, el año que terminé el bachillerato. Fue un viaje fantástico porque fui con mis mejores amigos de clase..., imagínate, todos con 17 o 18 años...

El viaje duró una semana y estuvo dividido en dos partes: primero, desde Buenos Aires fuimos a la zona de las cataratas de Iguazú, al lado brasileño, y, aparte de visitar las cataratas, hicimos otras excursiones por esa región. Después, desde allí, cogimos otro avión y fuimos a Río de Janeiro. Estuvimos cuatro días que dedicamos a conocer la ciudad, los monumentos más importantes, algunos museos, el Museo de Arte Moderno, por ejemplo, etc. También subimos a los cerros: el de Corcovado, y el otro que se llama Pan de Azúcar, para ver las súper vistas de la ciudad... Bueno, y otras visitas culturales muy interesantes. Y, después, lo mejor del viaje: ¡las playas! Un día fuimos a la de Ipanema y otro día hicimos una excursión en barco a Isla Grande. Allí nos bañamos, hicimos snorkeling, jugamos al vóley playa, tomamos miles de fotos, todos nos compramos collares y pulseras de artesanía tradicional... Esos días de playa son el mejor recuerdo de este viaje.

PISTA 54

1. A mí en los viajes me gusta mucho entrar en las tiendas de regalos, bueno, sobre todo en las de artesanía tradicional y casi siempre compro el mismo tipo de cosas: instrumentos musicales, juguetes tradicionales... Por ejemplo, instrumentos tengo muchísimos: flautas, maracas, tambores... Porque, además, mis amigos, como saben que me gustan, casi siempre me traen alguno de sus viajes.

2. Yo siempre compro regalitos para la familia, claro, pero, eso sí, me gusta comprar cosas útiles, que puedan utilizar cada día y así se acuerdan de mí. Pues, no sé, camisetas, cosas para la cocina, delantales, paños. ¡Ah! Y también para escribir: cuadernos, bolígrafos...

3. A mí no me gusta comprar regalos en los viajes, se pierde mucho tiempo y prefiero hacer otras cosas: pasear, visitar museos... Pero, claro, a mis padres les tengo que comprar algo y siempre acabo comprando tonterías en el último minuto: imanes para el frigorífico o figuritas de monumentos...

UNIDAD 11
PISTA 55

Paloma: Y tenemos el problema de elegir la foto para el reportaje de la plaza Pereira.

Sergio: Ya hemos seleccionado dos buenas fotos. ¿Cuál os gusta más?

Rocío: A mí la de la derecha.

Luis: A mí también.

Carmen: Pues... a mí no.

Iñaki: A mí tampoco. La de la izquierda es preciosa. Podemos poner las dos.

Carmen: ¡Buena idea, Iñaki! Otra cosa: las encuestas sobre los medios de comunicación. Vamos a hacerlas por teléfono. ¿Quién puede llamar hoy?

Paloma: Yo no puedo, ya sabéis, el reportaje...

Rocío: Pues yo tampoco.

Luis: Yo sí, pero por la tarde.

Sergio: Yo también por la tarde.

Iñaki: Bueno, vale, yo puedo ahora... (...) Vale, vamos a empezar... (...) 91 346 75 82.

Contestador: Llama usted al 91 346 75 82. En este momento no podemos atenderlo. Si quiere, puede dejar un mensaje después de la señal.

Iñaki: ¡Vaya! No contestan. (...) 91 532 29 31. Comunica. 91 532 29 31.

Cubano: ¿Oigo?

Iñaki: Hola, buenos días, ¿puedo hablar con doña Laura Sánchez Jiménez, por favor?

Cubano: No está, está en el trabajo, ¿de parte de quién?

Iñaki: Soy Iñaki Induráin, de Agencia ELE. Es para una encuesta.

Cubano: Si quiere, puede llamar después de las 4.

Iñaki: De acuerdo, gracias. Hasta luego. (...) 91 258 27 71.

Mujer: ¿Sí?

Iñaki: Hola, buenos días, ¿puedo hablar con don Eduardo Pacheco Torres, por favor?

Mujer: No, no es aquí. Es un error, lo siento.

Iñaki: Perdón, perdón, disculpe la molestia.

Mujer: No pasa nada, no se preocupe.

Iñaki: 91 428 56 72.

Fernando Ríos: ¿Diga?

Iñaki: Hola, buenos días. ¿Está don Fernando Ríos Pérez, por favor?

Fernando Ríos: Sí, un momento, por favor.

Iñaki: Gracias.

Fernando Ríos: ¿Dígame?—

Iñaki: ¿Fernando Ríos?

Fernando Ríos: Sí, soy yo.

Iñaki: Soy Iñaki Induráin, de Agencia ELE. Le llamo para hacerle una encuesta sobre los medios de comunicación, ¿tiene unos minutos?

Fernando Ríos: Sí, pero tiene que ser rápido, es que tengo que ir a trabajar...

PISTA 56

Juan: ¿Diga?

Miquel: Hola, ¿está Carmen, por favor?

Juan: ¿De parte de quién?

Miquel: Soy Miquel, un compañero de trabajo.

Juan: Un momento, por favor.

Juan: ¡Mamáááá al teléfono! ¡Un compañero del trabajo!

Carmen: ¿Sí?

Miquel: ¿Carmen?

Carmen: Sí, soy yo.

Miquel: Hola, Carmen, soy Miquel....

PISTA 57

Hombre: No me gusta nada hacer compras en internet.

Mujer: ¡Mañana salgo de vacaciones!

Hombre: Hoy no puedo ir al cine.

Mujer: Me encantan las series de televisión.

PISTA 58

Hombre: Hoy no llevo pantalones vaqueros.

Mujer: ¡Me encanta levantarme temprano!

Hombre: Tengo hambre.

Mujer: No me gustan nada las películas de terror.

PISTA 59

Ricardo: Y ahora está con nosotros Manuela que como siempre nos va a hablar de lo que podemos ver en la tele hoy.

Manuela: Gracias, Ricardo. Pues sí, mira, hoy tenemos muchas cosas que ver. Si os interesa el deporte ya sabéis que a las once hay «Club de fútbol» y seguro que también os va a encantar la entrevista con Diego Armando Maradona que ofrece el programa «Hoy desayunamos con...».

Ricardo: ¿Maradona? ¡Qué interesante! ¿Y para los aficionados al cine?

Manuela: Pues «La película de los lunes», a las diez de la noche. Y también a las cuatro se puede ver el capítulo 35 de la serie «Amar a contracorriente».

Ricardo: Muy bien, ¿y para los niños?

Manuela: Para los más pequeños, los «Dibujos animados de los copetes», a las seis. Y para los mayores tenemos los documentales de Crónicas, las recetas de cocina de «Con pan y vino», el concurso «Saber y no perder», el debate de «Hablando se entiende la gente» a las once y media de la noche... en fin, muchísimas cosas para todos los públicos.

Ricardo: ¿Y algún programa del corazón?

Manuela: Claro, todo sobre la vida de los famosos a las dos de la tarde en «Corazón de melón».

Ricardo: Sí, y no hay que olvidarse de los informativos, los telediarios...

Fernando Ríos: ¿Dígame?

Iñaki: ¿Fernando Ríos?

Fernando Ríos: Sí, soy yo

Iñaki: Soy Iñaki Induráin, de Agencia ELE. Le llamo para hacerle una encuesta sobre los medios de comunicación, ¿tiene unos minutos?

Fernando Ríos: Sí, pero tiene que ser rápido, es que tengo que ir a trabajar.

Iñaki: No se preocupe, es solo un minuto.

Fernando Ríos: Vale, pues, dígame.

Iñaki: ¿Qué medios de comunicación e información utiliza usted diariamente?

Fernando Ríos: Pues, mire, creo que todos: la radio, el periódico, la tele, el ordenador...

Iñaki: ¿Internet?

Fernando Ríos: Sí, eso, internet.

Iñaki: Vale, empecemos por la radio. ¿Qué tipo de programas suele escuchar?

Fernando Ríos: Pues las noticias y también música, mucha música.

Iñaki: Bien, ¿y cuándo la escucha la radio? ¿En qué momento del día?

Fernando Ríos: Mientras voy al trabajo, en el coche, por las mañanas. Claro, y también por la tarde, cuando vuelvo a casa.

Iñaki: Ahora, la tele. ¿Qué programas le gusta ver?

Fernando Ríos: Pues veo el telediario y lo que pongan después. Ya sabe, alguna serie o los programas esos del corazón. También el fútbol, claro.

Iñaki: ¿Y a qué hora la ve?

Fernando Ríos: Pues por la noche, mientras ceno y un ratito después de cenar.

Iñaki: ¿Y la prensa?

Fernando Ríos: Pues leo el periódico casi todos los días y también leo revistas de mi profesión. Es que soy médico, ¿sabe?, y tengo que estar al día.

Iñaki: Ya.

Fernando Ríos: El periódico lo leo mientras desayuno y en la cama, cuando me acuesto. Y las revistas las leo antes de cenar en un café muy tranquilo que hay cerca de mi casa, mientras me tomo un vinito.

Iñaki: ¿Y qué secciones del periódico le interesan más?

Fernando Ríos: Pues las noticias del extranjero, sobre todo. Y todo lo relacionado con la salud, claro.

Iñaki: Por último vamos a hablar de internet.

Fernando Ríos: Vale, internet. Todas las noches antes de ir a dormir entro para ver el e-mail. También llamo por teléfono a mi hijo, que vive en el extranjero. Es mucho más barato que el teléfono normal.

Iñaki: ¿Y no busca información en la web?

Fernando Ríos: Sí, sí, bastantes veces al día, en el trabajo. También la uso para comprar los billetes cuando tengo que viajar.

Iñaki: Muy bien, señor Ríos. Pues ya hemos terminado. Ahora solo me queda una última pregunta. ¿Cuántos años tiene?

Fernando Ríos: 47.

Iñaki: Pues, ya está, muchísimas gracias.

Fernando Ríos: De nada, de nada. Que tenga un buen día.

UNIDAD 12

Mensaje de Sergio: Hola, soy Sergio. Estoy muy enfermo: me duele la cabeza y no puedo trabajar. A las nueve llega la directora de la clínica Salud y Belleza. He preparado la entrevista, está encima de mi mesa... Luego hablamos.

Mensaje de Rocío: ¡Hola, Iñaki! Oye, que llamo para recordarte que hoy tengo el día libre, para el examen de conducir y... ¡buf! ¡Estoy muy nerviosa! Bueno, después hablamos.

Mensaje de Miquel: Iñaki, soy Miquel, voy a llegar un poco tarde. He ido al médico porque me duele mucho el brazo. Nos vemos.

Correo electrónico de Luis:

¡Hola, Iñaki! Esta mañana he estado en esta playa y he pensado en ti. ¡Qué tranquilo estoy, chico!

Un abrazo,

Luis

Doctora Rot: Buenos días.

Iñaki: Doctora Linda Rot, directora general de Salud y Belleza... ¡Claro, señora Rot! Encantado y muchas gracias por venir. ¿Quiere un café o un refresco? ¿Nada? Bueno, ¿puede esperar un momento en la sala, por favor? En seguida estamos con usted...

Carmen: ¡Buenos días, Iñaki! ¿Qué tal estás? Oye, he hablado con Paloma...

Iñaki: ¿No viene hoy Paloma?

Carmen: No, por la mañana no; está en el aeropuerto, es que ha venido su madre de Argentina.

Iñaki: ¡Ay, ay, ay!

Carmen: ¿Estás bien? Pareces preocupado...

Iñaki: Ha llamado Sergio: está enfermo y no puede venir.

Carmen: ¡Pobre! Seguro que es la gripe, a mí me duelen los oídos y la garganta.

Iñaki: Perdona, Carmen, creo que es mi móvil...

Iñaki: Nada, Rocío, ha aprobado el examen de conducir, está muy contenta, pero también cansada.

Carmen: ¡Es verdad! Tampoco viene hoy. Y Luis está de vacaciones, ¿no? Bueno, vamos a estar muy tranquilos en la oficina...

Iñaki: ¡Pero sí ha venido la doctora Rot, de Salud y Belleza! Está en la sala para la entrevista.

Carmen: Bueno, tranquilo, estamos Miquel, tú y yo, ¿no?

Iñaki: Bueno, Miquel está en el médico.

Carmen: ¡Madre mía! ¡Qué día!

Nota de la Doctora Rot: Lo siento mucho pero hoy no es posible hacer la entrevista. Tengo un problema en la garganta y no puedo hablar. Muchas gracias, Linda Rot.

Luis: Hola, buenas tardes.

Farmacéutica: Buenas tardes, ¿qué desea?

Luis: Por favor, ¿tiene algo para los granos? ¡Me pica muchísimo!

Farmacéutica: Sí, claro, ¿ha tenido fiebre? ¿Le duele algo más?

Luis: Bueno, fiebre no, pero me duele un poco la cabeza y también el estómago... Seguramente he comido algo que me ha sentado mal.

Farmacéutica: Bueno, esta crema es muy buena para el picor. Solo puede utilizarla durante cinco días.

doscientos cuarenta y tres **243**

Luis: ¿Y cuántas veces al día?

Farmacéutica: Tres veces al día.

Luis: ¿Puedo ir a la playa?

Farmacéutica: Sí, claro, pero no debe tomar el sol. Y tiene que ponerse la crema después de bañarse.

Luis: De acuerdo. ¿Cuánto es?

Farmacéutica: 4 €.

Luis: Aquí tiene.

Farmacéutica: Muchas gracias. Adiós.

Luis: Adiós, gracias.

PISTA 63

Paloma: Llevo cinco años acudiendo a las sesiones. Al principio, las agujas me asustaban, pero luego te acostumbras. He pasado por varios profesionales. Durante una temporada dejé de tratarme con esta técnica porque no sentía mejoría. Además, como en España este tratamiento no lo cubre la Seguridad Social, porque estas terapias no están dentro del sistema sanitario público, para mí era muy caro y veía que el tratamiento se alargaba.

La primera acupuntora me dijo que experimentaría una gran mejoría, pero no me explicó el tratamiento. Según ella, la acupuntura servía para todo. Mi acupuntora actual es algo más concreta sobre los resultados que se pueden obtener, y sobre los dolores para los que puede o no ser útil esta terapia. Porque la acupuntura no lo cura todo, y puede tener efectos negativos, yo los he tenido, sentía calambres cuando me introducían la aguja, pero bueno, ahora ya no los tengo. Las agujas son muy finas y no duelen cuando te las ponen porque la profundidad es muy poca. De todas maneras yo combino la medicina tradicional con la acupuntura.

UNIDAD 13
PISTA 64

Mario: ¡Hola! Me llamo Mario Gilberto Soares. Soy brasileño y soy periodista. Ahora estoy en España con una beca para hacer un máster. Hago mis prácticas en la Agencia ELE.

Mis compañeros son muy simpáticos y amables conmigo. Cuando empecé a trabajar con ellos, me hicieron una fiesta muy especial...

Iñaki: Venga vamos a organizarlo todo.

Rocío: Sí, claro. Oye, ¿dónde está Mario?

Iñaki: No te preocupes, ha ido con Sergio y Paloma a una feria Intercultural o algo así; tenemos tiempo.

Rocío: ¡Pulpo! ¿Lo has hecho tú?

Iñaki: Yo no, lo ha traído Sergio.

Rocío: ¿Sergio sabe cocinar?

Iñaki: Sí, cocina bastante bien, pero solo en las grandes ocasiones, fiestas...

Chica: ¿Lo quiere probar?

Mario: Eh, sí, gracias.

Paloma: Yo no, gracias.

Luis: Hola a todos, aquí está la tortilla...

Rocío: ¿La has hecho tú?

Luis: ¡Claro! En casa siempre cocino yo, además, la tortilla de patatas es mi especialidad.

Sergio: ¿Las tienes que probar todas?

Mario: Sí, sí, están muy ricas...

Rocío: Mira, Carmen ha traído guacamole, como siempre. ¿Tú sabes hacerlo?

Iñaki: Sí, es muy fácil. Primero cortas la cebolla, el cilantro y el chile muy fino. Después...

Rocío: Espera, espera, tengo que apuntarlo todo, ¡yo no sé cocinar!

Paloma: ¡Qué rico el guacamole! Aunque está muy picante... Yo lo hago sin picante.

Iñaki: Y esta es mi especialidad, ¡boquerones en vinagre!

Rocío: A mí me encantan, pero no sé limpiar el pescado. Los tengo que comprar ya limpios.

Iñaki: No es difícil, pero necesitas tiempo.

Chico: ¿Quiere probarlos?

Mario: Son boquerones crudos, ¿no?

Chico: No exactamente, están más de 12 horas en vinagre...

Mario: Ya veo... No, gracias.

Rocío, Carmen, Luis: ¡Sorpresa!

Iñaki: ¡Tienes que probarlo todo!

PISTA 65

Iñaki: Sí, mira, es muy fácil. Primero cortas la cebolla, el cilantro y el chile muy fino. Después, exprimes un limón y cortas el aguacate en cuadraditos y lo pones en un plato con el jugo del limón. Por último, lo mezclas todo y añades el aceite, la sal y la pimienta a tu gusto. Si quieres, puedes decorarlo con trocitos de tomate.

PISTA 66

Locutor: Hola, amigos. Hoy en «La cocina del mundo» tenemos a dos personas que nos van a hablar de los hábitos en la comida de Cuba y Argentina. Buenos días a los dos.

Alfredo y Claudia: Buenos días.

Locutor: Alfredo, empecemos por ti. Alfredo es cubano y lleva tres años en España. Cuenta a nuestros oyentes, ¿cómo son las comidas del día a día en Cuba?

Alfredo: Bueno, en Cuba se desayuna ligero, normalmente leche y pan, con chocolate o café. El almuerzo es una de las comidas principales, a lo que ustedes llaman comida, se hace de once y media a dos. Se come un solo plato combinado, que lleva arroz, frijoles negros o rojos, carne y ensalada. Lo normal en las familias es poner la mesa con grandes bandejas de estas comidas y cada uno se sirve lo que le apetece.

Locutor: ¿Y a qué hora se cena?

Alfredo: Nosotros llamamos comida a lo que ustedes llaman cena y es otra de las comidas principales. En Cuba no hay cenas ligeras como aquí, es de ocho a diez de la noche y es igual que el almuerzo: un solo plato de arroz, carne, frijoles, y ensalada. Un postre habitual es la mermelada de guayaba o de mango con queso.

Locutor: ¿Y en una celebración o en una fiesta especial? ¿Qué se come normalmente?

Alfredo: Normalmente los fines de semana se reúne la familia y se come arroz congrí, que es un arroz con frijoles pero cocinado de una forma especial. En las bodas, en Navidad... se come arroz congrí, pollo y cerdo y mucho ron.

Locutor: El ron nunca falta en Cuba. ¿Y tenéis algún dulce navideño?

Alfredo: Tomamos varios dulces en Navidad, uno de los más conocidos es el turrón de ajonjolí.

Locutor: Muchas gracias, Alfredo, muy interesante todo lo que nos has contado.

Alfredo: Gracias a ustedes.

Locutor: Claudia, ¿tú vienes de Argentina, verdad?

Claudia: Sí, llevo 6 años en España, pero soy del Mar del Plata.

Locutor: Claudia, ¿y en tu país qué comidas y bebidas son las más populares?

Claudia: En Argentina en cualquier reunión familiar o de amigos siempre hay mate, es como un té. También el dulce de leche es muy conocido, es una crema muy dulce que está muy rica. El alfajor es uno de los dulces argentinos más populares, quizá lo conocés, son dos galletas unidas por dulce de leche y a veces bañadas con chocolate.

Locutor: ¿Y cómo son los hábitos en la comida?

Claudia: Comemos normalmente a las doce de la mañana y lo llamamos almuerzo, igual que en Cuba. El almuerzo es de un solo plato de carne y ensalada o pasta. La cena es parecida al almuerzo, cenamos normalmente a las 8.30. De postre se toma fruta, yogur de vainilla o de dulce de leche. En las comidas tomamos vino y agua con gas.

Locutor: ¿Y en una comida especial? ¿Qué se suele comer?

Claudia: En Semana Santa, por ejemplo, se toman las empanadas de vigilia, que son de pescado, y en Navidad se toma pavo o cochinillo al horno, turrones y pan dulce, que es como el pannettone italiano.

Locutor: Muy parecido a lo que se toma en España. Muchas gracias, Claudia. Bueno amigos, con tanto hablar de comida se nos ha abierto el apetito... Muchas gracias a nuestros dos invitados por venir y hasta el próximo programa.

UNIDAD 14
PISTA 67

Entrevistador: Hola, ¿tienes un momento? Estoy haciendo una encuesta sobre hábitos musicales. ¿Puedes responderme a algunas preguntas?

Entrevistada: Sí, claro.

Entrevistador: ¿Cuándo sueles escuchar música?

Entrevistada: Ufff... cuando estoy deprimida, cuando estoy feliz, cuando quiero divertirme, cuando estudio, cuando hago tareas de la casa, no importa cómo ni cuándo, siempre quiero escuchar música. La música es la mejor compañía.

Entrevistador: ¿Escuchas música en internet?

Entrevistada: Sí, escucho música gratis, en Spotify y también por YouTube.

Entrevistador: Y cuando vas por la calle, ¿usas el móvil?

Entrevistada: Sí, tengo toda mi música en el móvil.

Entrevistador: ¿Y en el trabajo o cuando estás estudiando?

Entrevistada: En esos casos, generalmente escucho una emisora de radio a través de internet. Es una emisora que me encanta porque siempre ponen música actual. Es una buena forma de conocer artistas y canciones nuevas.

PISTA 68

Rocío: ¡Paloma, tú y yo vamos a ir mañana al concierto de Shakira!

Paloma: ¿En serio? ¡Qué bien! ¡Me encanta Shakira!

Sergio: ¡Qué suerte!

Rocío: Oye, ¿por qué no vienes con nosotras?

Sergio: Gracias, pero no puedo. Mañana voy a ver a Carmen Debisé...

Paloma: ¿Carmen? ¿La ópera Carmen, de Bizet?

Mario: No, no, ¿no conoces a Carmen?

¡Es mi cantante Favorita! Su música es una mezcla de flamenco y jazz, con ritmos latinos...

Paloma: Ajá, flamenco fusión, ¡qué interesante!

Sergio: Yo odio el flamenco...

Rocío: A mí me gusta bastante el flamenco, pero prefiero un tipo de música más... moderna... ¡Uy! Ya son las 11, ¿qué tal si tomamos un café antes de la reunión?

Paloma: Vale, de acuerdo. ¿Venís con nosotras?

Sergio: Sí, voy.

Mario: Yo no, muchas gracias, ya he desayunado.

Carmen: Entonces, Rocío, tú y Paloma vais a hacer el reportaje sobre el festival Rock in Río y mañana es el concierto de Shakira..., Miquel, tú y Luis vais a grabarlo... Mañana también hay que ir a la actuación de Carmen Debisé para el reportaje sobre flamenco fusión...

Luis: Siento llegar tarde...

Carmen: Vale, Continúo... pues... Sergio y Mario, vosotros vais a ver a Carmen...

Luis: ¿Carmen? ¡A mí me encanta Carmen, yo quiero hacer el reportaje sobre Carmen!

Carmen: ¡Ah! ¿Sí? ¿Te gusta más que Shakira?

Luis: Sí, me interesa más Carmen que Shakira...

Carmen: Bueno, ¿y tú, Sergio?, ¿qué prefieres: Carmen o Shakira?

Sergio: Es difícil, no sé, bueno, a mí me gusta más la música pop, pero...

Carmen: Pues ya está, Sergio con Miquel y Luis con Mario...

Paloma: Oye, Luis, ¿a ti te gusta el flamenco? Porque...

Sergio: Chisssssssss.

Luis: ¿El flamenco? No mucho, es una música interesante, pero prefiero la música clásica...

Luis: Tararará, tararará... Oye, quedamos después de los conciertos para tomar algo, ¿no?

Paloma: Sí, sí, quedamos, nos tienes que contar qué tal Carmen...

Sergio: Vale, vale, quedamos en el Café Central a las 12, ¿de acuerdo? Bueno, me voy, que tengo prisa. Hasta mañana.

Mario: ¡Qué emoción!

Luis: ¡Qué horror!

Paloma: ¡Chicos!, ¿qué tal Carmen? ¿Os ha gustado?

Mario: A mí me ha encantado, ha sido increíble, ¿verdad, Luis?

Luis: Sí, increíble.

Todos: ¡Ja, ja, ja!

PISTA 69

Sergio: Chicos, el sábado es el cumpleaños de Luis, ¿por qué no le compramos algo entre todos?

Paloma: Sí, buena idea, ¿qué tal si le regalamos una colección de música clásica? ¡O de flamenco! Ja, ja.

Todos: ¡Ja, ja!

Sergio: No, en serio, discos tiene muchísimos... quizá un libro...

Paloma: Libros también tiene muchos, no sé...

Mario: ¡Ya sé! ¡Unas entradas! Le podemos regalar unas entradas para la ópera Carmen. A lo mejor así nos perdona la broma del otro día.

Sergio: Sí, fantástico, unas entradas para Carmen. Bueno, ¿por qué no vamos esta tarde a comprarlas?

Mario: ¡Ay! Yo no puedo, es que tengo que trabajar esta tarde.

Paloma: Lo siento mucho, Sergio, yo tampoco puedo, tengo que ir al médico.

Sergio: Vale, de acuerdo, voy yo a comprar las entradas.

PISTA 70

Taquillera: Buenos días, ¿qué desea?

Sergio: Quería dos entradas para *Carmen*, de Bizet.

Taquillera: ¿Para qué día?

Sergio: Para el sábado que viene.

Taquillera: ¿Cerca del escenario?

Sergio: Sí, si es posible.

Taquillera: ¿Prefiere la fila 20 en el centro o en la fila 8 a la derecha?

Sergio: Mejor en la fila 20.

Taquillera: Muy bien, fila 20, asientos 2 y 4. ¿Le parece bien?

Sergio: De acuerdo. ¿Cuánto es?

Taquillera: Son 50 euros cada entrada. 100 en total.

Sergio: Aquí tiene, gracias.

Taquillera: A usted.

Sergio: Adiós.

PISTA 71

Paloma: ¿Qué tal, Luis? ¿Te ha gustado el regalo?

Luis: Pues, mucho, la verdad, muchas gracias. Oye, Paloma, ¿por qué no vienes conmigo?

Paloma: ¿Yo? No sé, nunca he ido a la ópera...

Luis: Te va a encantar, en serio...

Paloma: Bueno, vale, de acuerdo...

Luis: ¡Qué bien! A ver... es el sábado a las nueve, ¿Quedamos a las 8:45 en la puerta del teatro?

Paloma: Perdona, pero yo no sé ir al teatro, ¿por qué no quedamos en la oficina y vamos juntos?

Luis: Vale, quedamos en la oficina.

Paloma: ¿Y a qué hora quedamos entonces?

Luis: Pues... ¿qué tal a las 8:00?

Paloma: Por mí, bien; no quiero llegar tarde a mi primera noche en la ópera.

PISTA 72

Locutor: Hoy puedes llevarte unas entradas para el espectáculo «Todos a bailar», si nos cantas algunas canciones. Tenemos diez entradas. A ver el primer concursante. Hola, ¿cómo te llamas?

Javier: Hola, soy Javier.

Locutor: Javier, ¿desde dónde llamas?

Javier: Desde Madrid.

Locutor: ¿Y a ti te gusta bailar?

Javier: Mucho, mi mujer y yo vamos a una escuela de tango.

Locutor: Vaya... un baile de pareja difícil. Nos vas a cantar un tango entonces, ¿no?

Javier: A ver si conocéis esta:
Mi Buenos Aires querido,
cuando yo te vuelva a ver
no habrá más pena ni olvido.

Locutor: Bravo, bravo, uno de los tangos de Carlos Gardel más famosos.
Bueno, Javier, eres el primer concursante que se lleva dos entradas. ¡Pásalo muy bien!

Javier: Muchas gracias. Adiós.

Locutor: Nos llama otra oyente. Hola.

Alicia: Hola, ¿qué tal? Soy Alicia, de Alcalá de Henares.

Locutor: Buenos días, Alicia. Pareces muy jovencita, ¿tú qué nos vas a cantar?

Alicia: Bueno cantar, no sé muy bien. Pero me gusta mucho bailar rumba... flamenquito... Me ha gustado siempre la que cantaba Manzanita.
Verde que te quiero verde
verde viento, verde rama.
El barco sobre la mar
y el caballo en la montaña
verde, que yo te quiero verde, sí, sí
yo te quiero verde.

Locutor: ¡Qué bonita canción! «Verde que te quiero verde», ¿sabes de qué famoso poeta es la letra de esa canción?

Alicia: Sí, claro, de Federico García Lorca.

Locutor: ¿Qué hacemos compañeros? ¿Le regalamos las entradas?

Alicia: Por favor, es que canto fatal...

Locutor: Claro que sí, Alicia. Dos entraditas para ti. ¿Con quién vas a ir?

Alicia: Con una amiga.

Locutor: Bueno pasadlo muy bien, y a

bailar mucha rumba. A ver otra llamada, ¿con quién hablo?

Julián: Hola, soy Julián, del barrio del Pilar.

Locutor: Buenos días, Julián, ¿tú bailas?

Julián: Bueno, soy bastante torpe bailando. En las bodas y en fiestas, la verdad es que bailar... bailar en pareja, solo sé bailar el pasodoble.

Locutor: ¿Y cantar? A ver, cántanos algún pasodoble.

Julián: Pues me sé el más famoso:
Quiso Dios, con su poder
fundir cuatro rayitos de sol
y hacer con ellos una mujer.
Y al cumplir su voluntad
en un jardín de España nací
como la flor en el rosal.

Locutor: Olé... Olé... Muy bien Julián, eres todo un profesional. Dos entradas para ti.

Julián: Muchas gracias y enhorabuena por el programa, es muy divertido.

Locutor: Gracias, Julián. Bueno, bueno, bueno, el teléfono no para de sonar. ¿Con quién hablo?

Malena: Hola, soy Malena.

Locutor: ¿De dónde eres, Malena?

Malena: Soy cubana, pero vivo en Madrid.

Locutor: Bueno, a ti te gustará la salsa, ¿no?

Malena: Me encanta la salsa. Todos los fines de semana voy a bailar. La que más me gusta es esa de Celia Cruz que se llama «Azúcar negra»:
Azúcar, azúcar negra, ay cuánto me gusta y me alegra
Azúcar, azúcar negra, ay cuánto me gusta y me alegra.
Azúcar, azúcar negra, ay cuánto me gusta y me alegra.

Locutor: Ay, Malena, ¡Qué ritmo!

Malena: Es que es una música para bailar.

Locutor: Dos entradas para ti.

Malena: Gracias.

Locutor: La última llamada. Hola, ¿quién eres?

José Luis: Hola, soy José Luis.

Locutor: A ver José Luis, y cuál es el ritmo que te hace bailar a ti.

José Luis: Bueno, a mí lo que me gusta es cantar rancheras.

Locutor: ¿Y qué nos vas a cantar?

José Luis: Pues esa tan famosa que dice:
¡Ay Jalisco, Jalisco, Jalisco!,
tú tienes tu novia que es Guadalajara,
muchacha bonita, la perla más rara
de todo Jalisco es mi Guadalajara.

Locutor: ¡Bravo, José Luis..., bravo! Las dos últimas entradas para ti.

UNIDAD 15

PISTA 73

Julia: Yo tengo el trabajo, las cosas de casa, las de mis hijos, mi madre..., o sea, que tengo que organizarme bien y ¡recordar un montón de cosas! Para el trabajo uso la agenda de Google, la usamos todos en la oficina y allí lo veo todo: las citas, las reuniones, los plazos, etc. Mira, por ejemplo, mañana tengo una reunión a las diez y pasado mañana tengo una cita con un cliente. Luego, para las cosas de casa y personales, pues depende, por ejemplo, si es una cita con el médico, me lo apunto en el móvil. A ver..., sí, ¿ves?, tengo un recordatorio para el día 14, tengo que acompañar a mi madre al dentista. Pero hay muchas cosas que no las apunto en agenda ni nada, a veces me pongo un papelito en la puerta de la nevera, eso sí que es útil.

Sebastián: Yo no paro en toda la semana, tengo las clases de la universidad, el equipo de fútbol, el grupo de teatro, las clases de francés, los amigos... ¿Cómo hago para planificar y recordarlo todo? Pues tengo una agenda de toda la vida, de papel... Mira, aquí la tengo..., es bastante grande, con sitio para apuntar todas las cosas de los estudios, de reuniones de trabajo con compañeros, cosas de bibliografía, o los exámenes, mira, la semana que viene tengo un examen. También aprovecho la agenda para apuntar el calendario de partidos de mi equipo, por ejemplo, este sábado no tenemos partido. Otro sistema que uso mucho ahora es la aplicación del móvil, KEEP, la uso para notas y listas sobre todo, mira, por ejemplo, el viernes tengo una fiesta y aquí tengo una nota con la dirección y los datos de cómo se va. Es superpráctico, la verdad.

PISTA 74

Mario: ¡Qué horror! ¡Mañana me tengo que levantar a las 4! Y tengo que hacer mil cosas...

Paloma: Hola, Mario, ¿qué tal?, pareces cansado...

Mario: Sí, vengo cansado porque he ido al aeropuerto a buscar a unos amigos argentinos y...

Paloma: ¡Ah! Qué bien, ¿no?

Mario: Sí, ¡qué bien! y ¡qué estrés! porque hoy tengo mucho trabajo aquí y además tengo que organizar las visitas para mis amigos y acompañarles mañana todo el día, y luego tenemos una boda el domingo en Sevilla, y todavía no tengo los billetes del tren...

Rocío: ¡¡¿Que te vas a Sevilla mañana y todavía no has comprado los billetes de tren?!! Pero, hombre, ¿no sabes que empieza la operación salida de vacaciones? Entre hoy y mañana viaja todo el mundo.

Mario: Pero eso es en la carretera, ¿no?

Rocío: Y en los trenes y en los aeropuertos... Y además, ¿sabes que en Sevilla están en alerta por la ola de calor? ¡El pronóstico es de más de 40º!

Paloma: Rocío, mujer, ¿por qué lo pones todo tan negro? Seguro que no es tan horrible...

Rocío: ¡Huy! Perdón, tienes razón, es que estoy trabajando en esas noticias para el dominical...

Sergio: Mario, ¿tienes un ratito? ¿Me ayudas un poco con el reportaje de Michael Jackson?

Mario: ¡Ah! Sí, sí, claro, vamos.

Paloma: Me imagino que ese va a ser el gran reportaje del dominical, ¿no?

Sergio: Sí, claro, pero la noticia lo merece, ¿no crees?

Paloma: Bueno, no sé, creo que se exagera un poco... ¿Tu qué opinas, Mario?

Texto sms: ¿Has reservado ya las entradas para el museo? ¿Puedes reservar una más para otra amiga, por favor? Gracias. Te llamo luego. Besos. Gabriela.

Mario: Hago la reserva y luego le contesto.

Sergio: ¿Mario?

Mario: ¿Qué? Sí, sí, vamos Sergio, vamos a mirar lo del imitador de Michael Jackson. Oye, y muchas gracias por dejarme colaborar contigo, yo creo que va a ser el reportaje de la semana, ¿no crees?

Luis: Mario, ¿tienes tiempo luego para ayudarme con unas noticias de Brasil sobre la cumbre iberoamericana?

Mario: Sí, un momentito, voy dentro de cinco minutos.

Luis: Muchas gracias, Mario.

Mario: De nada, Luis. Hasta luego.

Mario: ¡Madre mía! Son las doce, ¡¡y todavía tengo todo sin hacer!! Ahora mismo voy a llamar a RENFE, y al Museo, y...

Miquel: ¡Mario! ¿Nos vamos a hacer las entrevistas?

Mario: ¡Ay! ¡Claro! ¡Las entrevistas! Sí, cojo mi cartera y nos vamos.

Mario: Perdone, por favor, una pregunta...

Señor: No, no, yo no quiero salir en la tele.

Mario: ¿Cuál ha sido para ti la noticia de la semana?

Mario: Miquel, ¿tienes tú mi cartera?

Miquel: No, no, yo, no.

Mario: ¡Aquí no está! ¡Me la han robado! ¡Ay, no! ¡Todos mis documentos! ¡Y el móvil!

Miquel: Bueno, tranquilo, hay una comisaría aquí al lado, tienes que poner una denuncia.

Mario: Sí, sí, claro, ahora mismo.

Miquel: ¡Hola, Mario! ¿Qué tal? ¿Ya has puesto la denuncia?

Mario: Sí, ya la he puesto. ¡Ah! ¡Qué horror, la comisaría! ¡He tenido que esperar más de dos horas!

Miquel: ¡Qué rollo!

Mario: ¡Y qué problema! Sin tarjetas, sin móvil, sin nada...

Mensaje 1: Hola, Mario, soy Emilio. Te he llamado al móvil pero lo tienes desconectado. Te llamo porque todavía no sé cuál es el plan de esta noche... ¿Han llegado ya Gabriela y Lucas? ¿Por fin vamos al Copacabana? ¿Has reservado ya? Espero tu llamada.

Mensaje 2: ¡Mario! Hola, soy Ariane, ¡la novia! Te has dejado el móvil en casa. Bueno, que ya organicé todo para mañana, los hermanos de Javier están deseando conocerte... ¿A qué hora llegan? Llámame, dale.

Paloma: ¡Hola, Mario! Ya habéis terminado las entrevistas, ¿no? ¿Qué tal? ¿Tienes tiempo para un café?

Rocío: ¿Has comprado ya los billetes para Sevilla?

Mario: ¡Aaaaahhh! Noooooo, ¡¡¡TODAVÍA NO!!!

PISTA 75

1

Mario: Perdone, por favor, una pregunta...

Señor: No, no, yo no quiero salir en la tele.

2

Mario: Hola, perdona, ¿te puedo hacer una pregunta? Es para el dominical de Agencia ELE.

Chico: Vale, venga.

Mario: ¿Cuál ha sido para ti la noticia de la semana?

Chico: ¿De esta semana? Hombre, lo de Eurovisión, mira que ganar un imitador de Michael Jackson, ha sido muy fuerte, la verdad.

3

Mario: Hola, buenos días, una pregunta...

Señora: Diga, diga.

Mario: ¿Usted cuál diría que es la noticia de la semana?

Señora: ¡Huy!, pues el calor, este calor. Que estamos teniendo 42 y 43 grados, hijo. Que una ola de calor como esta no

se recuerda. No lo digo yo, ¿eh?, que lo han dicho en las noticias, que este mes de julio se han batido todos los récords. Y es que tanto calor es muy malo para la salud. Para los ancianos, por ejemplo es malísimo...

Mario: Sí, sí, muy amable, señora, muchas gracias.

4

Mario: ¿Cuál ha sido para ustedes la noticia de la semana?

Señor: Para mí, la reunión de los Jefes de Estado y de Gobierno de los países iberoamericanos.

Señora: ¿Tú crees que esa es la noticia de la semana?

Señor: Es que me parece que ahí se toman decisiones importantes que luego nos afectan a todos...

Mario: Pero para usted, señora, la noticia de la semana es otra, ¿no?

Señora: Sí, claro, los incendios. He leído que este año el número de incendios ha aumentado muchísimo. ¡Nos estamos quedando sin bosques! ¿Qué mundo les vamos a dejar a nuestros hijos?

Señor: Sí, tienes razón, esa noticia también es muy importante.

Mario: Bueno, muchas gracias a los dos.

5

Mario: Hola, ¿tenéis un momento? Es para el dominical de Agencia ELE.

Chica 1: ¡Ah, vale!

Mario: ¿Cuál creéis que es la noticia de la semana?

Chica 1: Pues para mí, la ola de calor, es que es terrible, ¿no? No se puede vivir así...

Chico 2: Hombre, no, para mí ha sido lo de Eurovisión, menudo escándalo...

Mario: Vale, vale, muchas gracias a las dos.

PISTA 76

Mujer 1: Para mí un domingo sin *El País Semanal*, no es domingo. Ni el resto de la semana porque me dura toda la semana... es mi ventana al mundo.

Hombre 1: Yo leo *El País Semanal* por dos razones. La primera es la variedad de sus reportajes, creo que siempre hay uno o dos que te interesan. Son muy diferentes entre ellos y eso es lo que me gusta. La segunda razón es que te entretiene el domingo, ya puede ser un domingo de resaca en casa, de piscina o de playa. Es un buen entretenimiento, te alegra los domingos.

Mujer 2: Para mí *El País Semanal* es como el café de los domingos. Huele bien, huele a café recién hecho, sabe a tostada... No sé, es un placer, un compañero imprescindible del fin de semana.

Hombre 2: Es el referente de las revistas... de los periódicos. Bueno, de las revistas semanales de los periódicos.

Mujer 3: *El País Semanal* para mí es un suplemento de cultura, información, política que leo los domingos y que acabo de leer entre semana porque los domingos no me da tiempo a leérmelo entero.

Hombre 3: *El País Semanal* es un magazine que dan los domingos y la verdad es que es muy interesante porque se trata de ciertos temas y de ciertas entrevistas, de personajes de actualidad con una mayor profundidad. Marca una diferencia bastante grande y muy interesante.

Mujer 4: Es el ritual de cada mañana, *El País*, el desayuno y a empezar el día.

Mujer 5: *El País Semanal* para mí es información, el fin de semana, aprender un poquito más, saber un poco más de lo que pasa en el mundo y empezar la semana con más información de la vida.

Mujer 6: Para mí *El País Semanal* es domingo, domingo, domingo... ¡Un buen domingo!

Mujer 7: El único desayuno tranquilo de toda la semana. Un ritual que dura aproximadamente hora y media.

UNIDAD 16
PISTA 77

1 Nosotros preferimos ir al campo, a la montaña... nos encanta la naturaleza y nos gusta dormir en tienda de campaña, en un *camping* o en una casa rural. Normalmente viajamos en verano y vamos en coche, porque te permite llegar a cualquier sitio.

2 Yo creo que viajar es la mejor forma de aprender; por eso, me gusta ir con mi hija a las grandes ciudades o lugares famosos. Normalmente hacemos un viaje durante las vacaciones de invierno del colegio, que es fácil encontrar vuelos baratos. Busco hoteles o apartamentos en el centro, bien comunicados.

PISTA 78

Paloma: Sergio, ¿sabes cómo se va a la Terminal 4 del aeropuerto de Barajas?
Sergio: Muy fácil. En metro...
Paloma: No, no..., en coche.
Sergio: ¿No tienes GPS?
Paloma: Pues, no...
Sergio: Podemos ir en mi coche. Así puedo entrevistar a algún pasajero para mi reportaje sobre blogs de viajes.

Paloma: ¿Sobre viajes? ¡Qué interesante! ¡Me encantan los blogs! ¿Puedo ver qué tienes?
Sergio: Mira, el blog de este chico, que estuvo en Cuba el año pasado.
Paloma: ¿Y qué hizo allí?
Sergio: Fue con su clase de viaje de paso del Ecuador, ya te imaginas qué hicieron...
Sergio: Y este es estupendo, esta chica ha viajado dos veces a la India ¡en bici desde España!
Paloma: ¡Ah! La India... ¡Qué país! A mí me encantó.
Sergio: ¿Tú has estado en la India? ¿Cuándo? ¿Con quién?
Paloma: Sí, estuve hace cinco años, fui con una ONG; fue un viaje muy duro pero muy interesante, con algunas experiencias inolvidables...
Paloma: Recuerdo un día que me perdí en una calle...
Paloma: Por suerte unos niños me ayudaron... y pude volver a casa.
Paloma: ¿Quieres ver un blog interesante? Mira este, es el blog de mi amigo Felipe. En el 2003 recorrió Marruecos en coche y con sus dos hijos pequeños.
Sergio: ¿Con dos niños? ¡Qué valiente! ¿Y cuánto tiempo duró el viaje?
Paloma: Creo que estuvieron dos meses. ¿Tú has estado alguna vez en Marruecos?
Sergio: No, en Marruecos no, ni en la India... la verdad es que no he viajado mucho.
Paloma: Un reportero que no ha viajado mucho... ¡Anda! Vamos al aeropuerto.
Sergio: Esperamos un minuto y el GPS nos dice la ruta...
GPS: *La ruta se está calculando.*
Paloma: ¡Qué fácil!, ¿no?
GPS: *La ruta se está calculando.*
Paloma: Ya llevamos quince minutos...
Sergio: Necesita tiempo... que Madrid es muy grande
Paloma: Y el GPS muy lento...

PISTA 79

Amiga de Sara: Venga, enséñame ya las fotos de tu viaje a París que me muero de curiosidad. ¿Cómo fuisteis?
Sara: Vale... espera, que enciendo el ordenador... y aquí están. Mira, fuimos en avión, esta foto es de nuestra llegada al aeropuerto. ¡Qué frío al salir! Tuve que esperar una hora mis maletas.
Amiga de Sara: ¡Qué horror! A ver cuéntame todo, anda... ¿Qué hicisteis en París?
Sara: Sí, mira... el primer día fuimos a ver la Torre Eiffel. Luis hizo muchas fotos. Le

encanta hacer fotos. En esta, por ejemplo, estoy muerta de frío en la terraza de la torre.
Amiga de Sara: ¿Cuándo fuisteis?
Sara: En Navidad.
Amiga de Sara: Ah, claro... normal el frío... ¿Dónde estuvisteis, además de la Torre Eiffel?
Sara: Pues, mira... En esta otra foto estamos a la entrada del museo del Louvre.
Amiga de Sara: Oye, ¿y por qué decidisteis ir a París?
Sara: Fuimos a visitar a Ana y a François. Tienen una casa preciosa. Mira, aquí está la foto de la habitación en la que nos quedamos. Fue genial poder descubrir París y al mismo tiempo poder pasar unos días con Ana...
Amiga de Sara: A Ana no la conozco... ¡es muy guapa! ¿Cuánto tiempo os quedasteis?
Sara: Pues... una semana. Mira, esta foto fue la Noche de Fin de Año. Hicimos un crucero nocturno por el río Sena y fue genial. Luis y yo nos llevamos las doce uvas... como manda la tradición.
Amiga de Sara: ¡Qué guapos!
Sara: Mira esto es el día después... Fuimos a Montmartre y nos compramos un cuadro.
Amiga de Sara: ¡Qué bonito! ¿Dónde lo tienes? No lo he visto aquí en casa...
Sara: Sí, es que... lo perdimos en el metro de París.
Amiga de Sara: ¿Cómo? ¿En serio?
Sara: Pues sí. Salimos muy rápido en una de las paradas y dejamos el cuadro en el vagón del metro.
Amiga de Sara: ¿Y no hicisteis nada para intentar recuperarlo?
Sara: Pues, sí, pero no encontraron nada...

UNIDAD 17
PISTA 80

1 Fue todo muy rápido: él era alto, delgado, tenía el pelo largo y llevaba gafas...y, y una bufanda.

2 No sé, creo que era una chica, pero no estoy seguro, llevaba un chándal y gafas de sol.

3 Ella llevaba un vestido rojo, superelegante, con zapatos de tacón y unos guantes de piel. Tenía el pelo corto.

4 Él iba en bañador, seguro, seguro, en bañador con chanclas. Llevaba una gorra y tenía el pelo corto, rubio.

5 Era una pareja moderna, me fijé porque él era calvo, pero el sombrero lo llevaba ella. También llevaba una barba muy larga, el chico, claro, je, je.

6 Ella tenía el pelo rizado, era pelirroja y llevaba una cazadora. Él llevaba un pañuelo de color rosa, de esos grandes, alrededor del cuello.

Paloma: ¿Sabes quién es?

Rocío: No, pero es guapísimo, ¡qué morenazo!

Paloma: Era, era guapísimo. Ahora no sé, esta foto tiene 15 años. Se llamaba Juanjo, íbamos juntos a la universidad, éramos novios, él me escribía unas cartas de amor preciosas y yo... bueno, yo estaba muy enamorada...

Rocío: ¿Y?

Paloma: Pues que vamos a cenar mañana y hace más de diez años que no nos vemos... y estoy nerviosa porque yo he cambiado mucho.

Rocío: ¿Mucho? Bueno, tenías el pelo largo...

Paloma: Y antes era más delgada y era más divertida... ¡Y no sé qué ropa ponerme!

Rocío: Que no, mujer, que estás muy bien. Oye, ¿y el vestido rojo que llevabas el otro día?

Paloma: Uy, no, ese es demasiado corto para una cita con un exnovio...

Rocío: Puff... tengo que acabar el reportaje sobre las rebajas.

Paloma: ¿Qué tal vas?

Rocío: Bien, bien, pero necesito hacer unas entrevistas en unos grandes almacenes.

Paloma: Pues si quieres te acompaño y así me compro un vestido y unos zapatos para mañana.

Sergio: ¿Dónde vais, chicas?

Paloma: A las rebajas, ¿vienes?

Sergio: Pues sí, la verdad es que necesito un abrigo.

Paloma: Hola, quería este mismo vestido en una talla mayor.

Dependienta: Lo siento. Ya no hay más tallas.

Paloma: ¡Vaya! ¿Dónde está el probador?

Rocío: Muy moderno.

Paloma: ¡Demasiado pequeño!

Rocío: Mira, Sergio, este abrigo, ¡es muy barato! Antes costaba 200 euros y ahora cuesta 140.

Sergio: Sí, es verdad, ¡qué barato!, pero me parece demasiado oscuro.

Paloma: Mira Rocío, esta falda es muy bonita, ¿no?, y es mi talla.

Rocío: No sé... yo la veo demasiado informal.

Paloma: Pues a mí me gusta mucho y antes costaba más del doble...

Rocío: Pero... ¿para la cena de mañana?

Paloma: No, mujer, esta es para ir a trabajar.

Sergio: Está muy rebajada, ¿no?, y es muy alegre.

Rocío: Sí, pero... ¿no es demasiadooo...? No sé, no me gusta mucho.

Cajero: ¿Algo más?

Paloma: No, no, nada más.

Cajero: Son 240 €.

Paloma: Tome.

Paloma: ¡Yo necesitaba un vestido y unos zapatos! Mañana tengo que volver de compras.

Sergio: ¡Solo quería un abrigo y ahora tengo todo esto! ¡Me he vuelto loco?

Rocío: ¡Y las entrevistas sin hacer!

Paloma: ¿Sí?

Rocío: Paloma, ¿qué tal? Soy Rocío.

Paloma: ¡Ay!, hola, Rocío, ¿cómo andas?

Rocío: Por aquí, de domingo. Te llamaba para preguntar qué tal te fue ayer con Juanjo, como estabas un poco preocupada el viernes...

Paloma: Bien, bien, bastante bien, un poco raro todo.

Rocío: ¿Por qué raro?

Paloma: Bueno, después de tantos años...

Rocío: ¿Es tan guapo como antes?

Paloma: La verdad es que físicamente ha cambiado mucho. Cuando íbamos a la universidad tenía el pelo muy moreno y casi siempre lo llevaba corto.

Rocío: ¿Y ahora?

Paloma: Pues ahora lo tiene casi blanco, y también es un poco más gordo que cuando tenía veinte años, claro. Pero sigue siendo un hombre atractivo.

Rocío: Ya. Bueno, ¿y a qué se dedica ahora?

Paloma: Pues vive en el campo, solo come verduras y trabaja por su cuenta haciendo reportajes.

Rocío: Ya.

Paloma: Antes, que yo sepa, no le gustaba nada el campo, comía hamburguesas todo el tiempo y quería ser funcionario.

Rocío: Curioso.

Paloma: Sí, y tiene dos hijos. Antes tenía un perro.

Rocío: ¡Pues sí que ha cambiado, sí!

Paloma: Antes tocaba la guitarra, ahora toca el piano. Y antes era muy aficionado al cine, iba casi todas las semanas. Cine y gimnasio, cine y gimnasio. Pues ahora nada de cine. Pero se ha comprado un

telescopio para mirar las estrellas, y dice que pasea mucho por el campo.

Rocío: ¡Muy interesante!

Paloma: Yo me compré un vestido elegante para la ocasión, con unos zapatos altos que eran incomodísimos... recuerdo que él antes iba siempre con unos vaqueros, una camisa y una americana y se reía de mis minifaldas y mis camisetas de colores..., pues el sábado, llevaba unos pantalones de pana con un jersey de lana.

Rocío: O sea que hacíais buena pareja...

Paloma y Rocío: ¡Ja, ja, ja!....

Paloma: Hola, buenos días, quería probarme los zapatos negros del escaparate.

Dependiente: ¿Cuáles? ¿Los altos o los bajos?

Paloma: Los altos, los de tacón.

Dependiente: Vale ¿qué número necesita?

Paloma: El 38.

Dependiente: Sí, aquí están, tome, son estos.

Dependiente: ¿Qué tal le quedan?

Paloma: Pues, creo que me quedan demasiado grandes. ¿Me puede dar un número más pequeño?

Dependiente: Sí, sí, aquí tiene.

Paloma: ¿Cuánto cuestan?

Dependiente: 60 euros, están muy rebajados. Antes costaban 110.

Paloma: Vale, me los llevo.

Dependiente: ¿Va a pagar con tarjeta o en efectivo?

Paloma: En efectivo, aquí tiene.

Dependiente: Pues, gracias y hasta otro día.

UNIDAD 18

Locutora: Hoy vamos a proponer a nuestros radioyentes un viaje, un fantástico viaje a América del Sur. Nosotros aquí estamos en Madrid, muertos de calor, normal siendo 22 de agosto. Pero nos vamos a ir a cuatro ciudades de América del Sur. Nos vamos a Cumaná, a Potosí, a San Pedro de Atacama y a Río Grande. ¿Las conocen? ¿Han oído hablar de esas ciudades? ¿Saben dónde están? ¿No? Pues vengan, vengan con nosotros. En la radio todo es posible.

Locutora: ¿Cumaná? ¿Cumaná?

Venezolano: Sí, aquí Cumaná. Hola, hola, ¿qué tal?

Locutora: Bien, Bien. Cumaná, ¡qué bien suena! ¿Dónde estás exactamente?

Venezolano: Bueno, pues desde la ventana veo el mar Caribe.

Locutora: ¡Qué suerte! ¡El Caribe!

Venezolano: Sí, chévere. Cumaná es la capital del Estado de Sucre, en el norte de Venezuela. Una bellísima ciudad, hermosísima.

Locutora: Bien, bien. Muchas gracias, no te vayas, sigue ahí, que ahora vamos a saludar a nuestro próximo colaborador.

Español 1: Sí, sí, aquí hablamos desde la ciudad de Potosí.

Locutora: Bienvenido. ¡Potosí! En Bolivia, ¿no? Pero, ese acento no es boliviano...

Español 1: Es verdad, soy español, pero llevo ya diez años enamorado de esta tierra de Bolivia. Y, efectivamente, Potosí está en el sur de Bolivia, en la cordillera de los Andes. Estamos hablando de una de las ciudades más altas del mundo. Yo estoy ahora mismo en la plaza principal de la ciudad, a exactamente 3826 metros sobre el nivel del mar.

Locutora: ¡Qué barbaridad! Potosí, una ciudad legendaria. Bien, gracias, ahora volvemos a Potosí, pero ahora nos vamos un momento a San Pedro de Atacama, donde está Fernando, otro periodista español enamorado de América.

Español 2: Aquí Fernando. Hola desde el desierto de Atacama, el desierto más árido del planeta. Un lugar ciertamente privilegiado en el norte de Chile, entre los Andes y la costa del océano Pacífico.

Locutora: ¡Impresionante, impresionante el desierto de Atacama! Pero un segundito que tenemos que continuar nuestro viaje. Vamos a ir ahora al último punto de nuestro recorrido, que es Río Grande.

Argentina: Sí, acá Río Grande, en el extremo sur de la Argentina, en la isla Grande de Tierra del Fuego, una auténtica maravilla.

Locutora: ¿Han visto señoras y señores qué fantástico viaje les hemos preparado? Desde la calidez del Caribe a las frías aguas del extremo sur del Océano Atlántico, hemos atravesado desiertos, selvas y altísimas montañas. Ahora vamos a pensar en el tiempo que hace en esos lugares, para ir entrando en ambiente.

PISTA 85

Locutora: A ver, ¿qué tiempo hace ahora en Cumaná?

Venezolano: Bueno, pues ahora, en agosto, estamos en época de lluvias. Y ahora mismo está lloviendo bastante. Hay 30º pero la sensación de calor es más porque hay mucha humedad. Y por la noche solo

bajaremos a unos 23º, así que bastante calor aquí por el Caribe.

Locutora: Bien, calor en el Caribe, ¿y en Potosí?

Español 1: Bueno, pues en Potosí no llueve. Tenemos un día muy soleado pero está haciendo bastante frío. Ahora mismo estamos a unos 10º pero por la noche bajará de cero.

Locutora: ¡Uy, qué frío en Potosí! Claro, allí es invierno y aquello está tan alto, allí en los Andes, ¿y qué nos van a decir desde San Pedro de Atacama?

Español 2: Pues aquí también es invierno, pero la verdad es que no hay mucha diferencia de clima entre invierno y verano. Ahora mismo en San Pedro tenemos 18º, pero la temperatura cambia mucho del día a la noche. Por la noche podemos tener 4º y por el día 22º.

Locutora: ¡Claro, el desierto! ¡Qué diferencias! ¿Verdad?

Español 2: Sí, sí, el clima aquí es muy especial. En el centro del desierto se han registrado periodos de 300 años sin llover y las temperaturas mínimas pueden llegar a -25º y las máximas a 45º. Pero, vamos, aquí en el pueblo, en San Pedro, no es tan extremo.

Locutora: ¡Increíble! Bueno, del desierto nos vamos al invierno, a la Patagonia argentina.

Argentina: Hola de nuevo, desde Río Grande. Acá tenemos la temperatura más baja. Ahora mismo está haciendo 2º y la sensación térmica es de mucho frío porque tenemos un 100% de humedad.

Locutora: Muy bien, pues ahora ya saben qué tiempo hace el 22 de agosto en esos lugares, cada vez es más real nuestro viaje, ¿no? ¿Hablamos ahora de gastronomía? ¿Qué se come por allá?

PISTA 86

Presentador: Recibimos con un fuerte aplauso a nuestra siguiente concursante. Hola, Elvira, ¿cómo estás?

Concursante: Bien, bien, gracias. Un poco nerviosa...

Presentador: ¿Nerviosa? Nada de nervios, mujer, que todo va a ir bien. El tema que toca ahora es geografía. Ya sabes que tenemos ocho preguntas para hacerte. Las preguntas aparecerán en pantalla y tienes tres opciones para elegir. ¿Vamos allá?

Concursante: Sí, sí, cuando quieras. Mejor empezar ya.

Presentador: Vale, pues aquí va la primera pregunta. ¿Cómo es el agua de nuestro

planeta? ¿El 97% salada y el 3% dulce, o el 73% salada y el 27% dulce o el 48% salada y el 52% dulce? ¡Qué lío! ¿No?

Concursante: ¡Vaya, porcentajes! Pues no estoy segura. Voy a decir que 73% salada y 27% dulce, la verdad es que no lo sé.

Presentador: Vaya, lo siento, Elvira, no es correcto. El 97% del agua del planeta es salada y solo el 3% es dulce. En fin, vamos a la siguiente, no pasa nada, todavía quedan siete preguntas. La segunda es: ¿qué océano es el mayor? ¿El Atlántico, el Pacífico o el Ártico?

Concursante: Está sí la sé. Seguro que el Pacífico.

Presentador: Sí, señora, el Pacífico es el mayor con más de 166 000 km². Después viene el Atlántico, que es casi la mitad de pequeño. ¿Vamos a la siguiente pregunta?

Concursante: Sí, sí.

Presentador: ¿Cuál es la montaña más alta de Europa: el monte Elbrus, el Mont Blanc o el Aneto?

Concursante: Pues creo que el Mont Blanc. Sí, venga, el Mont Blanc.

Presentador: Ya, casi todo el mundo piensa eso. Pero, no. La montaña más alta de Europa es el Monte Elbrus, en Rusia, en el Cáucaso. En realidad, el Mont Blanc es solo el pico más alto de Europa occidental. No pasa nada, Elvira, vamos a por la siguiente pregunta. ¿Qué cordillera está en África: el Atlas, la de Kuenlún o los Andes?

Concursante: ¿En África? El Atlas, ¿no?, que está en Marruecos.

Presentador: ¡Eso es, bravo! El Atlas, sí, en Marruecos y en Túnez, uno de los sitios más bonitos del mundo. Seguimos, quinta pregunta: ¿cuál es el desierto más seco del mundo: el Sáhara, el Gobi o el de Atacama?

Concursante: El Sáhara es el más grande, pero creo que no es el más seco. ¿Quizás el Gobi? No, no, creo que no, voy a decir Atacama.

Presentador: ¡Efectivamente, el Atacama! Un desierto costero que está en Chile, allí nunca llueve, o casi nunca. Sexta pregunta: ¿qué isla es la mayor: Gran Bretaña, Sumatra o Madagascar?

Concursante: Pues me parece que Madagascar, es probable, sí, sí, Madagascar.

Presentador: ¡Sí, Madagascar, muy bien! Lo estás haciendo estupendamente, Elvira, y ya casi estamos acabando esta fase. ¡Sigue así! ¿Cuál es la catarata más alta del mundo: el Salto del Ángel, las cataratas Victoria o las del Niágara?

Concursante: ¡Vaya! Ni idea, ¿las cataratas Victoria?

Presentador: No, qué pena, Elvira. La más alta es el Salto del Ángel, que está en Venezuela. Pero todavía nos queda la última pregunta: ¿cuál de los siguientes volcanes no está en Hawái: Mauna Loa, Kilauea o Krakatoa?

Concursante: Esta es difícil, todos me suenan igual. Eee... Krakatoa, voy a decir Krakatoa.

Presentador: ¡Ahí estamos, Krakatoa! No está en Hawái, sino en Indonesia, en una isla que lleva el mismo nombre que el volcán. ¡Felicidades, Elvira! Gracias a esta respuesta pasas a la siguiente fase de nuestro concurso.

Carmen: ¡Qué raro! Son más de las 9 y no ha llegado nadie. ¡Y la reunión de hoy es muy importante!

Carmen: ¿Paloma?

Paloma: Sí, Carmen, soy yo. Es que me he levantado y me he encontrado la casa llena de agua. Creo que se ha roto un grifo por la noche...

Carmen: ¡Qué horror!

Paloma: Sí, horrible. Ahora estoy recogiendo agua y esperando al fontanero. No voy a llegar a la reunión, lo siento.

Carmen: Bueno, tranquila, ve directamente al puente del río Guadaluz. Necesitamos unas fotos.

Paloma: ¿Del río? ¿Por qué?

Carmen: Un vertido de una fábrica. Un desastre: peces muertos flotando...

Paloma: Vale, voy para allá y hago unas fotos.

Carmen: ¡Hombre, aquí llega alguien!

Mario: Hola, Carmen, perdona por el retraso.

Carmen: Pasa, pasa. Eres el primero.

Mario: ¿Sabes lo que me ha pasado? Pues, estaba duchándome y de repente se cortó el agua. Y yo allí con todo el jabón...

Carmen: ¿Y qué hiciste?

Mario: Pues tuve que acabar la ducha con una botella de agua mineral que tenía en la nevera.

Carmen: ¡Vaya! ¡Pobre!

Mario: Sí, sí, estaba helada y, además, era agua mineral con gas.

Rocío: Hola, lo siento, llego tarde. Hay un atasco tremendo, es que está lloviendo a mares y todo el mundo ha decidido coger el coche.

Carmen: Vale, no pasa nada. Hoy todo el mundo tiene problemas. ¿Qué tal el reportaje sobre el agua? Tenemos mucha prisa con eso.

Rocío: Lo estoy acabando.

Carmen: Estupendo, ¿sabes algo de Sergio?

Rocío: Está haciendo entrevistas en la universidad, es que necesitamos unos datos para el reportaje.

Carmen: Bien, Paloma está sacando unas fotos en el río Guadaluz. Hay que entregar el reportaje hoy. Mario, ¿tú puedes ayudar a Rocío y a Sergio?

Mario: Claro, sin problema. A mí me interesa mucho el tema este del consumo responsable del agua.

Sergio: Hola, aquí estoy, lo siento, es tardísimo.

Carmen: Por fin. ¡Bienvenido! Estamos hablando del reportaje sobre el agua.

Sergio: Sí, sí. Tenemos toda la información.

Carmen: Pues a trabajar. Hay que redactarlo hoy mismo.

Rocío: Fíjate, aquí dice que solo el 0,007% del agua de la Tierra es potable y que esa cantidad se reduce continuamente por la contaminación.

Sergio: Sí, por eso más de 1100 millones de personas en el mundo tienen muchísimos problemas simplemente para beber agua limpia.

Rocío: Millones de mujeres y niños caminan todos los días más de 10 kilómetros al día para conseguir agua.

Sergio: Es muy tarde, estoy cansadísimo. Y este reportaje está deprimiéndome. Necesito salir a comer algo.

Mario: Voy contigo y me tomo una cerveza. Tengo sed y... ¡Agua, no gracias! ¡Qué día!

Rocío: Se necesitan 5680 litros de agua para producir un barril de cerveza.

Mario: ¡Vale, nada de cerveza, seguimos con el reportaje!

Rocío: Hola, lo siento, llego tarde. Hay un atasco tremendo, es que está lloviendo a mares y todo el mundo ha decidido coger el coche.

Carmen: Vale, no pasa nada. Hoy todo el mundo tiene problemas. ¿Qué tal el reportaje sobre el agua? Tenemos mucha prisa con eso.

Rocío: Lo estoy acabando.

Carmen: Estupendo, ¿sabes algo de Sergio?

Rocío: Está haciendo entrevistas en la universidad, es que necesitamos unos datos para el reportaje.

Carmen: Bien, Paloma está sacando unas fotos en el río Guadaluz. Hay que entregar el reportaje hoy. Mario, ¿tú puedes ayudar a Rocío y a Sergio?

Consulta 1

Telefonista: Buenos días, ¿en qué puedo ayudarle?

Hombre: Hola, buenos días. Quería saber si puedo ir con mi perro a la playa, porque no sé, la gente me mira mal y no sé si está prohibido...

Telefonista: Espere un momento, que consulte la normativa municipal..., sí, aquí está, le leo: Se prohíbe el paso o permanencia de perros, gatos y otros animales de compañía en las Playas durante la temporada alta, que comprende los días de Semana Santa, todos los fines de semana de abril a octubre y del 1 de junio al 16 de septiembre.

Hombre: Entonces, ahora sí puedo, ¿no?

Telefonista: Sí, ahora en octubre sí se puede, pero solo los días de diario, el fin de semana, no.

Hombre: Muy bien, muchas gracias.

Telefonista: De nada, adiós.

Consulta 2

Telefonista: Buenos días, ¿en qué puedo ayudarle?

Mujer: Mire, es que tengo un problema porque a mí me gustan mucho las plantas y tengo el balcón precioso con muchas flores, que da gusto verlo. El caso es que tengo una vecina que siempre me riñe cuando estoy regando y dice que me va a denunciar, que aquí no se puede regar a cualquier hora. Y yo quería saber si es verdad que hay un horario para regar las plantas o no.

Telefonista: Pues sí, es verdad, hay un horario para regar las plantas. Espere un momentito y lo busco..., eso es: de 10 de la noche a 7 de la mañana. Además, usted tiene que tratar de no mojar a quienes pasan por la calle. ¡Ah! Y ese es el horario también para sacudir alfombras o ropa.

Mujer: ¡Qué curioso! Pues no lo sabía, la verdad. O sea, que tengo que regar las plantas por la noche.

Telefonista: Sí, señora, a partir de las 10 puede usted regar las plantas, con un poquito de cuidado para no molestar...

Mujer: Sí, sí, claro, si eso siempre lo hago, lo que pasa es que no sabía lo del horario... Bueno, pues ya está, muchas gracias, señorita.

Telefonista: De nada, adiós.

Consulta 3

Telefonista: Buenos días, ¿en qué puedo ayudarle?

Hombre: Hola, buenas. Yo quería saber si hay una normativa municipal sobre los animales que se pueden tener en una casa. Mire es que soy el presidente de mi comunidad de vecinos y en el cuarto piso vive una familia, con dos niños pequeños, y tienen además, cuatro perros, dos tortugas, dos conejos y varios pollitos, en fin, un zoológico. Los olores, sobre todo ahora en verano son muy fuertes, los perros ladran mucho y, en definitiva, es bastante molesto. Algunos vecinos se han quejado y yo, pues no sé si podemos hacer algo y por eso quería consultar...

Telefonista: Pero, ¿los animales están bien cuidados o están abandonados? ¿Los ladridos de los perros son persistentes? ¿Los olores son muy fuertes? ¿Estamos hablando de un problema de salud pública?

Hombre: No, hombre, de salud pública, no creo, es que huele un poco mal, sobre todo el ascensor, claro. Hasta donde yo sé, los animales están bien atendidos, pero claro, ¡son tantos...!

Telefonista: La ordenanza sobre protección, tenencia y venta de animales regula las condiciones en las que se debe tener a los animales domésticos y de compañía, en su capítulo 2. No se establece un número límite, pero sí se indica el espacio del que deben disfrutar estos animales y también las condiciones de higiene y seguridad para ellos y para el resto de los vecinos.

Hombre: Entiendo, sí...

Telefonista: Si ustedes consideran que las molestias son muy grandes, por los olores o los ruidos, deben comunicárselo, en primer lugar, a los dueños de los animales. En el caso de que no tomen las medidas oportunas, deben denunciar los hechos ante la policía municipal, para que valore las molestias y se tomen las medidas oportunas.

Hombre: O sea, que no dice el número de animales que se pueden tener en casa...

Telefonista: No, no, no, no, no, eso depende de las condiciones de la vivienda, claro.

Hombre: Ya, no sé, es que yo pensaba que cuatro perros en una casa y, además los otros bichos, pues... Bueno, pues muchas gracias, eso era todo.

Telefonista: Adiós, muchas gracias.

PISTA 90

Rocío: Miquel, ¿me das el disco, por favor?

Miquel: Sí, sí, tómalo.

Sergio: Hace mucho calor aquí, ¿no? ¿Puedo poner el aire?

Carmen: Sí, ponlo, ponlo.

Locutora: Hace más de treinta años, algunos jóvenes llegaron desde las ciudades decididos a cambiar sus vidas y a cambiar el paisaje de los pueblos abandonados del Prepirineo aragonés. Desde entonces, la vida ha vuelto a estos pueblos. Cuando llegaron no había ningún tipo de infraestructura básica: agua, luz, comunicaciones.

Vecino 1: Cuando llegamos aquí, no teníamos nada y tuvimos que hacerlo todo: arreglar las casas, los caminos...

Locutora: ¿Qué movió a estos jóvenes para establecerse aquí? Buscaban una forma distinta de organización social: vivir en el campo, sí, pero, sobre todo, vivir en comunidad, compartir las decisiones, ayudarse. Una forma de organización asamblearia que, con el tiempo, se ha modificado.

Vecina 2: Antes éramos más idealistas que ahora. Y menos prácticos, también. Ya no hacemos tantas cosas todos juntos.

Locutora: Hay algunos pueblos que están creciendo. Tienen nuevos vecinos procedentes de otros países, hay más niños. Reconocen que hay que aprender de la vida en comunidad de las antiguas aldeas, pero sin olvidar que están en el siglo XXI. Surge así el concepto de ecoaldea: una comunidad que busca el equilibrio entre la ecología, la sociedad, la cultura, la economía, la política.

Vecino 3: Me gustaría motivar a otras personas para tener experiencias similares.

Carmen: Enhorabuena, es un reportaje excelente, ¿verdad chicos?

Sergio: Muy interesante... Me gustaría vivir así, sin tráfico, sin contaminación, sin prisas, con más tiempo para pensar...

Carmen: ¿Sí? Oye, ¿te gustaría pasar una semana allí? Nos han invitado y...

Sergio: ¡Sí, estupendo, así podemos completar el reportaje con una experiencia desde dentro!

Gallo: ¡Kikirikí!

Vecino 3: ¡Sergio! ¡A desayunar!

Sergio: Pero... ¿Qué hora es?

Sergio: ¿Necesitas ayuda?

Vecina 2: Bueno, ¿puedes cortar tú esa leña?

Sergio: Sí, sí, por supuesto.

Vecino 1: Uf, ¡has cortado tanta leña como Teresa! ¡Muy bien! Bueno, voy a buscar setas.

Sergio: ¿Puedo ir contigo?

Vecino 1: Sí, claro, así conoces el bosque.

Sergio: ¿Puedo beber agua?

Vecino 1: No, no, esta agua no es buena...

Vecino 3: ¡Vamos, rápido! ¡Tenemos que meter los animales dentro!

Sergio: ¿Ahora?

Carmen: Hola, Sergio, ¿qué tal tu primer día en la ecoaldea? ¿Es todo tan maravilloso como pensabas?

Sergio: ¿Te puedo pedir un favor, Carmen? ¡Ven a buscarme!

PISTA 91

1

Sergio: ¡Uf!, ¡Qué frío!, ¿eh? Parece mentira, en esta época. De día hace calor, pero ahora, ¡uf! yo estoy helado, vamos, que tengo un frío...

Vecino 1: Enseguida enciendo el fuego.

2

Sergio: Oye, Teresa, mira es que, necesito ir al río para hacer unas fotos y... está bastante lejos, la verdad. Si voy andando se va a hacer de noche... ¿puedo pedirte un favor? ¿Me dejas tu coche? Va a ser solo un momentito, pero, bueno, si lo necesitas tú...

Vecina 2: Sí, no hay problema, toma las llaves, pero no tiene mucha gasolina, ¿eh?

3

Sergio: Me encuentro fatal, no sé qué me pasa... Perdona, ¿tienes una aspirina? Es que me duele mucho la cabeza.

Vecino 3: Sí, claro, toma.

4

Sergio: ¡Madre mía! ¡Cómo llueve! Pues tengo que ir un momento a casa de Teresa. Pues, no sé, umhhh... ¿Puedes dejarme un paraguas?

Vecino 1: Lo siento, es que se me rompió el otro día, pero si quieres te dejo un impermeable...

PISTA 92

Padre: Mira, esta casa está muy bien y tiene columpios para los niños...

Madre: Sí, el jardín está muy bien, pero, no sé, una casa rural, ¡tenemos que cocinar! Me gustaría descansar un poco...

Padre: Pero, entonces, tenemos que buscar un hotel...

Madre: Bueno, un hostal pequeño, con restaurante.

Padre: Como este, Hostal Restaurante Pirineos.

Madre: No, este no. No tiene jardín y está en el centro del pueblo.

Padre: De acuerdo... ¿Y este? Hostal Residencia Paz: es pequeño, está en el campo, tiene jardín ¡y con piscina! Y tiene restaurante.

Madre: Sí, este es el que me gusta más. Pero tenemos que llamar, porque no sé si está cerca del pueblo, y la piscina, en mayo, no sé, quizá no está abierta...

Padre: Y la televisión, pregunta si las habitaciones tienen televisión, que es la final de la Champions...

PISTA 93

Recepcionista: ¿Dígame?

Madre: Hola, buenos días. Quería hacer una reserva para la primera semana de mayo. Del 31 de abril al 5 de mayo.

Recepcionista: Un momento, por favor. Sí, tenemos habitaciones libres. ¿Cuántas personas?

Madre: Somos siete personas: dos parejas y tres niños.

Recepcionista: ¿Los niños duermen juntos?

Madre: Sí, sí, los tres juntos.

Recepcionista: Entonces, ¿son dos habitaciones dobles y una triple?

Madre: Sí, dos dobles y una triple.

Recepcionista: Muy bien. ¿Quieren alojamiento y desayuno?

Madre: Pues, habíamos pensado comer fuera, pero cenar en el hostal, ¿es posible?

Recepcionista: Claro, claro, media pensión, entonces.

Madre: Sí, eso es, media pensión. ¿Cuánto cuesta cada habitación?

Recepcionista: Pues las dobles, con media pensión, son 80 euros y la triple, 95.

Madre: Muy bien. Una pregunta, ¿las habitaciones tienen televisión?

Recepcionista: Sí, todas y baño también.

Madre: ¿Y el pueblo está muy lejos?

Recepcionista: No, son diez minutos a pie, un paseíto.

Madre: ¡Ah! Muy bien. Y en mayo, ¿la piscina está abierta?

Recepcionista: Sí, sí, abrimos la piscina esa semana precisamente.

Madre: De acuerdo.

Recepcionista: ¿A nombre de quién hago la reserva?

Madre: María Palomo García.

Recepcionista: Muy bien. Por favor, tiene usted que confirmar la reserva 15 días antes de su llegada. ¿Me da un teléfono de contacto, por favor?

Madre: Claro, 93 478 65 12.

Recepcionista: Muchas gracias, señora Palomo.

Madre: A usted.

UNIDAD 20
PISTA 94

1 Elena

Periodista: Este curso, Elena ha cambiado el colegio en el que estaba dando clases en Madrid por uno que está más lejos: en Malabo, la capital de Guinea Ecuatorial.

Periodista: ¿De dónde eres, Elena?

Elena: De Madrid, del barrio de Aluche.

Periodista: ¿Por qué decidiste venir a Guinea Ecuatorial?

Elena: Pues... porque tenía ganas de conocer cómo era la cultura en un país de África occidental, en Guinea se habla español, salió la oportunidad en el colegio y, nada, me vine para acá, de profesora de educación infantil, con niños de cuatro añitos. Y, la verdad, que... contenta. Me vine sin pensarlo mucho. Me lo ofrecieron y tampoco sabía mucho cómo iba a ser aquí la vida.

Periodista: ¿Cómo reaccionaron tus amigos cuando les contaste que querías irte a Guinea?

Elena: Pues no se sorprendieron. Ya saben cómo soy, ¿eh?

2 David

Periodista: Si hay algo con lo que disfrutan David y su mujer, María, es descubriendo los lugares más desconocidos de la ciudad de Nicosia, la capital de Chipre. Hoy, esta pareja de arquitectos nos ha permitido acompañarles.

Periodista: ¿David? ¡Hola, David!

David: ¡Hola! Esta es María, mi esposa.

Periodista: ¡Hola, María!, ¿qué tal? ¿Cómo estás?

María: ¡Hola! Bien.

Periodista: ¿Tú de dónde eres, David?

David: De Palencia, de Palencia con «p». Y María es de aquí, de Nicosia; ella es chipriota, estamos casados y somos arquitectos los dos.

Periodista: ¿Cómo os conocisteis?

María: Nos conocimos en Atenas, en la Escuela de Arquitectura de Atenas y como a mí y a mis amigos nos gusta mucho la gente extranjera de Erasmus, porque conocíamos varias culturas y tal, pues así nos conocimos.

Periodista: O sea, vamos, que os enamorasteis locamente en Atenas y tú, David, te viniste a Chipre... por amor, ¿no?

David: Pues sí, en pocas palabras, eso fue.

Periodista: María, ¿por qué este edificio en el que estamos es tan especial para vosotros?

María: Pues, aquí hicimos la cena de nuestra boda porque es un lugar muy especial arquitectónicamente; es uno de los espacios más bonitos —restaurados— en la ciudad antigua y, no sé, tiene un encanto.

Periodista: Cuéntanos, David, qué pensáis hacer en este sitio.

David: Pues mira, aquí hay mucha gente aficionada al fútbol. El fútbol es el deporte..., el deporte más importante, es el deporte nacional. Entonces, la idea es hacer una peña del Real Madrid aquí, en Chipre, que no hay.

María: ...Y la inauguración, la vamos a hacer aquí.

David: ...Intentamos hacer cosas que acerquen a los dos países, a Chipre y España. Ya que estamos tan lejos, crear lazos de unión. Y eso va a ser muy bonito, yo creo, porque, claro, lo del fútbol es una excusa, pero lo importante es hacer cosas que, que..., es lo bonito, que se junten los países.

3 Verónica

Periodista: Vino con su marido a poner molinos de viento. Ahora es empresaria y madre.

Periodista: ¿Española, de dónde?

Verónica: De Salas, Asturias.

Periodista: ¿Y qué hace aquí una asturiana?

Verónica: Pues junto con mi marido hemos creado nuestra propia empresa, aquí, en China. Llevamos cuatro años, casi, viviendo aquí.

Periodista: ¿Y ahora, adónde me llevas?

Verónica: Pues mira, ahora te llevo a la estación de Guinantempo, que es donde tengo mi oficina.

Periodista: ¿Por qué decidisteis veniros los dos aquí, a China?

Verónica: Estábamos en Estados Unidos, haciendo un máster, antes de venirnos a vivir aquí. Conocimos a una persona china allí y empezamos a conocer un poco este mundo, las oportunidades que podría haber y vinimos por primera vez en junio del 2005 y decidimos, pues... crear una empresa, nuestra propia empresa, y empezar a hacer negocios entre España y China.

Periodista: ¿Y de qué es la empresa?

Verónica: Pues mira, lo que hacemos principalmente es ayudar a empresas españolas que quieren instalarse en China y luego les ayudamos a comprar o a vender sus productos, a introducir su producto en el mercado chino, también.

Periodista: ¿Y qué tal vivir aquí?

Verónica: La verdad es que nunca me hubiera imaginado que iba a vivir aquí. Al principio fue un poco duro: la contaminación, los coches, la lengua... pero, fíjate, cuatro años después, y aquí estoy. Shanghái es una ciudad muy cómoda, la conozco...

Periodista: ¿Los chinos son muy distintos de los españoles?

Verónica: Pues al principio me parecían muy distintos, pero ahora, ya los vas conociendo poco a poco..., te haces tu grupo de amigos y resulta que tenemos muchas cosas en común: somos muy familiares, nos encanta hablar, la comida también es así, con tapas..., muchos platos..., les encanta estar por la calle, hacer tertulias...

4 Teo

Periodista: Me alejo de Lima en coche para entrar en la cordillera de los Andes. Después de dos horas de viaje llego hasta San Mateo, un pequeño pueblo que está a más de 3000 metros de altura. Aquí he quedado con Teo, un enamorado del Camino Inca.

Periodista: Timoteo, ¿qué tal? ¿Cómo va?

Teo: Hola, ¿qué tal?

Periodista: ¿De dónde eres, Teo?

Teo: Soy catalán, nacido en Cataluña, residente durante treinta años en Madrid y llevo veintiún años en América.

Periodista: Bueno, ¿adónde me vas a llevar?

Teo: Te voy a llevar al valle de Tarma, que es un valle muy bonito, donde vamos a ver algunos tramos del Camino Inca.

Periodista: ¿Y el Camino Inca, exactamente, qué es?

Teo: Es la ruta que utilizaron los Incas para expandir su imperio desde el siglo XI al siglo XIV, ¿no? Ahora hemos escrito un libro que narra todo el camino desde Quito, capital de Ecuador, hasta La Paz, capital de Bolivia. Son cerca de 3000 km.

Periodista: ¿Y qué se cuenta en ese libro?

Teo: Pues se cuentan los paisajes, el medioambiente, la cultura de los pueblos andinos actuales...

Periodista: Y para eso, habrás andado por muchos tramos del Camino Inca, ¿no?

Teo: Pues cerca de 3000 km.

Periodista: ¡Tres mil kilómetros! Oye, ¿y en España qué hacías? ¿Tenías un trabajo de oficina o qué?

Teo: En España tenía un trabajo de oficina; era funcionario de la Comunidad de Madrid, pero tenía ganas de vivir otra vida, de hacer otras cosas, de..., no sé, de VIVIR, de vivir la vida de forma más auténtica, realmente.

Periodista: ¡Pues vaya cambio!, ¿no?

Teo: Sí, y entonces me vine a América y... ya van veintiún años aquí.

PISTA 95

Periodista: ¡Hola, amigos! Bienvenidos a una edición más de nuestro programa «Españoles en el mundo». Hoy estamos en Tokio, donde hemos contactado con Alejandro, un español de Sevilla que vive desde hace varios años en esta ciudad de Japón. Primero de todo, Alejandro, unas preguntas para que te conozcamos todos un poco, ¿vale?

Alejandro: Sí, sí, claro, por supuesto.

Periodista: A ver, tú naciste en Sevilla, ¿no?

Alejandro: Sí, en Sevilla, en el barrio de Triana. En 1982 para más señas.

Periodista: ¡Ay, en el barrio de Triana! ¡Qué bonito! ¿Viviste allí mucho tiempo?

Alejandro: Bueno, hasta los 15 años, hasta que murió mi abuela.

Periodista: Vaya.

Alejandro: Sí. Entonces mi padre decidió cambiar de trabajo y nos fuimos a vivir a Valencia. Allí empecé la universidad.

Periodista: ¿Ah, sí? ¿Y qué estudiaste?

Alejandro: Bueno, pues al principio no sabía qué estudiar, pero era bueno en Matemáticas y al final me decidí por hacer Informática. Me licencié en 2004.

Periodista: ¿Te licenciaste en Informática? Oye, ¿y no me podrías arreglar un problemita que tengo con el ordenador...? Se trata de un virus...

Alejandro: Eh... sí, bueno, lo podemos intentar...

Periodista: ¡Era broma! Bueno, cuéntame: ¿cómo es que te viniste a vivir a Japón?

Alejandro: Bueno, pues ya antes de terminar la carrera, cuando todavía estaba en Valencia, empecé a estudiar japonés. No sé, me gustaba...: una cultura tan distinta... Y luego, después de la Universidad, resulta que... en fin, que como hablaba un poco de japonés y ya había terminado la carrera, pues gané una beca para trabajar en una empresa multinacional japonesa.

Periodista: ¿Aquí, en Tokio?

Alejandro: Pues sí.

Periodista: O sea, que te viniste a Japón por motivos de trabajo.

Alejandro: Sí, eso es.

Periodista: ¿Y no nos vas a decir qué multinacional era?

Alejandro: Eh... sí, claro: Yamaha.

Periodista: ¡Caramba, Yamaha! A ver, más cosas: hablemos del amor. ¿Estás casado? ¿Tienes novia? ¿O novio?

Alejandro: Tenía, tenía, pero ya no. Estoy divorciado. Conocí a una chica japonesa, Noriko, y nos casamos en 2007 pero la cosa duró poco. Nos separamos el año pasado.

Periodista: Vaya, lo siento. Y no sé si te puedo preguntar... ¿teníais hijos?

Alejandro: Sí, tenemos una niña, Akiko. Hoy está con su madre.

Periodista: ¡Ah, claro! Bueno, pues creo que ya te he hecho unas cuantas preguntas personales. Ahora me podrías enseñar un poco la ciudad. ¿Adónde vamos?

PISTA 96

Carmen: Chicos, como sabéis, este año es el «Año de la Ciencia».

Rocío: Sí, podemos hacer un reportaje especial sobre el tema...

Carmen: ¡Exacto! Luis, Paloma, ¿por qué no entrevistáis a un científico famoso? Iñaki, tú puedes ayudar a Rocío y buscar información sobre grandes científicos del siglo xx.

Iñaki: Rocío, escucha esto: «En 1908, un científico brasileño, Vital Brazil, descubrió una sustancia contra el veneno de escorpión. Tenía 43 años».

Rocío: Mmm... ¡Qué interesante! ¿Qué más?

Iñaki: «Nueve años antes descubrió un antídoto contra el veneno de las serpientes americanas. Esta vacuna redujo al 2% el número de muertes por mordedura de este animal, que antes era del 25%».

Luis: Dígame, ¿por qué decidió ser astronauta?

Pedro Conde: Pues porque quería una profesión 'emocionante'. Después de licenciarme en Ingeniería Aeronáutica, empecé a trabajar en la Agencia Espacial Europea; allí me seleccionaron para ser astronauta.

Luis: ¿Y ha estado alguna vez en el espacio?

Pedro Conde: Sí, claro, varias veces. Pero la estancia más interesante fue en 2008, en la Estación Espacial Internacional. Estar allí arriba fue algo fantástico.

Luis: Dicen que cuando era usted joven hacía submarinismo. ¿Hay alguna relación entre el mar y el espacio?

Pedro Conde: Sí, quizás... la inmensidad.

Paloma: ¡Hola, chicos!

Luis: ¡Hola! ¿Sabéis? Ya tenemos reportaje.

Rocío: ¿En serio? ¡Qué bien! Pues nosotros hemos escrito un artículo sobre un científico brasileño...

Mario: ¡Hola!

Luis: ¡Hola, Mario!

Rocío: ¿Qué tal, Mario?

Iñaki, Paloma: ¡Hola!

Mario: ¡Anda, habéis hecho una entrevista a Pedro Conde! Es íntimo amigo de mi hermano.

Luis: ¡¿Cómo?!

Mario: Pues sí, es que estudiaron juntos en la Universidad. En mi familia hay muchos «hombres de ciencia»... Mi bisabuelo materno, por ejemplo, era científico. ¿Sabéis? Descubrió un antídoto contra serpientes venenosas.

Iñaki: ¿¿¿Tu bisabuelo es Vital Brazil, el científico que descubrió el antídoto contra el veneno de la serpiente de cascabel???

Mario: Sí, si queréis os hago un reportaje sobre mi bisabuelo y otro sobre el amigo de mi hermano. Este año es el Año de la Ciencia y podemos publicar los reportajes en el suplemento del domingo...

PISTA 97

Diálogo 1

Hombre 1: Oye, ¿tú has trabajado como voluntario alguna vez?

Hombre 2: Eh... pues sí, una vez, pero hace muchos años, en Francia.

Hombre 1: ¿En Francia? ¿Y cómo fue eso?

Hombre 2: Pues... yo estudiaba en el Instituto Francés de Barcelona, y un día la profesora llegó a clase y nos comentó la posibilidad de ir al sur de Francia como voluntarios, en verano, para hacer excavaciones arqueológicas.

Hombre 1: ¡Excavaciones arqueológicas! ¡Qué interesante!

Hombre 2: Sí, muy interesante. La verdad es que aprendí muchas cosas.

Hombre 1: ¿Sí? ¿Como qué, por ejemplo?

Hombre 2: Bueno, primero, cómo vivían los hombres prehistóricos, pero sobre todo, aprendí a trabajar en grupo y a convivir con otras personas.

Diálogo 2

Mujer 1: Pues yo he trabajado de canguro bastantes veces, la verdad.

Mujer 2: ¿Ah, sí? Cuenta, cuenta.

Mujer 1: Pues... bueno, nada especial. Es que mi hermana tiene dos niños y cuando eran pequeños, y mi hermana y su marido salían por la noche, pues yo iba a su casa.

Mujer 2: ¿Y qué hacías?

Mujer 1: Pues nada, jugaba con ellos, les contaba cuentos, les daba la cena...

Mujer 2: ¿Y nunca pasó nada? Quiero decir, ¿un accidente o algo?

Mujer 1: ¡Ah, sí, sí! Una vez mi sobrina Sara rompió el cristal de una mesa que había en el salón con la cabeza. ¡Qué susto!

Mujer 2: ¡No me digas! ¿Y qué hiciste?

Mujer 1: Pues la llevé corriendo al hospital y llamé a mi hermana, claro.

Primera edición, 2017

Produce: SGEL – Educación
Avda. Valdelaparra, 29
28108 Alcobendas (Madrid)

© Manuela Gil-Toresano (coordinadora pedagógica)
  José Amenós, Aurora Duque, Sonia Espiñeira, Inés Soria, Nuria de la Torre, Antonio Vañó
© Sociedad General Español de Librería, S. A., 2017
Avda. Valdelaparra, 29, 28108 Alcobendas (Madrid)

Director editorial: Javier Lahuerta
Coordinación editorial: Jaime Corpas
Edición: Mise García
Corrección: Ana Sánchez
Diseño de cubierta: Thomas Hoermann
Diseño de interior: Julio Sánchez
Fotografía de cubierta: Fotokon / Shutterstock.com
Maquetación: Leticia Delgado
Ilustraciones: Pablo Torrecilla

ISBN: 978-84-9778-957-8
Depósito legal:
Printed in Spain – Impreso en España

Impresión: